# GOD'S GYM

*Van Leon de Winter verscheen*

Over de leegte in de wereld (verhalen) 1976
De (ver)wording van de jongere Dürer 1978
Zoeken naar Eileen W. 1981
La Place de la Bastille 1981
Vertraagde roman 1982
Kaplan 1986
Hoffman's honger 1990
SuperTex 1991
Een Abbessijnse woestijnkat (verhalen) 1991
De ruimte van Sokolov 1992
Alle verhalen 1994
Serenade 1995
Zionoco 1995
De hemel van Hollywood 1997

# Leon de Winter

# *God's Gym*

ROMAN

2003
De Bezige Bij
Amsterdam

Eerste druk (gebonden) mei 2002
1ste tot en met 4de duizendtal
Tweede druk (paperback) mei 2002 (voorheen eerste druk)
5de tot en met 41ste duizendtal
Derde druk juni 2002
42ste tot en met 56ste duizendtal
Vierde druk (gebonden) juli 2002
57ste tot en met 59ste duizendtal
Vijfde druk (paperback) juli 2002
60ste tot en met 69ste duizendtal
Zesde druk augustus 2002
70ste tot en met 84ste duizendtal
Zevende druk oktober 2002
85ste tot en met 94ste duizendtal
Achtste druk december 2002
95ste tot en met 101ste duizendtal
Negende druk februari 2003
102de tot en met 109de duizendtal
Tiende druk juni 2003
110de tot en met 129ste duizendtal
Omslagillustratie Remko Kalkman (Shop Around!)
Omslagontwerp Studio Jan de Boer
Auteursfoto Billie Glaser
Druk Hooiberg Epe
Typografie CeevanWee, Amsterdam
ISBN 90 234 1222 2
NUR 301

Voor Moos,
Moon & Jes

# PROLOOG

# *De samenloop der omstandigheden op 22 december 2000*

Notities van God voor dhr. Koopman

### OMSTANDIGHEID EEN

Wie driehonderd miljoen jaar geleden vanuit de ruimte naar de aardbol had gekeken zou een totaal ander beeld van het aardoppervlak hebben gekregen dan wat ons vertrouwd is geworden door kaarten en de foto's die satellieten naar decodeercomputers hebben gestuurd. U en ik kennen de continenten: de twee druppelvormige Amerikaanse lappen die met de navelstreng van Midden-Amerika aan elkaar zijn verbonden, de dikke, op zijn kop gezette Afrikaanse L, het grillige Europa, dat doet denken aan een misvormde hand met een Griekse, Italiaanse, Iberische en Scandinavische vinger, de naar beneden uitgezakte verfvlek die Azië heet, en de verdwaalde stukken Australië en Antarctica.

Driehonderd miljoen jaar geleden waren er geen continenten. Voordat ze zo'n tweehonderdvijfentwintig miljoen jaar geleden ontstonden, werd de aarde bedekt door een gigantische oceaan en één kolossaal continent, Pangaea, ofwel het 'gehele land' in het Grieks. Niemand weet precies hoe Pangaea eruitzag maar vermoedelijk leek het een beetje op een embryo, waarbij Azië het hoofd vormde, de westkust van het latere Amerika de rug, Afrika het lijf en Australië en Antarctica de beentjes.

De Nederlandse kaartenmaker Abraham Ortelius – een landgenoot van u – was een van de eersten die opmerkten dat de kustlijn van Amerika zo mooi aansloot op die van westelijk Afrika en Europa. Hij veronderstelde dat Amerika op drift was geraakt door aardbevingen en overstromingen, maar zijn ideeen hierover kregen weinig bijval. Pas in 1912 kreeg de theorie van de continentale bewegingen een wetenschappelijke basis met de publicatie van twee artikelen van de Duitse metereoloog Alfred Wegener, die het uiteenvallen van Pangaea dateerde op ruim tweehonderd miljoen jaar geleden.

Het was Wegener niet alleen opgevallen dat de continenten zo mooi in elkaar pasten, maar ook dat er opvallende fossiele en geologische overeenkomsten bestonden tussen de oostkust van Zuid-Amerika en de westkust van Afrika. Ook de ontdekking op Antarctica van fossiele tropische planten kon niets anders betekenen dan dat de bodem van Antarctica ooit in een veel gematigder klimaat had gelegen.

In zijn tijd werd Wegener voor gek versleten, maar recent onderzoek heeft aangetoond dat hij gelijk had. Het volgende is zo goed als zeker de reden van de bewegende continenten: de aardkost bestaat uit los van elkaar schuivende 'tektonische platen'. Op de bodem van de oceanen bevinden zich bergketens die als de naden van een voetbal over de hele aarde meanderen. Langs deze ketens is de aardkorst relatief dun en wordt vanuit het binnenste van de aarde nieuw gesteente omhoog gedrukt, waardoor de platen in beweging gebracht worden en met elkaar in botsing komen.

Dit wordt een aardbeving genoemd.

### OMSTANDIGHEID TWEE

De grote breuklijn die door de aardkorst van Californië loopt, heet de San Andreas Fault. Deze lijn geeft precies aan waar de tektonische platen van de Stille Oceaan en van Noord-Amerika tegen elkaar drukken. De krachten kunnen in de loop van eeuwen groeien en vrijkomen in een verwoestende uitbarsting. Dat was ook het geval bij de Northridge Earthquake van zeventien januari 1994, die om precies vier uur dertig in de vroege morgen ten noordwesten van Los Angeles de buitenwijk Northridge trof. (Was u thuis?) Het epicentrum van de aardbeving bevond zich op ruim achttien kilometer diepte en de kracht was zes punt zeven op de schaal van Richter.

De Northridge Earthquake kostte het leven aan zestig mensen en had negenduizend gewonden en een schade van dertig miljard dollar ten gevolge. De aardbeving vond plaats langs de Santa Monica Mountains Thurst Fault, een zijtak van de San Andreas Fault. Zij duurde slechts vijftien seconden.

### OMSTANDIGHEID DRIE

In de herfst van 1945 bouwde Leonard S. Shoen in Ridgefield, Washington, in de stal van de familieboerderij van zijn vrouw Anna Mary Carty eigenhandig zijn eerste aanhangwagen. Hij beschikte over vijfduizend dollar spaargeld. Hij had een visioen van verhuizers die het gemak hadden van een *do-it-yourself-* en *one-way*-verhuizing. Shoen schilderde de trailer feloranje. Binnen vier jaar was het mogelijk om in een willekeurige Amerikaanse stad een van zijn trailers te huren en die elders weer in te leveren. Op elke trailer stond groot: *U-Haul Co. – Rental Trailers – $2 Per Day.*

Tegenwoordig kan een U-Haul-trailer of -truck gehuurd worden bij meer dan vijftienduizend onafhankelijke dealers en bij bijna veertienhonderd bedrijfseigen verhuurcentra. U-Haul is de grootste Amerikaanse verhuurder van verhuistrucks en ook een van de grootste verhuurders van opslagruimten. Wie van plan is te verhuizen zonder de hulp van een professioneel verhuisbedrijf zoekt in de Yellow Pages, waarin U-Haul de grootste adverteerder is, naar de meest nabije U-Haul-vestiging – vaak om de hoek – en huurt een truck. Elke dag rijden er duizenden door de woonwijken van elke Amerikaanse stad (bij u is de dichtstbijzijnde de vestiging op Lincoln).

Shoen was een visionair van bijzondere klasse. Zijn idee over het gebruik van huurtrucks bij verhuizingen was precies wat het naoorlogse, mobiele Amerika nodig had. Ook verrichtte U-Haul baanbrekend werk op het gebied van aanpassingen van truckmodellen voor verhuizers.

De trucks van U-Haul behoren tot het straatbeeld van de USA en zijn echte *American Icons.* In de jaren zeventig was de Ford F-350 het beroemde werkpaard van U-Haul. Achter een hoekige neus, die de stijl verraadt van de vroege jaren zeventig waarin de wagen werd ontworpen, heeft de F-350 een losse cabine waarin plaats is voor drie volwassenen. De laadruimte met de bekende uitbouw boven de passagierscabine heeft een enorme inhoud. Maar liefst zestig kubieke meter huiswaar kan ermee worden verplaatst, genoeg voor de bezittingen van een gemiddeld gezin met twee kinderen.

Het prototype van deze truck is door de eigen technici van U-Haul in Tempe, Arizona, op basis van de qua gewicht relatief lichte F-350 ontwikkeld. Ford was sceptisch over de wensen van U-Haul, maar het prototype overtuigde de autofabrikant ervan dat een forse cabine op de lichte basis kon worden geplaatst. Tussen 1976 en 1979 bouwde Ford met succes de aangepaste U-Haul-versie. Er rijden tot op de dag van vandaag vele F-350's door Amerika. Tweedehands zijn ze te koop, direct bij U-Haul of bij derden, voor prijzen vanaf tweeduizend dollar.

## OMSTANDIGHEID VIER

In de nacht van zestien op zeventien januari 1994, de nacht van de Northridge Earthquake, stond een zestien jaar oude Ford F-350, die tot dat moment probleemloos gefunctioneerd had, voor een standaardonderhoudsbeurt boven een reparatiekuil bij een handelaar van gebruikte trucks in Northridge in de San Fernando Valley.

Op de verweerde zijvlakken van de rechthoekige laadbak prijkte het bekende U-Haul-logo ofschoon de truck al een paar jaar geen eigendom meer was van het bedrijf van L.S. Shoen.

Door de aardbeving schoof de Ford half in de kuil, zo op het oog zonder schade (de modelversterkingen die ooit door de technici van U-Haul waren ontworpen, leken de effecten van de klap te hebben opgevangen). Toch werden in de maanden daarna onder het motorblok oliesporen geconstateerd. Twee keer vervingen monteurs de carterpakkingen van de truck. De lekkage bleek hardnekkig.

## OMSTANDIGHEID VIJF

Lille is de hoofdstad van het Franse departement Nord, een stad op tweehonderdtwintig kilometer afstand van Parijs en op slechts veertien kilometer van de grens met België. Lille – de naam is afkomstig van *l'île*, eiland – ontstond tussen twee armen van de rivier de Deûle en kreeg in de elfde eeuw stadsmuren. Ondanks de verwoestingen waaronder de stad in de loop der eeuwen te lijden had, kwam zij door haar ligging aan doorgaande wegen tussen de Nederlanden en Frankrijk tot grote economische bloei. Net als in de Vlaamse steden Brugge en Ieper werd er druk gehandeld in wol en katoen.

De ondergang van de textielindustrie na de Tweede Wereldoorlog dompelde de stad in een diepe crisis en in de jaren zeventig was de werkloosheid in Lille zo hoog dat het er naar uitzag dat de stad zich nooit meer aan het economische moeras zou kunnen ontworstelen (wat niet bewaarheid werd: de stad heeft zich sinds de opening van de hogesnelheidslijn tussen Parijs en Londen economisch geheel hersteld). Wie ambitie had, trok weg.

Ives Pascal was de beste brood- en patisseriebakker van de stad, maar hij had moeite om het hoofd boven water te houden. De middenstand kromp in omvang en het hele noordwesten van Frankrijk leed onder de ineenstorting van de traditionele negentiende-eeuwse industrieën.

Jim Bailey, een in Duitsland gelegerde Amerikaanse soldaat, had in 1962 op weg naar Dieppe een kort oponthoud in Lille. In de lokaal bekende bakkerij van Ives Pascal kocht hij enkele *chaussons aux pommes*, die hem verpakt in zacht papier werden aangereikt door het meisje van zijn dromen. Zij was Valérie Pascal, de jongste zus van Ives. Later dat jaar volgde zij Jim, haar grote liefde, naar Amerika en zij woonden vanaf 1963 in Los Angeles.

In 1974 had haar broer Ives genoeg gespaard om haar een bezoek te kunnen brengen en na twee maanden keerde hij terug naar Lille om de verkoop van huis en zaak te regelen. Sindsdien woont en werkt hij in Marina del Rey, Californië.

In het najaar van 1974 richtte Ives Pascal bakkerij Progress op. Binnen een jaar telde zijn bakkerij vijftien medewerkers, overwegend ongeschoolde Latino's die voor het minimumsalaris dag en nacht beschikbaar waren. Aan zijn broodproducten voegde hij patisserie toe.

Pascals producten liggen tegenwoordig in delicatessenwinkels en de *upscale* supermarkten. Pascal kocht een huis aan een van de jachthavens van Marina del Rey en leidt momenteel een bedrijf waar negentig mensen werken.

### OMSTANDIGHEID ZES

In 1994 schafte de bedrijfsleider van Ives Pascals bakkerij Progress een gebruikte Ford F-350 aan. De middelzware truck, waarin een koelinstallatie gebouwd was, werd door een dealer in tweedehandstrucks in Northridge aangeboden voor slechts vijfentwintighonderd dollar. De wagen was gebouwd in 1978 en had een kwart miljoen kilometer gereden.

De verkoper liet na om Pascals bedrijfsleider erop te wijzen dat bij de Ford twee keer een tijdrovende en dus kostbare vervanging van de carterpakkingen was uitgevoerd zonder dat de lekkage was verholpen. De truck werd zonder garantie gekocht.

Nadat door een van de chauffeurs van bakkerij Progress de lekkage was ontdekt, weigerde de handelaar de truck terug te nemen. De bedrijfsleider hield er toezicht op dat de olie van de truck maandelijks gecontroleerd en bijgevuld werd. Acht maanden na de ontdekking van de olielekkage nam de bedrijfsleider een andere baan aan, die hem een normale nachtrust bood. Hij werkt nu bij een reisbureau in Studio City.

Op tweeëntwintig december van het jaar 2000, de dag waarvan hier voortdurend sprake is, was de vroegere U-Haul-truck in dienst van Ives Pascals bakkerij Progress. De vaste bestuurder heet Juan Armillo, de zoon van een voormalige illegale Mexicaanse immigrant die bij een generaal pardon van 1986 een *green card* kreeg.

## OMSTANDIGHEID ZEVEN

Op het einde van de Tweede Wereldoorlog had Frank Miller – toen hij in 1942 als soldaat vertrok een verlegen achttienjarige winkelierszoon uit het diepst van de provincie Idaho – in de Stille Oceaan de Japanners bevochten en hij was in 1946 gedecoreerd en volwassen naar zijn geboortedorp teruggekeerd. Het laatste jaar was hij gedetacheerd geweest op de Filippijnen en hij had tot zijn verrassing geconstateerd dat hij het warme klimaat prefereerde boven dat van zijn *home state*.

In mei 1947 vertrok hij met de bus naar Los Angeles en hij was van plan om naar Hawaï verder te reizen. Hij bleef in LA hangen. In een goedkope eenkamerflat op Beachwood in Hollywood plooide hij voorzichtig zijn enige kostuum rond een hangertje terwijl hij naar de ruisende palmbomen vlak voor zijn raam keek. De oorlogsheld vond werk bij een *convenience store*, vulde de schappen en bezorgde zo opgewekt mogelijk – want dat leverde fooien op – bij kokette dametjes in de buurt de boodschappen.

In de avonduren studeerde hij voor boekhouder. In september 1949 haalde hij zijn basisdiploma en bij de eerste de beste sollicitatie kreeg hij de baan die hij begeerde: hij werd administrateur bij de First Hollywood Commerce Bank.

Margaret Boyle was twee jaar ouder dan Frank. Zij was geboren in Fresno en was op tienjarige leeftijd samen met haar moeder, die zich ooit door een alcoholist en nietsnut had laten bevruchten, naar Los Angeles verhuisd. Zij was drieëntwintig toen zij assistent werd van de hoofdadministrateur van een warenhuis op de hoek van Wilshire en La Brea.

Regelmatig bezocht zij de First Hollywood Commerce Bank en raakte gecharmeerd van de jongen die haar daar steevast te woord stond. Op een dag vroeg hij haar voor een zondagse wandeling en picknick in het Griffith Park. Bij de zesde afspraak volgde schuchter een zedige zoen. Bij de twintigste keer betastte hij voorzichtig haar borsten en na de zesendertigste afspraak raakte Margaret zwanger. (Meneer Koopman: dit laatste stel ik me alleen maar voor, maar ik denk wel dat het zo ongeveer is gegaan!)

Frank Miller en Margaret Boyle – vier maanden zwanger – trouwden met elkaar in 1951 in een kerkje op Franklin Avenue in Hollywood. Ze kregen een tweeling, twee jongens die allebei arts werden en een baan en echtgenote vonden aan de oostkust, allebei in Connecticut.

In 1961 werd Frank benoemd tot filiaalchef van de bankvestiging in Marina del Rey. Twee jaar later verhuisden ze naar een bungalow in Playa del Rey, de kustplaats net ten zuiden van Marina del Rey, waar zij de gelukkigste jaren van hun huwelijk beleefden.

Op achtenzeventigjarige leeftijd – om precies te zijn op drie oktober 2000 om halftwee 's middags – werd Margaret getroffen door een zware hersenbloeding. Vanaf deze dag bezocht Frank regelmatig Pharmacy del Rey om medicijnen voor haar te halen.

Tot dat moment hadden zij nauwelijks een apotheek van binnen gezien (op een korte periode van de ziekte van een van hun jongens na) en hadden zij in de veronderstelling verkeerd dat zij samen duizend jaar oud zouden worden.

Soms nam Frank voor Margaret een croissantje mee van de chique bakkerij Progress, waarvan de winkel naast de apotheek lag. Maar hij zag dat zij het zonder smaak opat, en het ging hem aan het hart dat zij alleen voor hem met zo veel moeite op het croissantje kauwde.

### OMSTANDIGHEID ACHT

Bakkerij Progress en Pharmacy del Rey in Marina del Rey zijn beide gevestigd in langwerpige blokkendozen zonder enige opsmuk of verfraaiing; functionele bouwsels, gebouwd op basis van een houten frame en houten wanden, besmeerd met een dunne laag stuc, zoals de meeste gebouwen en woonhuizen in Californië.

De oppervlakte van de apotheek wordt voor het grootste deel in beslag genomen door een chaotische uitstalling van koffers, rekken met goedkope snuisterijen, drogisterijartikelen, snoepgoed, hoedjes en baseballcaps, en de toevallige spullen die de uitbaters bij faillissementen of veilingen op de kop hebben getikt, zoals poppen en aktetassen. Pas achter in de winkelruimte ontdekt de klant de zakelijke toonbank van experts in medicijnen. Ernstige mensen in witte doktersjassen ontcijferen daar aandachtig de bizarre uithalen van dokterspennen en geven onbewogen zowel echte pillen als placebo's mee.

Klanten van de bakkerij en de apotheek kunnen gebruikmaken van de parkeerplaats die aan de achterzijde van de winkels ligt. Deze valt uitsluitend te bereiken via een smalle toegang tussen de twee panden. In totaal zijn er vijfentwintig gratis parkeerplaatsen beschikbaar. Maar de klanten van de apotheek en de bakkerij geven de voorkeur aan parkeren op straat, ook al moet ervoor betaald worden. Het tarief bedraagt vijfentwintig cent per tien minuten.

Waarom is de parkeerplaats niet in trek?

Omdat zij omringd wordt door de getraliede ramen van een aantal naburige panden en omdat een half dozijn afvalcontainers een troosteloze, enigszins verloederde aanblik bieden. Er hangen bewakingscamera's die aan monitoren zijn gekoppeld bij zowel bakkerij als apotheek, maar het gevoel blijft dat criminelen hier zullen toeslaan. Wat nooit gebeurd is.

De enigen die de parkeerplaats gebruiken zijn de leveranciers van de apotheek en de chauffeurs van de bestelwagens van bakkerij Progress.

## OMSTANDIGHEID NEGEN

Op diezelfde tweeëntwintigste december 2000 gaf Jeremy Swindon een feest ter gelegenheid van zijn vijfenzestigste verjaardag in zijn huis in Malibu. Kelly Hendel, de partyverzorgster die sinds mensenheugenis zijn borrels en party's organiseerde, had hij opdracht gegeven deze keer echt uit te pakken. De afgelopen jaren had een feestje rond de vijftienduizend dollar gekost, deze keer mocht het vijfentwintig worden. Om acht uur 's ochtends was de eerste truck komen voorrijden. Jonge, geruisloos bewegende Latino's in hagelwitte T-shirts en zwarte halflange broeken die hun kuiten vrijlieten, begonnen op het gazon in de tuin en op het terras bij de pool tafels, stoelen en parasols neer te zetten.

Ingetogen uitnodigingen op geschept papier had Jeremy laten versturen: *Jeremy Swindon nodigt U uit om met hem op 12.22.2000 zijn vijfenzestigste verjaardag te gedenken en Uw Christmas Break met een late lunch (of een extreem vroeg diner) te beginnen. Vanaf 1.30 PM wordt U volledig verzorgd. Tenue de ville. RSVP Kelly Hendel.*

Op de feestjes van de echte rijken kregen de gasten kaviaar geserveerd, maar Jeremy, die samen met zijn partner Jonathan in totaal vier miljoen dollar aan films had overgehouden (een bedrag dat in de rest van de wereld astronomisch is maar in Los Angeles weinig indruk maakt), wilde zich die extravagantie niet veroorloven. Er waren goede doelen waaraan hij zijn geld wilde nalaten. Zij hadden altijd genoegen genomen met een bescheiden *producer's fee* en lieten hun inkomsten afhangen van het resultaat van de film. En omdat zij altijd gewed hadden op kwaliteit en nooit geil achter de trend van de tijd aan hadden gerend, hadden hun films zelden meer opgebracht dan de maakkosten. De laatste tien jaar was het zo goed als onmogelijk geworden om voor het soort films dat hij wilde maken geld bijeen te brengen. Drie keer had hij enkele weken voor het draaibegin het schokkende telefoontje van een *studio executive* of bankfunctionaris gekregen dat de betrokken partijen zich terugtrokken, wat de ineenstorting van de dromen van honderden mensen en maanden aan verspilde voorbereidingstijd inhield, en twee keer had hij zich hiervan kunnen herstellen. Na de derde keer besloot hij zijn producentschap voorlopig aan de wilgen te hangen. Dat was net in de periode dat Jonathan, die twee decennia lang zijn geliefde, makker en collega was geweest (de *Two J's* werden ze in de industrie genoemd), ernstig ziek was geworden. Achttien maanden geleden was Jonathan gestorven en sindsdien leefde Jeremy in zijn eentje in het grote huis in de heuvels van Malibu, uitkijkend over de Colony en de zee.

Wijzend, verbiedend, corrigerend haastte Kelly zich van de keuken naar het *pool house*, weer naar binnen naar de woonkamer (een citaat van haar: 'Zijn dit de rozen? Ik had om honderd rozen met *lange* stelen gevraagd en niet middellange!'), naar het terras op het gazon, naar de voordeur om een nieuwe leverancier toe te brullen, ondertussen giftig in haar *cell phone* sissend omdat ze helaas moest vaststellen dat niemand zich echt tot in de kleinste details aan de afspraak had gehouden. ('Het is altijd hetzelfde met jullie. Als er een andere behoorlijke kaaswinkel in de stad was geweest was ik daarheen gegaan!')

Vanaf het middaguur belde ze elke vijf minuten bakkerij Progress, die al om kwart voor twaalf grote hoeveelheden stokbroden, Frans boerenbrood en zes taarten – een appel, een peren, een frambozen, een citroen, een perziken en een aardbeien met bakkersroom – had zullen afleveren.

## OMSTANDIGHEID TIEN
*(geen echte, maar zij hoort hier toch thuis)*

Misschien is het van belang om hier de ligging van Malibu in herinnering te brengen. Gezien vanuit Santa Monica volgt de Pacific Coast Highway met een grote bocht naar links de uiterste westelijke kust van Amerika. De weggebruiker heeft de indruk dat hij naar het noorden rijdt, maar dat is niet het geval: de PCH loopt hier strak naar het westen. Malibu ligt dan ook niet ten noordwesten van Santa Monica maar, verbonden door de Stille Oceaan, precies ten westen ervan.

De lange, tamelijk smalle, altijd drukke kustweg, een vierbaansweg (in het eerste deel zonder middenberm, vangrails of afscherming van het tegemoetkomende verkeer) wordt van het binnenland van Los Angeles County gescheiden door de Santa Monica Mountains, die aan de kustzijde abrupt ophouden en via steile hellingen in zee duiken. Alleen waar de ondergrond niet stevig genoeg is ontbreekt er bebouwing, maar verder kennen deze hellingen duizenden op palen geplaatste of op hoge betonnen funderingen gebouwde villa's en bungalows, vanwaar duizelingwekkend mooie uitzichten te genieten zijn over de smalle kuststrook en de turquoise zee, die hier fel schuimend op de rotsen kan slaan en, zoals u bekend is, tot de favoriete plekken behoort van surfers.

Op weg naar het westen en het noorden volgt de PCH flauwe bochten langs de zee, die vaak aan het oog onttrokken wordt door de paalwoningen op de zandstrook. Dan wordt de bebouwing dichter, verschijnen er winkels en rijdt de weggebruiker het centrum van Malibu binnen. Dat bevindt zich op een tamelijk brede vlakte die enigszins een uitstulping in zee vormt. Hier hebben de berghellingen enkele kilometers afstand genomen van het water.

Het centrum stelt niet veel voor. Er is een onoverdekt winkelcentrum, ontworpen rond een zandbak met een paar klimrekken, gevestigd in onopvallende laagbouw, er zijn enkele supermarkten en bankfilialen. Het opmerkelijkste aan het centrum is de beveiligde, afgezonderde nederzetting van filmberoemdheden aan de strandzijde van het centrum, de Colony, een ommuurd dorpje van dicht tegen elkaar gebouwde strandhuizen waar de bewoners (zonder uitzondering multimiljonairs en bekend van film en roddelbladen) geen aanvallen van fans hoeven te duchten.

Jeremy Swindons huis staat een kilometer verder aan de PCH, dus nog westelijker gezien vanuit Santa Monica, terwijl Elaine Jacobs, van wie in de volgende omstandigheid sprake is, een appartement in een van die op palen gebouwde strandhuizen ten oosten van het centrum van Malibu bewoont, dichter dus bij Santa Monica.

## OMSTANDIGHEID ELF

Op tweeëntwintig december 2000 hoefde Elaine Jacobs, hoogleraar experimentele fysica aan de UCLA, geen les te geven en zij wilde deze dag benutten voor het kopen van kerstcadeautjes op de Promenade en in de Mall van Santa Monica. Elaine doet onderzoek naar 'snaren', de bizarre mathematische theorie die stelt dat er meer dimensies bestaan dan die waarmee de mens vertrouwd is en dat er mogelijk een oneindig groot aantal parallelle universa bestaat. Veel van haar collega's konden er niet veel waardering voor opbrengen. Zij dacht dat het weinig meer was dan de volgende stap in een langdurig proces waarin de wetenschap de mens op een even overtuigende als onverbiddelijke wijze verbannen had uit het centrum van de kosmos. Het fascineerde haar dat het kennelijk niet genoeg was om te zeggen dat de mens zich op een willekeurige planeet van een willekeurige ster in een willekeurig melkwegstelsel van een willekeurige cluster, kortom, in een willekeurige uithoek van het heelal bevond. Niks 'het' heelal, één van de zeer vele mogelijke heelallen. Hoe meer we ervan begrijpen hoe meer we verloren raken in een steeds grotere willekeur. Met dat bewustzijn leven was voor velen onmogelijk maar was voor Elaine nu juist de drijfveer om steeds dieper in de wetenschap door te dringen. Ze hield niet van het geloof in mythen of overlevering.

Het kostte Elaine bijna vier ellenlange minuten om haar zilvergrijze Ford Explorer, een middelzware four wheel drive, veilig vanuit de garage in de stroom auto's op de PCH te sturen.

Soms vergt het veel geduld van de bewoners van de paalwoningen aan zee om achteruitrijdend de drukke PCH op te rijden. Vaak ligt er tussen de garagedeuren van de huizen – veelal kleine appartementengebouwen – en het asfalt van de PCH niet meer dan twee meter. Het zicht is slecht, het verkeer te druk en te snel. Eén keer heeft Elaine meer dan een kwartier moeten wachten voordat zij in de wrede stroom voertuigen een automobilist vond die haar toestond haar auto in te voegen.

Het was precies drie minuten over half één op vrijdag tweeëntwintig december toen Elaine's Explorer in beweging kwam.

### OMSTANDIGHEID TWAALF
*(voor de volledigheid)*

Een kilometer of vijftien westelijk van het dorpscentrum van Malibu ligt in een kleine baai die Paradise Cove heet, Bob Morris' Paradise Cove Beach Café.

Vanaf de Pacific Coast Highway, de beroemde Highway One, die van Alaska naar Zuid-Amerika loopt, voert een smalle kronkelweg na tweehonderd meter naar een slagboom waarachter een uitgestrekt parkeerterrein ligt. Aanvankelijk lijkt de locatie op een van de vele gewone eetgelegenheden langs de PCH, maar zodra je het strand oploopt wordt het opeens duidelijk waarom het hier Paradise Cove heet. Rechts rijst een klif bijna loodrecht uit het water op, nog net wat ruimte makend voor een rotsige doorgang naar andere stranden, en links, naar het oosten, glooien groene heuvels vanuit het blauwgroene water naar de bergrug achter de kust.

Op tien meter van de zee staat een houten bouwwerk waarin een visrestaurant gevestigd is. In de zomermaanden en in de weekends worden op de strook zand tussen het gebouw en het water van de Stille Oceaan parasols en zonnestoelen geplaatst en rennen de jongens en meisjes die in de buurt wonen en hier hun vakantiewerk of weekendbaantje verrichten, tussen de keuken en het strand heen en weer om de bestellingen uit te voeren van de gasten die zich hebben uitgestrekt in de schaduw van de parasols en hebben besloten om zich een paar uur niet te verroeren.

De porties zijn gigantisch, de patatten groot en smakelijk, de vis is vers en de rosé als de zon zelf. Het is een van de schaarse plekken aan de Californische kust waar je, zittend op het strand, in de openlucht alcohol kunt drinken. Het is een geliefkoosde plek voor het vieren van verjaardagen.

## DE SAMENLOOP DER OMSTANDIGHEDEN

Ik was de eigenaar van God's Gym, een sportschool op Main Street in Venice, en heb een jaar lang gewerkt met Mirjam. Twee keer per week kwam Mirjam gekleed in een nauwsluitend sportbroekje en hemd haar lichaam vervolmaken.

Op tweeëntwintig december van het jaar 2000, om precies elf voor halfeen 's middags, ben ik op mijn Harley Davidson gestapt om naar Malibu te rijden, waar ik privé-les moest geven aan een acteur die een filmrol als bodybuilder had aangenomen.

Op deze dag ging Mirjam ter viering van haar verjaardag

met haar vriendinnen lunchen bij het Paradise Cove Beach Café. Met Mirjam op de duoseat van mijn motor vertrok ik om tien voor halfeen 's middags naar Malibu.

Op dezelfde dag was Frank Miller een gehaast mens. In de naast bakkerij Progress gelegen apotheek wachtte hij op medicijnen voor zijn vrouw; een nerveuze oude man die zich zorgen maakte over zijn ernstig zieke echtgenote.

Als Frank zijn auto op de parkeerplaats achter de apotheek of gewoon bij een parkeermeter langs de straat geparkeerd had, dan had de F-350 van bakkerij Progress, die op de parkeerplaats achter de bakkerij was geladen en op weg ging naar de party van Jeremy Swindon, gebruik kunnen maken van de uitrit.

Maar Frank wilde snel naar thuis. De parkeerplaatsen op straat waren allemaal bezet en hij vertikte het om zijn auto op het stille parkeerterrein achter de apotheek aan diefstal of inbraak bloot te stellen, dus parkeerde hij om drie minuten voor twaalf zijn auto precies voor de uitrit van de parkeerplaats tussen de hoekige gebouwen van de apotheek en de bakkerij.

Niemand gebruikt die en hij had maar een minuutje nodig, zo veronderstelde hij.

Juan Armillo, de chauffeur van de Progress-truck, was laat met laden en kreeg geen reactie op zijn ongeduldige geclaxonneer. Na vijfenhalve minuut, om twee minuten over twaalf, besloot Armillo de truck via de stoep en de hoge stoeprand naar de straat te sturen. Hij voelde de klap die de onderkant van zijn truck op de stoeprand maakte, maar hij reed door. Hij had warm brood en verse patisserie in de laadruimte. Klanten wachtten.

De onderkant van het motorblok was zes jaar geleden bij de Northridge Earthquake – veroorzaakt door al honderden miljoenen jaren geleden in beweging gekomen aardkorstplaten – structureel beschadigd. Door Armillo's manoeuvre schuurde het motorblok over de betonnen stoeprand en scheurde de kwetsbare carterpakking opnieuw. Kerven in de betonnen stoeprand zijn de stille getuigen van het voorval.

Tijdens de rit van Marina del Rey naar Malibu nam de lekkage toe.

Om acht minuten over halfeen, in een bocht op de Pacific Coast Highway, verloren de wielen van mijn Harley – op het door de besteltruck van bakkerij Progress achtergelaten oliespoor – hun grip op het asfalt en sloeg de motor om.

Mirjam gleed over het gladde wegdek onder een tegemoetkomende Ford Explorer die bestuurd werd door Elaine Jacobs. Binnen acht minuten was een ambulance ter plaatse en stelden de ziekenbroeders vast dat bij Mirjam ernstige trauma's waren ontstaan.

Het duurde nog eens elf minuten voor een traumahelikopter veilig op een open deel van het strand kon landen, Mirjam werd ingeladen en naar het Cedars-Sinai gevlogen.

Ik had geen schram.

In de vroege ochtend is uw dochter gestorven.

# DEEL EEN

# I

Op vrijdag tweeëntwintig december van het jaar 2000 lag Los Angeles onder een nevel, die in de loop van de dag in dichtheid varieerde. Rond één uur 's middags werd hij ijler en leek hij op te lossen, maar drie uur later trok de lucht weer dicht. Vanaf de kust bleven de wolkenkrabbers in het centrum van Los Angeles en de verre besneeuwde bergtoppen de hele dag onzichtbaar. De gemiddelde temperatuur bedroeg elf graden Celsius, het was een koele dag.

Joop Koopman had zijn Hollandse fiets uit de schuur gehaald, de ketting gesmeerd, de banden opgepompt, en fietsend was hij naar de First Motor Inn gegaan, een motel op Santa Monica Boulevard. Hij moest meer bewegen, had de grote zwarte trainer in Mirjams gym geadviseerd. Het had hem meer moeite gekost dan hij had voorzien. Hij was een halfuur te laat en ondanks de ongewoon lage temperatuur kwam hij zwetend bij het motel aan. Hij had een van Mirjams rugzakjes omgedaan – het minst opvallende, een roze met gele stippen – voor het vervoer van zijn portemonnee, mobiele telefoon, agenda en notitieboekje; onder de rugzak transpireerde hij het hevigst.

Philip had gezegd dat hij zich niet hoefde te melden bij het getraliede hok dat als receptie diende. De kamers van het uit twee bouwlagen bestaande motel waren vanaf een parkeerterrein te bereiken en Philips kamer bevond zich op de bovenste verdieping.

Joop sleurde de fiets de trap op. Hij was van huis vertrokken zonder het dikke hangslot dat ergens in de schuur slingerde en had strak langs de stoeprand sturend, voortdurend met een half oog op het autoverkeer, dat niet gewend was aan fietsers, een uur op het zadel gezeten. Zijn spieren tintelden, de boorden van zijn onderbroek sneden in zijn liezen, maar hij voelde zich kiplekker. Terwijl hij met zijn fiets over de open galerij het kamernummer naderde, ging er een deur open en zag hij Philip verschijnen. Grijnzend hief Philip een hand en maakte een saluerende groet. Blijkbaar had hij achter het raam staan kijken.

'Nederlanders zijn toch echt onverbeterlijk,' zei Philip, 'eindelijk in een land waar je nooit hoeft te fietsen, en wat doen ze?'

Hij trok Joop naar zich toe en schudde hem jongensachtig door elkaar. Philips kortgeknipte, spierwitte haar lag als een strak zwemkapje op zijn schedel, zijn huid oogde leerachtig taai, en de greep van zijn handen was krachtig.

'Hoe gaat 't, je ziet er goed uit, hoe gaat het schrijven, Mirjam alles goed, ja ik heb wat navraag gedaan, je bent gescheiden, ik weet alles van je, met mij ook alles perfect, ben net voor de tweede keer gescheiden, 't kan allemaal nog veel erger, ik heb alleen wat *juice* hier, goed?'

Philip sprak Nederlands met een exotisch accent. Aan het einde van zijn zinnen dansten zijn woorden in de richting van een vraagteken zoals Israëli's dat doen, alsof Ivriet een taal is die uitsluitend uit vragen bestaat. Bepaalde klanken waren nasaal, maar zijn g was hard en grommend gebleven want de schrapende keel-g kwam ook in het Ivriet voor.

Vlak voor zijn vertrek naar Amerika, achttien jaar geleden, had Joop hem voor het laatst gezien. Philips vader was overleden en Joop kwam naar de joodse begraafplaats in Vught voor de lewaje, de rituele joodse begrafenis. Ze waren nooit echt bevriend geweest, maar in de kleine joodse gemeenschap nam je van elke overledene persoonlijk afscheid. Naast Philip was hij langs de graven gelopen. Oude joodse namen op verweerde stenen, onder de ruisende takken van het voorjaar. Na zijn studie was Philip in Israël gaan wonen en had hij er zijn dienstplicht vervuld. Philip was gespierd, zijn huid had een bronzen tint en hij tuurde verbeten naar de in de stenen gebeitelde namen.

In zijn jeugd had Philip elke zaterdag zijn vader naar de synagoge vergezeld. Eerder dan Joop, die in het vierde jaar was blijven zitten, had hij de middelbare school voltooid. Net als zijn vader wilde Philip tandarts worden.

'Het gaat om de namen, Joop,' had hij op de begraafplaats gezegd, 'zolang de namen er zijn, is er hoop.'

Joop had niet geweten wat hij daarmee bedoelde, net zomin als hij nu wist wat Philip wilde.

Philip droeg een simpel Swatch-horloge maar liep op dure loafers, het motel was *low-end* en favoriet bij budgettoeristen, maar naast het bed in Philips eenvoudige kamer stond een leren koffer van Gucci. Hun band bestond uit het simpele gegeven dat ze als joodse jongens in het katholieke Den Bosch waren opgegroeid. Joop was een stille leerling op een bank in de nabijheid van de docenten geweest, Philip een drukke achterbankzitter, snel met ideeën, brutaal in zijn opmerkingen, opdringerig in zijn gebaren; hij was een onvervalste aanraker die je arm of schouder vastgreep wanneer hij een sterk verhaal afstak.

'Ik ben altijd graag in LA,' vertelde Philip terwijl hij de dop van een dikbuikige familiefles cranberrysap afdraaide. 'Als ik niet in Israël zou leven was ik hierheen gegaan. Jij hebt een goede keuze gemaakt. Jij hebt onze sores niet.'

'Andere sores,' antwoordde Joop. 'Vergeet niet wat daarnet in Florida met de verkiezingen is gebeurd.'

'Op wie heb jij gestemd?'

'Gore.'

'Maakt niet uit. Bush zal net zo goed voor ons zijn als Gore.'

'Ons?'

'Ons – jij en ik – de joden.'

'Ik hoor nergens bij.'

'Maakt mij niet uit. Voor joden en antisemieten blijf jij een jood. Alsjeblieft.' Hij overhandigde Joop een plastic bekertje met sap.

Philip hief zijn beker en zei: 'Lechaim.'

'Lechaim,' deed Joop hem na. Hij goot de inhoud van de beker in een lange teug naar binnen.

Philip vroeg: 'Meer?'

'Graag.'

'Je mag ook even douchen als je wilt.'

'Het gaat wel, dank je.'

Het geluid van sirenes trok van de straat naar de kamer. Philip schonk de beker vol en reikte die met vaste hand aan.

'Is een flinke afstand die je hebt afgelegd. Ben je over Lincoln gekomen?'

Joop gebaarde dat hij na de slok zou antwoorden. Hijgend zette hij de lege beker naast zijn rugzakje op de grond en zei: 'Ik had beter het skaterspad op het strand kunnen nemen. Doe ik op de terugweg.'

Philip ging op bed zitten en klopte op Joops knie. 'Goed je te zien. Achttien jaar geleden alweer. Je bent veranderd maar eigenlijk ook niet.'

'Jij bent veranderd,' zei Joop. Hij kende deze man niet.

Vroeger niet, nog steeds niet. Maar Philip was dezelfde aanraker gebleven.

'Ik weet 't. Ik herinner me wie ik was, toen in Den Bosch. Ik heb veel meegemaakt. Ik heb midden in de Libanonoorlog gezeten, zes kinderen bij twee vrouwen, en ik heb geleerd. Maar leren is ook betalen. Je geeft illusies op voor de feiten.'

Philip had gisteren gebeld en een afspraak gemaakt. Ze hadden een paar minuten gesproken en Philip had verteld dat hij voor de Israëlische overheid werkte. Maar Joop hechtte daar geen geloof aan. Hij was ervan overtuigd dat Philip hem om geld zou vragen; Philip had gebeld omdat hij financieel aan de grond zat. De dure koffer in de goedkope motelkamer betekende dat het hem ooit goed was gegaan maar hij had zichzelf in een spel verloren waarvan hij de regels niet kende – en nu was hij zijn kaarten kwijtgeraakt.

'Wat doe je bij de overheid?'

Philip wierp een blik op de deur en het raam met uitzicht op de parkeerplaats en Santa Monica Boulevard. 'Ik doe klussen voor de overheid. Ministerie van Defensie. Dingen waarvoor ze me vragen. En jij?'

'*Struggling*. Moeilijk vak. Ik heb goede tijden gehad, de laatste jaren gaat het wat stroever.'

De waarheid luidde dat hij al zes jaar niets meer had verkocht. De scripts die hij had geschreven misten de snelheid die de studio's en tv-stations verlangden. Hij had zijn geld verdiend met enkele weinig opzienbare *rewrites* en met de erfenis van zijn moeder. Daarmee had hij op de beurs gespeeld en in hun levensonderhoud voorzien. Dat was jaren goed gegaan, maar zijn laatste aankoop dreigde in een fiasco te eindigen.

Philip vroeg: 'Heb je tijd om een script te schrijven?'

Hier klopte iets niet. Het Israëlische ministerie van Defensie had geen behoefte aan een Nederlandstalige scenarioschrijver in LA. Philip was geen ambtenaar. Was het een witwasoperatie waarin Joop de spil moest worden? Israëlisch drugsgeld dat via Joop ging lopen en waarop jaren gevangenisstraf stond? Hij kon het zich niet veroorloven. Hij had een kind voor wie hij moest zorgen. Hij leefde in een wereld van kleine besognes en precieze regels. Ooit was het Philips hoogste ideaal geweest om gaten te boren en kiezen te vullen en nu wekte hij de indruk dat hij was veranderd in een louche rommelaar. Joop begon zich ongemakkelijk te voelen. Hij was hier nog maar een paar minuten.

Joop zei: 'Philip, ik werk alleen voor producenten met een *track record*. Je weet nooit wat er gebeurt met mensen die de business niet kennen.'

'Misschien praat ik over mensen met veel ervaring.'

'Vertel me meer,' zei Joop, 'maar – ik heb een tijdprobleem en ik weet niet of ik toekom aan een nieuwe klus.'

'Misschien kun je een script maken van *De golem*. Het boek van Gustav Meyrink. Weet je nog dat we het in dezelfde periode gelezen hebben? Was geweldig.'

Een glimlach trok over Joops gezicht. 'Ja, ik herinner 't me.'

'Maar ik zal niet aandringen. Denk erover na. Ik heb nog niet ontbeten. Ga je mee een broodje eten? Zet je fiets binnen dan lopen we even naar die tent. Is twee straten verderop. Ik betaal.'

Onderweg vertelde Philip dat hij twee weken geleden in Nederland een tussenstop had gemaakt en Den Bosch had bezocht. Hij had in Vught kaddisj gezegd bij het graf van zijn ouders. De stad was veranderd.

'Alles gerenoveerd. Overal cafés, restaurants, winkels. Het was bijna stuitend, zo rijk en onbezorgd zag iedereen eruit. Ik heb zelfs nog met een bootje op de Dieze gevaren, onder de huizen door. Prachtig.'

Twee jaar geleden had Joop met Mirjam het tochtje zelf

gemaakt en hij wist dat de rondvaarten op de vroeg-middeleeuwse kanalen onder de Bossche binnenstad alleen 's zomers plaatsvonden. Hij zei: 'Doen ze dat wel in de winter?'

'Voor mij wilden ze een uitzondering maken. Zouden ze voor jou ook doen.'

Philip duwde de deur open van een eenvoudige *diner*. Hij sprak een serveerster aan en wenkte Joop naar een tafel tegen de achterwand. Ze lieten zich elk op een bank glijden. Een formica tafelblad. Kunststofbekleding. Een klassieke *booth*, ruikend naar frituurolie en verschaalde koffie.

De serveerster bood menukaarten aan, maar Philip bestelde meteen een pastramisandwich.

'Kun je hier gerust nemen,' zei hij terwijl hij de kaart weigerde.

Joop bestelde hetzelfde, ook al was hij op dieet.

'IJsthee, jij ook?'

Joop knikte. De serveerster bedankte voor de bestelling en liep weg.

'Ik weet dat jij *fancy* tenten gewend bent, het ziet er hier niet uit, maar de broodjes zijn perfect. Hoe oud is je dochter nou?'

'Vandaag wordt ze zeventien.'

'Net zo oud als mijn oudste. Ook een meisje. Alles goed met 'r op school?'

'Ze heeft een wiskundeknobbel. Heeft ze van mijn vader. Maar ze heeft méér dan hij...'

'...Hans,' voegde Philip toe, hem duidelijk makend dat hij dat nog wist.

'Ze doorziet mathematische problemen zoals kunstenaars opeens een idee krijgen. Intuïtie.'

'Gaat ze ermee door?'

'Ze heeft een beurs aangeboden gekregen. MIT. Mijn dochter. Volgend jaar gaat ze.'

'Heb je nog contact met Ellen?'

'Weinig. Zo nu en dan een telefoontje.'

'In Israël moeten kinderen op hun achttiende het leger in. Over een jaar moet Rachel. Meisjes hoeven niet naar het front. David is twee jaar jonger, hij wel. Maar ook bij Rachel – over een jaar zal ik geen nacht meer een oog dichtdoen.'

'Nooit over gedacht om terug te gaan naar Nederland?'

'Ik heb daar mijn huis gevonden. M'n bestemming. De joden horen daar thuis. Niet in Den Bosch. Niet eens hier, ook al hebben de joden het goed in Amerika. Maar de geschiedenis zal zich herhalen. Anders, onverwacht, eerst onbegrepen, maar de geschiedenis is een eindeloze herhaling van zetten.'

'Jij was altijd geloviger dan ik.'

Philip glimlachte. 'Klopt. Maar ik ben niet meer gelovig.'

'En toch vind je dat alle joden in Israël horen?'

'Ja. Maar dat heeft niks met religie te maken. Het heeft te maken met overlevingsdrift. De enige plek waar joden de baas zijn over hun lot is Israël.'

'En dat zeg je ook nu? De Tweede Intifada zet de Bezette Gebieden op z'n kop!'

'De Intifada is het probleem niet. Dat is Palestijnse folklore, zoiets als polsstokspringen in Friesland – doen ze dat nog daar?'

'Geen idee,' zei Joop.

'Als we willen, breken we de Palestijnen alsof ze luciferhoutjes zijn. Onze militaire macht is kolossaal. Als ze ons echt tergen dan vegen we ze weg en spoelen we ze door de plee van de geschiedenis. Toch doen we het niet. Waarom? Fatsoen? Bang voor de blikken van de gojim? Wat denk je dat de Syriërs met stenengooiers zouden doen? Wat denk je dat Saddam Hoessein met de Koerden doet?'

'Je wilt op dezelfde manier optreden als Arabische dictators?'

'De wereld wil dat we vrede sluiten met Arabische dictators! Arafat is een Arabische dictator! Zijn kliek bestaat uit corrupte zakkenvullers! Maar dat is hun probleem. En ik wil dat dat hun probleem blijft.'

'Dat gebeurt wanneer Israël de Gebieden opgeeft.'

'Als dat de oplossing was dan hadden we het al lang gedaan. Niemand heeft er lol in om drie miljoen Palestijnen aan de teugels te houden. Het probleem is dat we er niet op kunnen vertrouwen dat Arafat of iemand die zijn plaats zal innemen het vrije Palestina niet *overnight* in een terroristenstaat zal veranderen. Dat is 't nu ook al, maar het is nog geen onafhankelijke staat. Wat denk je hoe de linkse wereldpers zal reageren wanneer we het vrije Palestina zouden binnendringen als het tuig bij ons aanslagen heeft gedaan?'

'Heeft gepleegd,' corrigeerde Joop.

'Gepleegd, dank je wel,' antwoordde Philip verstoord. Hij ging door: 'Wat denk je dat de kranten zullen schrijven? En wat de politici gaan zeggen? Het is niet mooi wat we nu moeten doen. Maar op het moment is elk alternatief nog slechter.'

'Hoe lang kan dit doorgaan?'

'Tot wij er genoeg van krijgen. Of zij. Ik denk het laatste.'

Ze hadden elkaar een paar jaar chanoekakaarten gestuurd en Joop had de zijne altijd alleen ondertekend. En hij wist zeker dat hij zonder Ellen naar de begrafenis van Philips vader was geweest. Philip kon niet weten van Ellens bestaan. Noch van Mirjam. Had hij navraag gedaan? Waarom? Joop had geen trek in duistere zaakjes of complotten. Hij was een schrijver die dringend iets moest verkopen.

Hun bestelling verscheen op tafel.

Joop vroeg: 'Blijf je lang in de stad?'

Philip schudde zijn hoofd. Hij nam een hap en zei smakkend dat hij een paar dagen bleef.

Joop vroeg: 'Ben je voor zaken hier of ben je op familiebezoek?'

'Zaken.'

'Voor de Israëlische overheid?'

'Ja.'

Joop had nog geen hap genomen, staarde naar de dikbelegde sandwich in zijn handen. 'Wat doe je nog meer – behalve dan dat je ambtenaar bent?'

'Ik had een belang genomen in een bedrijf dat netwerken van glasvezelkabels zou gaan exploiteren. GlobSol. Global Solutions. Foute boel.'

Joop had zijn geld in GlobSol gestoken. Wilde Philip hem laten weten dat hij dat wist?

'GlobSol,' herhaalde Philip. 'Ooit van gehoord?'

Hij nam een nieuwe hap terwijl Joop zijn blik afwendde om zijn verwarring voor Philip te verbergen. Philip speelde een spelletje. Spelletjes hoorden thuis in de fictieve werelden van scripts, niet in de werkelijkheid.

'Philip,' zei hij, 'ik moet weg. Het was leuk om je weer te zien.'

'Je hebt nog niets gegeten!'

Joop pakte zijn rugzakje en schoof naar de zijkant van de bank. 'Ik moet naar huis. M'n dochter, het is haar verjaardag en...'

'Joop... blijf.'

'Philip, ik eh... ik ga. Het was leuk. Maar we zijn vreemden geworden. Veel succes en...'

Philip greep zijn arm vlak boven zijn pols en boog zich naar voren. 'Joop, je kunt me vertrouwen, ga niet voor me op de loop. Wat ik weet blijft tussen ons. Er is niets mis. Ik ben die jongen met wie je vroeger in sjoel hebt gezeten. En ik hoef geen geld van je. Wacht dus even.'

Onbeweeglijk zat Joop op de hoek van de bank, één moment verwijderd van de stap die hem van Philips manipulaties kon bevrijden. Maar zijn fiets stond nog in Philips kamer.

'Eet je sandwich. Je bróódje. Mooi van onze taal, die verkleindingetjes. *Relax*, je hoeft je geen zorgen te maken. Je kunt straks gewoon naar huis gaan en je hoeft nooit meer iets van me te horen. Dat beloof ik je. Plechtig.'

Hij bekeek Joop met een indringende blik. Vriendschappelijk kneep hij in Joops arm en liet hem los.

Joop slikte.

'Neem een hap en ik leg het je uit,' zei Philip, alsof hij zijn gedachten las. 'Ik zou het in jouw plaats ook allemaal bizar vinden. Normaal gaat het zo: ik leg contact, we ontmoeten elkaar een paar keer, we gaan drinken, we worden persoonlijk en er ontstaat een band. Dat duurt weken, maanden zelfs. Tot ik zeg: weet je dat jij geld kunt verdienen met wat jij weet? En dan dringt het tot ze door wat er aan de hand is. Maar jou ken ik vanaf m'n geboorte.'

Joop had geen idee wat hij daarmee bedoelde. Hij nam zijn plek achter zijn sandwich weer in en probeerde geduld te hebben.

Hij zei: 'De Israëlische overheid?'

'De overheid, ja,' beaamde Philip. 'Ik heb jouw hulp nodig. We betalen ervoor. Genoeg om een paar jaar te kunnen leven. Ik heb moeten graven in je verleden, in je huidige leven. Ik ken de details. Dat voelt bedreigend voor jou. Maar het is de procedure. Mijn chefs weten alles van mij. Daar heb ik voor gekozen, het is het leven waarvoor ik in alle vrijheid gekozen heb. Jij niet. Jij hebt niet verklaard dat wij in je antecedenten mochten loeren. Wij hebben je privacy aan de laars gelapt.'

'Onze laars.'

'Onze laars,' herhaalde Philip, mild nu. 'Toch hebben we het gedaan. Omdat de zaak het waard is.'

'De zaak?'

'Ja. De toekomst van Israël.'

Joop bekeek hem met een blik vol ongeloof. Op zichzelf

wijzend zei hij ironisch: 'Jij hebt *mij* nodig voor de toekomst van Israël?'

'Ja. Daarom ben ik hier. Daarom heb ik je gebeld. Daarom ben ik naar Den Bosch gegaan. Daarom heb ik alles over je verzameld wat er te verzamelen viel. Daarom doe ik je een aanbod. Als je néé zegt betreur ik dat, maar ik zal niet aandringen. Eén keer nee is genoeg. Maar je moet me eerst aanhoren. Ik denk dat ik je zal overtuigen.'

Joop keek weg, naar de overzichtelijke mensenwereld buiten op straat waar de regels bekend en helder waren. Waarom moest hem dit treffen? Hij had rust en regelmaat nodig om zijn werk te doen. Hij had veiligheid en zekerheid nodig voor zijn kind.

Joop keek hem weer aan en vroeg: 'Je werkt voor...' Hij fluisterde nu zonder adem, sprak alleen met zijn lippen: '...de Mossad?'

Philip leek het niet te horen. Hij antwoordde: 'Ik werk voor Defensie. Bereid een operatie voor. We hebben een mogelijke terrorist geïdentificeerd. We hebben iemand nodig die Nederlands spreekt. In Los Angeles woont. En die we blind kunnen vertrouwen.'

'Fijn dat je aan mij hebt gedacht,' zei Joop. 'Ik voel me uitverkoren.'

De tandarts was een geheim agent geworden. Of een briljante *con man*. Het was misschien materiaal voor een script. Dus moest hij wél bij hem in de buurt blijven. Het was uitgesloten dat Philip de waarheid vertelde.

'Hoe kan ik controleren wat je me vertelt?'

'Door naar me te luisteren. Neem je sandwich mee. We gaan terug naar dat prachtige hotel. Ik zal 't je uitleggen. Trouwens, je fiets staat bij mij.'

# | 2 |

Nadat Philip de deur voor hem had opengemaakt en was doorgelopen naar een andere kamer op de galerij, nam Joop weer plaats op de enige stoel in de motelkamer. Hij opende de papieren zak en beet in de koud geworden pastramisandwich.

Joop was een impulsieve pacifist die zich aan het leger had willen onttrekken toen in Nederland nog dienstplicht bestond. Nadat hij zijn lijf met olie uit zijn brommer had ingewreven en de hele nacht door joints had geblowd, was hij voor de keuring met de trein naar een kazerne in Breda gegaan. In de keuringszaal kwam hij terecht in een regiment Brabantse boerenzonen, die voor een schriftelijke intelligentietest verzameld waren. Om zich heen zag hij in verbeten concentratie verzonken leeftijdgenoten die kennelijk met overgave voor een uniform opteerden. Joop, duizelig door slaapgebrek en misselijk door het roken, wanhopig op zoek naar een incident, was gaan schreeuwen dat ze allemaal kanonnenvoer zouden worden en dat ze gek waren om hieraan deel te nemen en een voorbeeld aan hem moesten nemen. Verbaasd over zijn moed, met trillende handen, smeet hij de papieren van zijn tafel en wachtte met droge mond op wat komen ging. Twee toezichthoudende beroepsmilitairen grepen in en dreven hem onder goedkeurend applaus de zaal uit. Enkele uren werd hij in quarantaine gehouden, van trots nagloeiend van zijn onvoorstelbare optreden. Hij fluisterde bij een spreekbeurt in de klas, had nooit op de bühne in de aula gestaan, en opeens had hij het gewaagd om de orde in een zaal met honderd varkenshouders te verstoren. 's Middags mocht hij een document in ontvangst nemen waarop vermeld stond dat hij wegens s-5 was afgekeurd. s-5 was in die jaren een adelbrief. Zijn geestelijke stabiliteit bevond zich volstrekt onderaan op een schaal waarin de één perfectie uitdrukte. Op het station belde hij zijn moeder: 'Mam, ik ben afgekeurd!'

'Kom snel naar huis, ik haal wat lekkers bij Van Berkel.' Dat was een befaamde Bossche banketbakker, gespecialiseerd in kleine gebakjes. Joop was te jong geweest voor de generatie van '68, maar hij had zich in de ideeën verdiept, en in de jungle van de Vietnamoorlog, en in de geschiedenis van het oude Europa, dat de familie van zijn moeder had verraden, en hij had een afkeer van het leger ontwikkeld. Daarom had hij zich laten afkeuren. En om zijn moeder, die het niet kon verdragen dat haar enige kind een uniform zou dragen en aan gevaren zou worden blootgesteld.

Dat was enkele maanden voor het uitbreken van de Jom-Kippoeroorlog. Toen Egypte en Syrië de aanval op Israël inzetten, meldde Joop zich – zonder het zijn moeder te vertellen – in een opwelling van brandende solidariteit en in de overtuiging dat alle joden werden bedreigd, als vrijwilliger bij de Israelische ambassade.

Terwijl hij daar in de rij wachtte, allemaal jonge joodse Nederlanders, allemaal nakomelingen van overlevenden, zag hij dat ook Philip van Gelder de tocht naar Den Haag had gemaakt. Op school was Philip de onverbiddelijke leider. Niet alleen een praatjesmaker maar ook een uitblinker in wis-, natuur- en scheikunde. Een goede voetballer en krachtige zwemmer. En tijdens de sjoeldiensten kon hij hele delen in het Hebreeuws uit zijn hoofd opzeggen. Veel jongens op school haatten hem.

Joop kon de Hebreeuwse tekens lezen, maar hij begreep geen zin, net zoals hij wiskundige vergelijkingen kon lezen zonder enig inzicht. Alleen zijn moeder was joods, waardoor hij volgens de regels van het conservatieve jodendom toch als jood gold, en hem was op zijn dertiende zijn bar mitswa toegeworpen omdat de kleine joodse gemeente dringend moest worden verrijkt met een jongen die de continuïteit van de diensten kon waarborgen. Tien mannen moesten zich op de zaterdagochtenden verzamelen, wat vaak niet mogelijk was, en het verzoek van de Bossche joden aan zijn moeder om Joop officieel tot jood te verheffen had tot felle ruzies tussen zijn ouders geleid. Zijn vader was een precieze atheïst voor wie elke religie een uitbarsting van achterlijkheid was, maar Joops moeder won. In 1945 had zij moeten vaststellen dat zij de enige overlevende was van haar familie. Haar vader was een welvarende theehandelaar geweest en in de jaren dertig was zij in weelde opgegroeid, maar het hele familievermogen was in de oorlog verdwenen. Het kostte haar acht jaar om met de man op wie zij verliefd was geworden tot het voortbrengen van een nieuwe generatie te besluiten. Zij kreeg één kind, Joop, en haar betrokkenheid bij het jodendom bestond geheel en al uit sentiment. Vóór de oorlog had haar vader 's zaterdags de synagoge bezocht, en zij kon de onderbroken traditie herstellen wanneer haar zoon dezelfde gang zou maken, te voet, een donkerblauw fluwelen zakje met een gebedsdoek en een gebedenboek bungelend aan een goudkleurig koordje, het keppeltje in zijn broekzak, op gepoetste schoenen die alleen op zaterdagochtend werden gedragen.

'Het leven bestaat niet alleen uit materie of uit honger of uit driften. Er bestaat ook zoiets als traditie. Dingen die je doet om het leven te markeren. Dagen waarop je viert of waarop je rouwt. Het gaat me niet om het geloof, het gaat me om de traditie.'

Joop had die woorden van zijn moeder aangehoord, maar ze pas jaren later begrepen. Zijn vader had tegengeworpen dat het een tot het ander leidt, maar dat had ze opzij geschoven.

'Daar zijn we zelf bij! Hij hoeft niet meteen een orthodoxe jood te worden omdat hij die mensen hier zo nu en dan helpt door op zaterdagochtend een paar uurtjes in een kerkbank aan te schuiven! Misschien is dat maar één keer per maand.'

'Dat zeggen ze, ja. Let op, dat wordt elke week, geef je een jood een vinger, grijpt ie de hele hand.'

'Dat is een foute opmerking.'

'Anneke – dat is een grapje, schat.'

'Vind ik geen leuk grapje,' zei zijn moeder fel. 'Trouwens, hij verstaat geen Hebreeuws, dus hij begrijpt toch niet waar het over gaat.'

'In die gebedenboeken staat links de vertaling en rechts de Hebreeuwse tekst,' wist zijn vader.

'Goed voor zijn algemene ontwikkeling.'

'Slecht voor zijn wereldbeeld.'

'Hans, ik vind het fijn wanneer hij gaat. Ik heb er niet echt een motief voor. Gevoel. Dat is een onmogelijke categorie voor jou, maar dat is het. Het gaat om de mensen die er niet meer zijn, zoiets.'

'Ze komen niet terug wanneer Joop daarheen gaat.'

'Ik weet het. Maar ik heb het gevoel dat het troost.'

Hij leerde Philip in sjoel en op school kennen. Zag hem voor het laatst in 1982 en nu weer in Los Angeles. Philip kwam de kamer binnen met een tweede stoel, identiek aan die waarop Joop zat, en keek goedkeurend naar het broodje in Joops hand.

'Lekker, hè? Een zaakje van niks, maar uitstekende sandwiches. Hebben ook perfecte *chopped liver*. Nog wat drinken?'

Met volle mond knikte Joop.

Philip bukte zich naar de plastic beker naast Joops stoel. De roze rugzak met gele stippen lag tussen de stoelpoten.

Philip schonk de cranberry in en overhandigde Joop de beker.

'Ik heb gekeken wat er allemaal over jou geregistreerd staat. Ook al kwam je er bijna elke week, je bent nooit lid geweest van de joodse gemeente, je moeder heeft zich ook nooit laten inschrijven. Waarom niet eigenlijk?'

'M'n vader wilde er niet voor betalen, dus werden we geen lid. Hij was een zuinig man.'

'Net als je vader is je moeder op een algemene begraafplaats begraven en je hebt je nooit met iets joods beziggehouden of erover geschreven.'

'Ze wilde naast m'n vader begraven worden. En mijn vader was een *hardcore unbeliever*,' verklaarde Joop.

'Je bent dus voor de buitenwereld iemand die niet met joden en jodendom geassocieerd kan worden. Je hebt je naam mee, trouwens je moeders naam is ook neutraal, De Vries, en dat betekent dat je een ideale medewerker zou kunnen zijn. Als ze je zouden checken, kunnen ze niks anders concluderen dan dat je een ongelovige Hollander bent. Vaak ontwerpen we een heel nieuwe identiteit, of we maken gebruik van een identiteit die we al lang hebben voorbereid, maar er is niks beters dan de waarheid, ook hier. Je hoeft niet te *faken* dat je Joop Koopman heet, het is echt je naam, en voor iemand die wil nagaan wie Joop Koopman is heb je de perfecte achtergrond: een normale jongen uit Den Bosch, geen maffe details, niks om je zorgen over te maken.'

'En die maanden dat ik in Israël was?'

'Staat nergens geregistreerd, valt niet na te gaan, bestaat

dus niet. Van belang nu is, en daarom ben ik hier en daarom heb ik je gebeld: we hebben gezocht naar iemand die dit werk voor ons kan doen. Een Nederlander moet ie zijn, dat is van essentieel belang, en hij moet absoluut loyaal zijn. We hebben hier gezocht naar iemand – en toen zijn we op jou gestuit.'

Philip pauzeerde en schonk voor zichzelf in. Joop keek gespannen toe, alsof ook de manier waarop Philip het cranberrysap inschonk onderdeel was van de onwerkelijke affaire waarin hij betrokken dreigde te worden, en met zijn ogen volgde hij de beker naar Philips mond, zag de adamsappel in zijn keel wippen bij het drinken.

Philip zei: 'Krijg je dorst van, die pastrami.' Hij veegde met de rug van zijn hand zijn mond af en zette met een zucht het bekertje op de vloer. 'Het spijt me dat ik je met dit alles overval. Je hebt je leven, je hebt je eigen problemen, je eigen zekerheden, je eigen dingen waarmee je zit, en dan kom ik opeens langs en probeer je in een wereld te trekken waar je helemaal geen zin in hebt. Een wereld van bedrog. Een wereld die ook gevaar meebrengt, al is de kans dat je iets overkomt net zo klein als de kans dat je zo meteen hier voor de deur beroofd wordt, maar toch – ik doe een beroep op je solidariteit met de joden in Israël. Ik weet zeker dat je die hebt. Ik weet nog hoe je was, toen in Israël.'

'Ik heb daar vier maanden lang kippenhokken schoongemaakt,' zei Joop.

'Wat heb ík gedaan? Afgewassen, badkamers geschrobd, bedden opgemaakt! Maar het was nodig, iedereen was naar het front, het land mocht niet invallen dus deden wij die klussen.'

'Instorten,' zei Joop, 'niet invallen maar instorten. *Het land mocht niet instorten.*'

Philip glimlachte: 'Als dit zo doorgaat spreek ik straks beter Nederlands dan vroeger.'

'De details moeten kloppen.'

'Mijn werk bestaat bij de gratie van de details,' zei Philip. '*Nooit* mag een detail *niet* kloppen. Levensbelang. Nationaal belang. Ik wil roken, jij ook?'

Joop schudde zijn hoofd. Philip boog zich naar het nachtkastje naast het hoofdeinde van het bed en pakte de hoorn van de haak, toetste een kort nummer in. Aan de andere kant werd direct opgenomen en Philip zei iets in het Ivriet.

Toen hij de hoorn neerlegde, zei hij: 'Ik ben niet alleen hier. Een paar van mijn mensen zijn meegekomen. Onze Amerikaanse vrienden weten niet dat we er zijn. Wat ik je nu vertel kan een diplomatieke rel veroorzaken. Onze vrienden in Virginia willen altijd graag weten wat er in hun eigen tuin gebeurt en ze zijn furieus wanneer we zonder kloppen binnenkomen. Ik vertel het je om je duidelijk te maken dat ik volledig open kaart met je speel. Ik hou niks achter omdat ik weet dat zoiets altijd averechts werkt. Je bent nu al op de hoogte van iets wat onze vrienden behoorlijk boos zou maken. Maar we nemen dat risico omdat onze belangen niet altijd synchroon lopen. Wij zijn voor bepaalde dingen wat gevoeliger als hun.'

'Dan zij.'

'Dan zij,' herhaalde Philip. 'Zij zijn onkwetsbaar. Wij daarentegen kunnen in principe bij elk stootje omvallen wanneer we er niet op voorbereid zijn.'

Er werd op de deur geklopt. Philip riep iets en de deur werd geopend. Een kleine donkere man kwam binnen, met borende ogen onder dikke wenkbrauwen die een ononderbroken lijn boven ogen en neus trokken, hij was hoogstens dertig jaar oud. Zoals Philip had hij zijn haar kort laten knippen, waardoor zijn hoekige schedel benadrukt werd. Hij droeg een donkergroen trainingspak waarop de naam Adidas stond, liep op grijze joggingschoenen, en de manier waarop hij bewoog verraadde dat hij dagelijks een sportschool bezocht.

Hij gaf Philip een plastic zak en een aansteker, bood vervolgens ter begroeting zijn hand aan Joop aan en zei: *'I'm Danny, great to meet you.'*

Geen spoor van een accent klonk er in zijn Amerikaanse uitspraak.

'*Hi.* Joop Koopman.'

Philip zei nog iets tegen hem en Danny verdween weer.

Uit de plastic zak, van een taxfreewinkel op Charles de Gaulle Airport, schoof hij een volle slof Marlboro en peuterde de verpakking open. Kennelijk was hij via Parijs gevlogen.

'Oké,' zei Philip terwijl hij een doosje opende, 'waar gaat het over?' Hij brak de filter van de rest van de sigaret. 'Onzinnige gewoonte,' zei hij, 'doe ik voor de smaak.'

Hij gaf zichzelf vuur en inhaleerde diep.

'Jij ook?'

'Nee, dank je,' antwoordde Joop.

Philip begon te vertellen over een man die Omar van Lieshout heette. De eerste twee jaar van zijn leven was zijn achternaam Bajoumi geweest, maar toen zijn ouders scheidden kreeg hij de naam van zijn moeder. Omar van Lieshout werd in 1968 in Beverwijk geboren. Zijn vader was een van de eerste gastarbeiders uit Marokko.

'Achmed Bajoumi kon nauwelijks zijn naam schrijven, geen droog brood te verdienen in het dorp in het noordoosten van Marokko, dus hij had ook geen kans om een bruidsschat bij elkaar te sparen, en hij gaat naar Nederland want bij een bedrijf aan de kust waar ze hoogovens exploiteren hebben ze een tekort aan arbeidskrachten. Zwaar, gevaarlijk, heet werk. Hollanders hadden er geen zin meer in, maar Noord-Afrikanen stonden ervoor in de rij. Letterlijk. De ronselaars zetten daar op een dorpsplein een tafel neer, gingen erachter zitten en de jongemannen kwamen uit de heuvels aangerend, achter de geiten en schapen vandaan, omdat ze allemaal weg wilden. De ronselaars zochten de sterksten uit, en dat ging er niet bepaald subtiel toe, ze werden als paarden op de veemarkt behandeld, en Achmed Bajouni was een van de gelukkigen. De fabriek had in Beverwijk een oud schoolgebouw gehuurd en daar konden die jongemannen wonen, in zalen met stapelbedden. En er werd voor ze gekookt tot het duidelijk werd dat de mannen begonnen af te vallen omdat ze dat Hollandse vreten niet lustten, dus mochten ze zelf koken.'

Hij nam een trek en keek de rook na. Hij was naar LA gekomen om Joop over een zielige gastarbeider te vertellen. Mensen reisden om allerlei redenen naar Californië.

'Jannie van Lieshout werkte in een kruidenierswinkel. Jannie was een echte Beverwijkse. Vader werkte bij de afslag als schoonmaker, moeder verdiende thuis wat bij als naaister. Bij Jannie deed Achmed zijn inkopen. Mooie jongen met kleine zwarte krulletjes. Lekkere volle blonde meid. Het cultuurgat was...'

'...Cultuurkloof.'

'De cultuurkloof was zo breed als een olifantenkont, maar ze waren jong, zij geilde op zijn zwarte haar en zijn fijne, besneden *schlong*, en hij mocht dat volle Noord-Hollandse lijf van haar berijden. Ze ontmoetten elkaar 's avonds langs het Noordzeekanaal en met uitzicht op de rookpluimen boven de hoogovens neukten ze zich suf. Ze werd zwanger. Haar ouders wisten nog van niks en in no time stond Beverwijk op z'n kop. Net katholiek meisje bezwangerd door hitsige Marokkaanse gastarbeider. Katholiek, dus ze wilde er niks aan laten doen. Daarom hebben we nu te maken met Omar van Lieshout. Jannies ouders braken met haar, maar ze wilde niet luisteren en trouwde met de man op wie ze verliefd was geworden. Tot hij haar half bewusteloos sloeg. Ze was alleen de straat opgegaan. Achmed was weliswaar in Nederland maar zijn zeden en gewoonten ontleende hij aan wat in de dorpen en gehuchten in het Rifgebergte normaal was. Ze kreeg het kind, maar ze had geen leven meer. Ik vertel je niks nieuws, dit moet je meer gehoord hebben over dit soort huwelijken in Nederland tussen gastarbeiders en Nederlandse vrouwen. Hij wilde dat ze naar Marokko ging om bij zijn familie te gaan wonen, ze moest een hoofddoekje dragen, hij ging echt *all the way*. Jannie besloot dat het niet meer uit te houden was. Omar was twee jaar toen. Jannie moest echt onderduiken en dat heeft ze drie jaar volgehouden tot Achmed een ongeluk kreeg: hij werd geraakt door een stuk ijzer van driehonderd kilo dat naar beneden viel, in zijn rug, brak twee wervels, lag een paar weken in het ziekenhuis en toen hij daar ontslagen werd moest hij zich opnieuw laten keuren. En hij werd afgekeurd. WAO. Het winnende lot uit de Nederlandse sociale loterij.'

Hij grinnikte even: 'Ik hou van dat land.' Hij doofde de sigaret, stond op en deed zwijgend een paar stappen heen en weer, leunde toen tegen de muur naast het nachtkastje. Boog zich vervolgens naar het pakje en stak meteen een nieuwe sigaret op.

Joop dacht: een groot acteur, een perfecte manipulator. Misschien zou hij aantekeningen moeten maken. Een melodrama over een gastarbeider in Nederland. Maar het viel te betwijfelen of daarvoor in LA interesse bestond.

Philip vertelde dat Achmed naar zijn dorp terugkeerde, daar met een gehoorzaam Marokkaans meisje trouwde en elke maand een cheque van het GAK ontving. Achmed gold als een geslaagde gastarbeider. Zijn zoon Omar van Lieshout groeide op in Emmen. Net als zijn vader een mooie jongen, met een huid die een fractie lichter was dan die van zijn vader. Zijn moeder werkte overdag aan een lopende band terwijl Omar door een buurvrouw werd verzorgd. Omar zei zijn eerste woorden toen hij vier was. Aanvankelijk werd gevreesd voor een hersenafwijking aangezien bij de bevalling zuurstofgebrek was ontstaan, maar Omars taalprobeem had niets met zijn verstandelijke vermogens te maken. Philip benadrukte Omars intelligentie, ook al kon hij nauwelijks spellen en had hij de mavo niet afgemaakt. Omar was veertien toen hij voor de eerste keer in contact kwam met de politie.

'Dat had geen gevolgen want hij was minderjarig,' vertelde Philip met afkeer. 'Buurtwerkers en sociale adviseurs kwamen eraan te pas. Maar Omar bleef doorgaan met wat hij eerder had gedaan – berovinkjes, inbraken, en vooral: dealen –, hij strooide met geld, had altijd wat leuks voor de meisjes die zich graag door hem lieten naaien, maar hij had geen vaste baan. Ze hebben hem nooit kunnen grijpen. Ze hebben op hem geloerd, maar hij was te slim voor ze. Hij was tweeëntwintig toen hij voor de eerste keer naar Marokko ging. Zijn vader was ernstig ziek toen, iets met zijn darmen, had verder niks met het ongeluk in Nederland te maken, en Omar wilde hem bezoeken. Maar Omar spreekt geen woord Arabisch. Nou, inmiddels een paar woorden, maar hij is een Nederlander, hij vloekt als een havenarbeider, ziet in zijn dromen molens en polders.'

Kennelijk had Philip het dossier meerdere malen gelezen want hij had geen snipper papier bij de hand. Op school stond Philip bekend om zijn feilloze geheugen voor formules, feiten, de uitzonderingen bij de Latijnse en Griekse verbuigingen.

'Omar gaat naar Marokko, bezoekt papa, die stervende is, ontmoet daar vijf halfzusjes en vindt zijn bestemming. Treft daar mensen aan die hem nodig hebben, voor wie hij een held uit Holland is. En hij bezoekt er voor de eerste keer in zijn leven een moskee. Hij verstaat geen woord van de dienst daar, maar zijn genen spelen uit...'

'Op, spelen op,' corrigeerde Joop.

'En hij vindt zijn roots. Terug in Nederland leest hij de koran – in een Nederlandse vertaling. Hij doet zijn best om Arabisch te leren, en in de loop der jaren pikt hij wel wat op en kan er zich verstaanbaar in maken, maar die taal ligt niet lekker in zijn mond en ook niet in het spraakcentrum onder zijn schedel. Omar kan de koran niet in het Arabisch lezen, maar de Nederlandse vertaling is blijkbaar zo goed dat hij gelovig wordt. Binnen een jaar verandert zijn leven. Hij laat een baard staan, bidt vijf keer per dag – vraag me niet in welke taal – en maakt in het jaar daarop de hadj, de bedevaart naar Mekka, dat was in '92, hij was vierentwintig. Een moslim *in full swing.*'

'En z'n dealerspraktijk?' vroeg Joop, benieuwd naar de combinatie van misdaad en religie, waarin mogelijk een gegeven verborgen lag. Geduldig wachtte hij af. Nog steeds geen pointe die een solide verhaal kon dragen.

'Die houdt ie aan. Hij moet per slot van rekening ergens van leven. Maar hij verhuist. Hij is op zoek naar gelijkgezinden, en hij vindt ze in Amsterdam-West. Daar huurt hij een kamer bij een Marokkaanse huisjesmelker. In Amsterdam brengt iemand Omar op een idee. Althans, we nemen aan dat hij door iemand geïnspireerd is geraakt, want we hebben geen aanwijzingen dat hij er eerder radicale ideeën op na hield. We denken dat hij in de loop van '97 een trainingskamp in Jemen heeft bezocht. Bij islamitische jodenhaters. Maar dat zijn alleen indirecte aanwijzingen. Op een gegeven moment loopt hij weer rond in Amsterdam, baardloos en gekleed als playboy, en in mei van dit jaar heeft hij een ontmoeting met een Irakese diplomaat in Londen. Deze Irakees is een grote vis. Een van de topjongens van Saddam Hoessein. We hielden hem al een jaar in de gaten omdat hij kolonel is van een van hun geheime diensten die operaties uitvoeren – denk aan aanslagen en dergelijke – en verdomd: bij hem duikt opeens een onbekende Hollandse Marokkaan op! Omar! Een ontmoeting die er toevallig uitziet maar gewoon gepland is, we kennen de gewoonten van onze Irakese vrienden. De feiten die ik je net verteld heb, hebben we de afgelopen maanden verzameld.'

Dit was de pointe. Prachtig. Stil en kalm had Joop ernaar uitgezien, maar nu besefte hij dat Philips verhaal de grenzen van de fictie – Joops terrein – ver overschreed. Joop was iemand die dingen verzon, die sinds Ellen hem verlaten had (en sinds de twee beschamende, lichtzinnige jaren daarna) voor zijn dochter had geleefd, niet voor de bescherming van Israël tegen Marokkaanse Hollanders. Hij zat niet te springen om bemoeienis met mensen die Irakese bommenleggers bespioneerden. Tenzij het om een fictief verhaal of om een historisch gegeven ging. Wat Philip vertelde behoorde tot geen van beide categorieën. Het ging om een geheime actie in wording.

Philip stak een nieuwe sigaret op. Door zijn *aliyah* naar Israël had hij de omgeving gevonden waarin de illusieloze blik in zijn ogen tot zijn recht kwam. 'En nu is Omar hier. In de San Fernando Valley. Zoals je aan deze kant van de Hills joodse wijken hebt, zo heb je daar islamitische. En wat ons zo zenuwachtig maakt is het nare gevoel dat Omar hier niet op vakantie is. We houden hem in de gaten maar we moeten dichterbij komen. Met iemand die onverdacht en ongevaarlijk is. Een aardige Nederlander die hier al jaren woont.'

Joop was een voorzichtige automobilist, hij rookte niet, hij dronk weinig. Hij was een geboren schijtlaars die risico's verafschuwde. Uitgerekend hij werd door Philip – welke Philip eigenlijk? Deze man was ook als kind al een vreemde voor hem geweest – benaderd voor een *undercover job*. Hij was een schrijver, een redelijk goede, aardig talentvolle schrijver die de laatste jaren wat pech had. Geen adrenalineverslaafde waaghals.

Philip ging verder: 'We zijn eens gaan inventariseren wie er in Los Angeles...'

Hij brak de zin af toen Joops mobiele telefoon begon te zingen. De eerste maten van het Wilhelmus, een sentimenteel teken van verbondenheid met het vaderland, door Mirjam op het www gevonden.

'Sorry,' zei Joop, ook al wilde hij de oproep graag beantwoorden, 'ik zet hem wel uit.'

'Neem maar, je weet nooit of je iets kunt verdienen.'

Joop boog zich voorover en schoof het roze rugzakje naar zich toe. Op het verlichte beeldscherm van de telefoon zag hij de naam van zijn dochter staan. Hij drukte op de spreekknop.

'*Hi*, schat,' zei hij.

Maar een onbekende stem klonk uit het apparaat.

'U spreekt met dr. Hemmings, Cedars-Sinai Medical Center. Spreek ik met mister Koopman?'

Hij sprak het uit als Koepm'n, met een slepende oe en een ingeslikte a, zoals iedereen deed.

'Daar spreekt u mee,' antwoordde Joop verwonderd. 'Ik dacht dat ik door mijn dochter werd gebeld. Belt u met haar telefoon?'

'Het spijt me u te moeten storen,' sprak de stem, 'u bent de vader van Mirjam Helen Koopman?'

'Ja, dat ben ik – waarom vraagt u dat, wat was uw naam ook alweer?'

'Dr. Hemmings. Ik ben supervisor van de eerstehulp hier in het ziekenhuis. Een halfuur geleden is uw dochter binnengebracht. Ze ligt nu op de intensive care. Ik moet u vragen – kunt u meteen naar het ziekenhuis komen?'

De man sprak wartaal. Een gek die een willekeurig nummer draaide en mensen de stuipen op het lijf joeg.

'Waar heeft u het over? Het is me niet duidelijk waar u 't over heeft.'

'Ik begrijp hoe u zich voelt, maar het is helaas geen misverstand. Uw dochter Mirjam Koepm'n is hier binnengebracht. Na een ernstig ongeval. Het is echt van belang dat u hierheen komt.'

'Hoe kan dat nou, mijn dochter? Hoe weet u dat het mijn dochter is? En ik heb geen idee wie u bent, dit is een vreemd gesprek, moet ik zeggen.'

'Mijn naam is Robert Hemmings, ik ben internist, en ik verzoek u om meteen naar het Cedars-Sinai te komen.'

'Waarom moet ik komen?'

'Omdat het erg slecht gaat met uw dochter.'

Vreemd dat alles stilstond. Het verkeer op straat, de deeltjes in de lucht, de rook die van Philips sigaret opsteeg. En in zijn lichaam verstarde zijn hart, kwam het bloed in zijn aderen tot stilstand. En toen schoot alles weer in beweging en begon het in zijn hoofd te stormen.

'Wat is erg slecht?' vroeg hij met vlakke stem terwijl hij zich vooroverboog om zich in zijn eigen schoot te willen verbergen, om te vluchten voor de dreiging, voor de opkomende dreun in zijn kop.

'We weten niet of zij de komende nacht haalt,' zei de stem, de stem van deze dr. Hemmings, die niet wist waarover hij sprak.

'Het kan niet,' sprak Joop, luid nu, alsof hij de dokter daarmee kon overtuigen en het lawaai in zijn hoofd kon overstemmen. 'Mijn dochter is in Malibu aan het lunchen met vriendinnen! Ze is vandaag jarig! Daar is ze, ik kan nu haar *cellphone* bellen!'

'Dit is haar *cellphone*, ik bel nu met haar *cellphone*. U stond in de lijst onder *dad*. Ik vind 't erg, meneer Koepm'n, wat er met uw dochter is gebeurd.'

'Wat is er dan gebeurd!' brulde hij.

'Een verkeersongeval.'

Opeens werd Joop woedend, furieus van haat op deze stem en de telefoon in zijn hand.

'Waar?' gilde hij.

'Pacific Coast Highway. Vijfentwintig minuten geleden is

ze met een traumaheli binnengebracht. Komt u?'

Joop zag zijn knieën op en neer bewegen, alsof ze onder stroom stonden. En Philip verscheen in zijn blikveld, naast hem hurkend, Philip, naast wie hij vroeger in een onbekende taal gebeden had en die veranderd was in een krijger. En Philip zei iets maar Joop hoorde hem niet.

'Dit kan niet waar zijn, dokter Hemm… Hemm...'

'Hemmings.'

'Dokter Hemmings, luister, mijn dochter, dat kan niet, ze is naar Malibu, u kunt dit niet zeggen, mijn dochter is vandaag jarig! Ik heb haar vanochtend nog gezien! Ze heeft een eh… paardenstaart en ze is vandaag zeventien geworden! Trouwens, hoe weet ik dat u de waarheid spreekt? Elke waanzinnige kan mijn nummer draaien! Hoe kunt u bewijzen dat u echt een dokter bent? Van welk ziekenhuis bent u? Waarom vertelt u dit allemaal?'

Maar toen hij Philips armen voelde en zijn stem hoorde, die hem wilde kalmeren, kon hij niet verder praten, want panische angst blokkeerde zijn stem.

Smekend keek hij Philip aan en stotterde: 'Philip, hier, kun jij… kun jij even met hem praten, die man is… hij zegt dat ie dokter is, misschien luistert ie naar jou…'

# 3

Ook vanochtend was Joop om kwart voor zeven opgestaan om de ingrediënten van Mirjams ontbijt klaar te zetten. Normaal plaatste hij alleen de schaal met fruit naast haar bord en ontdeed Mirjam zelf een appel, een kiwi, een sinaasappel en een halve banaan van hun schil. Deze ochtend deed hij dat voor haar. Vandaag werd zijn dochter zeventien jaar oud. Het cadeau, in de weldadig oogstrelende verpakking van Saks Fifth Avenue in Beverly Hills, wachtte op zijn bureau. Hij sneed de vruchten in stukjes en roerde ze door de yoghurt.

Daarna zette hij water op voor thee en maakte voor zichzelf een cappuccino. Twee jaar geleden had hij een Acquaviva gekocht, een Italiaans espressoapparaat, dat sindsdien zijn ochtendrituelen bepaalde. Mirjam at haar fruityoghurt en sinds hij het ontbijt had opgegeven beperkte hij zich tot cappuccino. Nadat Mirjam er maandenlang op aangedrongen had was hij vorige week eindelijk naar de gym gegaan waarvan ze lid was. Jaren geleden was hij voor het laatst op een weegschaal gestapt; hij stelde vast dat hij tien kilo was aangekomen.

Als zij naar school vertrokken was dronk hij bij het lezen van de krant een espresso. Rond halfelf nam hij een tweede espresso en om twaalf uur volgde de tweede cappuccino.

De Acquaviva stond op het aanrecht van de vierkante keuken, voor het raam, dat uitkeek op de kleine tuin achter het huis. Een door klimop overwoekerde schutting, die hij zelf een dozijn jaar geleden had geplaatst, scheidde de tuin van die van de achterburen, maar over de schutting heen kon je hun slaapverdieping zien. Schuin boven de espressomachine stond op een draaibaar plateau een klein televisietoestel dat ingeschakeld was op het ontbijtprogramma van Channel Five.

Zoals elke ochtend luisterde Joop naar de lokale berichten. Verslagen van de moorden, ontvoeringen, verkeersongelukken en branden die de afgelopen nacht in de streek hadden plaatsgevonden. Tussen de berichten door wisselden de presentatoren in de studio uitbundig lachend opmerkingen uit over hun echtgenoten, hun huisdieren, hun plannen voor het weekend, alles op een niveau dat toegankelijk was voor wezens met het bevattingsvermogen van een mot. Channel Five had een eigen helikopter, die boven de snelwegen vloog om opnamen te maken van verkeersstromen. Een presentatrice meldde vanuit de helikopter op welke snelwegen verkeersinfarcten ontstonden en adviseerde de kijker over alternatieve routes. De lokale berichten en wezenloze studiogesprekken hoorden bij het ritueel van de vroege ochtend zoals Mirjams geklaag over het schoolrooster, over haar haren, over de kleren die haar vandaag niet stonden of opeens niet meer pasten omdat ze 's nachts tien pond was aangekomen, over zijn weigering om haar een rijbewijs te laten halen voor zij achttien was.

Een licht suizen trok door de waterleiding, wat betekende dat Mirjam de douchekraan had opengedraaid. Joop verliet de keuken en liep om het huis heen naar de voortuin. Daar lag op het gazon de *Los Angeles Times*, door een plastic zakje beschermd tegen de ochtenddauw. Hij pakte de krant en keerde met opgetrokken schouders in de kille decemberlucht terug naar de warme keuken. Hij hoorde dat Mirjam nog douchte en bedacht dat dit het juiste moment was om het cadeau uit zijn werkkamer te halen, zodat ze het, als ze straks de keuken binnenkwam, meteen naast haar bord aantrof. Hij liep naar boven en passeerde de badkamer.

Vandaag had Mirjam de deur niet in het slot geduwd. Dat deed ze gewoonlijk met een korte, felle uithaal van haar elleboog, waardoor de deur met een metalige klap in de lijst schoot. Hij had kunnen terugkeren of met afgewend hoofd de badkamerdeur kunnen passeren, maar hij kon zijn ogen niet van de kier afhouden. Via de spiegel ving hij gedurende een fractie van een seconde een glimp op van het naakte lichaam van zijn dochter.

Het was jaren geleden dat hij haar ontkleed had gezien, vanaf de tijd dat zij schaamhaar kreeg en het tot hem doordrong dat het niet meer mogelijk was om haar op zijn schoot te tillen, tegen zich aan te drukken en haar gezicht en hals onder zoenen te bedekken. Hij had haar lichaam sinds Ellens terugkeer naar Nederland jaar in jaar uit verzorgd en verschoond, haar billen afgeveegd wanneer ze zijn naam riep – als een psalm, zingend, dwingend, vleiend – en trots naar de drol in de pot wees. Hij had haar knieën, vingers, schouders en wangen gekust wanneer ze gevallen was, haar buikje gestreeld bij buikpijn, en hij had bij een irritatie haar kutje met zalf ingesmeerd, tot het moment waarop de aanraking van haar lichaam een taboe was geworden.

Wat hij van haar zag was vooral haar contour. Maar een aantal details was hem niet ontgaan. Voordat ze hem kon ontdekken keerde hij terug en liep stil en gehaast naar beneden, ontsteld over de kracht van zijn nieuwsgierigheid. En over de zwakte van zijn respect voor haar privacy.

Hij trok de krant uit het plastic zakje en sloeg op het aanrecht in hoog tempo de pagina's om, op zoek naar iets wat de beelden in zijn kop kon begraven. Zijn dochter was een volwassen vrouw. Geen jongen of man kon haar passeren zonder haar met zijn ogen te ontkleden – en het was méér dan alleen haar uiterlijk, veronderstelde Joop, het was directe chemie, veroorzaakt door haar subliminale geuren die mannen in willoze slachtoffers veranderden. Vanaf haar twaalfde werd ze bijna elke maand op straat door scouts aangesproken: wil je model, actrice, ster worden? Wil je op die en die dag naar de auditie voor film zus en zo komen? Jij bent de nieuw Sophia Loren, jij hebt een grote toekomst voor je. Ze was minder mediterraan dan La Loren, maar net zo feminien.

Vandaag was ze zeventien en hij nam zich heilig voor om haar nog een paar jaar in bescherming te nemen tegen de haaien, slangen, ratten en krokodillen van Los Angeles. Tot haar eenentwintigste zou hij haar grenzen opleggen, met verboden intomen. Ofschoon ze in dit huis Nederlands spraken, hadden ze in Amerika hun leven. In het brave Nederland was de aantrekkingskracht van de entertainmentindustrie een zwakke reflectie van de Hollywoodse verlokkingen, en dus nauwelijks bedreigend voor jonge vrouwen als Mirjam. Lichamelijke schoonheid was in Los Angeles van groter gewicht dan intelligentie. Sinds haar dertiende trokken de aanbidders voorbij. Maar het was onmogelijk om haar achter de dijken van een Hollandse polder voor de buitenwereld verborgen te houden, zelfs als hij het zou willen.

De badkamerdeur had opengestaan en zonder dat hij daartoe ooit eerder enige opwelling had gevoeld had hij haar lichaam bekeken. Hij was niet schuldig aan het uitoefenen van een verboden handeling, maar bij het opmerken van de open badkamerdeur had hij ogenblikkelijk met neergeslagen blik rechtsomkeert moeten maken. Toch had hij zijn hoofd gedraaid en een kwart of een derde seconde zijn ogen over haar lichaam laten glijden. Zijn vrouwgeworden zaad. Zijn dochter die aan de schoonheidsmaatstaven van deze tijd voldeed: ze was slank, had grote borsten, een smalle taille, lange benen. Een volmaakt wezen dat op een dag een jongen zou beminnen die nu nog zijn pukkels aan het uitdrukken was. Het lag voor de hand dat ze omwille van de zogenaamde bikinilijn bepaalde plekken moest ontharen, maar hij had gezien dat ze haar schaamhaar tot een dun potloodlijntje had geschoren. Dat deel van haar lichaam had zij aandacht gegeven omwille van een visueel effect. Of misschien was het meer dan visueel, misschien had ze het gedaan voor iemand die haar daar met zijn vingers mocht aanraken.

Joop had boter op zijn hoofd. Hij was zestien toen hij Linda, een ver nichtje, mocht vingeren. In ruil trok zij hem af. Een jaar lang had Linda bij hen ingewoond en elke dag had hij zich na afloop van school met haar naar huis gehaast, waar zijn werkende ouders zich pas na vijf uur 's middags zouden vertonen. Soms had ze hem onderweg toegefluisterd, over haar rok strijkend alsof ze er pluisjes af wilde slaan: 'Joop, weet je, ik heb vandaag geen onderbroekje aan, wat vind je daarvan?'

Binnen vierentwintig uur nadat ze door zijn vader werden betrapt – hij kwam eerder thuis van de school waar hij wiskunde gaf – staarde Linda in de ferry die op Harwich voer naar de grauwe golven van de Noordzee. Zijn vader was bevriend met Engelse wiskundigen en na drie uur telefoneren had hij voor haar een *boarding school* geregeld. Joops moeder had contact met haar gehouden. Linda de Vries, de dochter van een neef van zijn moeder. Begin december had hij een brief van haar gekregen. Zij schreef dat zij de afgelopen vijftien jaar in Amerika en India had gewoond en dat zij voor het eerst weer in Nederland was en Den Bosch had bezocht. Na

Nederland zou ze verder reizen en over een paar maanden ook LA aandoen. Wilde hem graag weer zien. Na dertig jaar.

Mirjam was nu even oud als Linda in die tijd.

Joop bladerde door alle katernen van de *Times* en legde de krant weer met de voorpagina naar boven. Bush had Condoleezza Rice benoemd tot nationale veiligheidsadviseur, de machtigste post die een zwarte vrouw ooit had bekleed. Andere stukken verwezen naar de discussie over de uitspraak van de Supreme Court, dat het verzoek tot een hertelling van de stemmen in Florida had afgewezen. Hij las ook een artikel over de rampen die zich bij dotcomfirma's voltrokken, en doordat hij een jaar geleden zijn spaargeld in een beloftevol – succes verzekerd – maar inmiddels wankelend glasvezelbedrijf had geïnvesteerd, werd bij het lezen van het artikel de herinnering aan het lichaam van zijn dochter naar de uithoeken van zijn bewustzijn verdreven.

Hij week af van de ochtendroutine en maakte nu meteen maar een espresso.

'Hoi, pap,' hoorde hij.

Hij draaide zich om en zag zijn dochter naast de ontbijttafel staan. Ze droeg een minirok van spijkergoed, zwarte panty, een zwart, strak T-shirt en een spijkerjack. Ze liep op zeegroene joggingschoenen van Puma. Haar haren in een paardenstaart gebundeld, wat de onthulling van haar hals en oren iets intiems gaf.

Hij zette het koffieapparaat uit en kuste haar op de wang. Ze rook naar zeep, naar jeugd en vrouwelijkheid.

'Morgen, Mirjam. Gefeliciteerd.' Hij kuste haar nog een keer.

Ze straalde hem toe met haar licht opgemaakte ogen, helder, verwachtingsvol.

'Ben je een cappuccino aan het maken?'

'Espresso. Hoofdpijn,' zei hij.

'Weet je wat, pap? Ik heb best wel zin in een cappuccino vandaag.'

'Geen yoghurt?'

'Jawel, ook. Maar ook koffie. Het wordt tijd dat ik me als een cafeïneverslaafde volwassene ga gedragen. Vandaag begint de aftakeling. Heb je al thee gezet?'

'Ja, maar ik maak wel koffie,' antwoordde hij. 'Aftakeling bestaat niet. Je gelooft me niet, maar het curieuze is: je zult altijd blijven zoals je nu bent.'

'Behalve dan dat ik over tien jaar gerimpeld wakker word met m'n borsten op m'n knieën. Fijn vooruitzicht is dat.'

'Ik ben blij dat je er zo positief over denkt.'

'Toch is een handjevol illusies op mijn leeftijd soms heel verademend, pap.'

'De illusie van vandaag,' zei hij, erop vertrouwend dat zij wist wat hij bedoelde. 'Nu of straks?'

'Nu natuurlijk!'

'Let jij op de melk?'

Hij holde naar boven en griste het cadeau van zijn werktafel. Toen hij beneden kwam, zag hij haar bij het fornuis in het ochtendlicht staan, de korte strakke rok rond haar billen, de slanke kuiten, de sierlijke enkels. De lange bruine paardenstaart viel tussen haar schouderbladen. Hij had de neiging haar hals te kussen zoals hij had gedaan toen ze een kleuter was en haar elke dag met een hoge boog in bad tilde. Op de top van de boog verscheen haar hals voor zijn mond en proefden zijn lippen haar zachte kinderhuid. Jarenlang was dat onderdeel van het badritueel geweest, hij tilde haar op en kuste haar.

'Mirjam,' zei hij, en ze draaide zich half naar hem toe, wierp hem over haar troostrijke schouder een blik toe met haar zwarte ogen. En hij besefte welke verwoestingen ze straks in de wijde wereld zou aanrichten met die blik en houding.

Ze herkende het pakpapier in zijn hand.

'Pap – heb je het toch gedaan?'

'Maak nou eerst maar open,' antwoordde hij, ziek van liefde. 'Gefeliciteerd.'

Ze nam het pakje aan en gaf hem en passant een zoen op de wang. En passant. Joop was duizelig van sentiment, van wanhoop dat de tijd haar aan hem ontrukt had en dat hij haar nooit meer met een boog (waarbij zij samen een tekenfilmachtig geluidje maakten – *ziieeeffff*) in bad kon zetten en nooit meer kon meemaken hoe ze haar mollige billen in het warme water liet zakken. Ze had nu een vrouwenkont. Vrouwendijen. Vrouwenschaamte. Haar lichaam en alle gedachten daaraan waren verboden.

Mirjam schoof de yoghurt opzij, zette het witglanzende boodschappentasje van Saks op tafel en nam er het in zwart vloeipapier verpakte cadeau uit. Voorzichtig wikkelde ze het met haar vingers met roodgelakte nagels open en nam er glimlachend de leren agenda uit die ze had gewenst. Stug zwart leer met randen die gestikt waren met beige linnen, eenvoudig maar duur omdat het ontwerp van Kate Spade was. Joop was ongevoelig voor de *logomania* van deze stad en hij had geprobeerd om Mirjam te beschermen tegen de psychose van de merkenreclame, maar hij had de strijd tegen de fabrikanten kansloos verloren.

'Wauw, pap, en ook de inhoud is precies wat ik wilde. Dank je wel, lieverd.'

Ze sloeg een arm om zijn hals, de andere arm om zijn schouder, en drukte zich tegen hem aan terwijl ze hem op zijn ongeschoren wang vlak bij zijn oorschelp kuste. Hij legde voorzichtig zijn armen op haar heupen en lette erop dat hij geen kracht zette om elke bijgedachte uit te sluiten, maar hij voelde wat hem vroeger bij Ellen had aangetrokken, dezelfde stevige zachtheid, dezelfde vrouwelijke kracht.

Hij liet haar heupen los.

'Het is wel erg duur, papa. Je moet echt weten dat ik het fantastisch vind dat je dit gedaan hebt, maar het was echt niet nodig geweest. Ik wilde graag een leren agenda, en die had je ook bij Staples mogen kopen, daar hebben ze ook mooie, ik méén 't.'

'Geef maar terug,' zei hij.

'Te laat,' zei ze.

'Wil je echt cappuccino?'

'Ja gek hè? Misschien kwam het doordat je net bezig was met die espresso toen ik naar beneden kwam. Wat is die agenda mooi, zeg. Soms ruikt die koffie zo lekker. Ik ga steeds meer op je lijken.'

'Doe me dat niet aan,' antwoordde hij.

Ze leek in niets op hem. Joop was een zevenenveertigjarige Nederlander met te veel vet rond schouders en borstkas, harige armen en handen, platvoeten, lichtbruin haar, dat nu bij de slapen begon te grijzen. Zijn ogen stonden altijd helder en nieuwsgierig, soms cynisch en ironisch, maar nooit verveeld of geborneerd. Sommigen van zijn vriendinnen hadden hem verteld dat hij lieve handen had, die weliswaar mannelijk behaard waren maar ook jongensachtig onschuldig, waardoor ze zich graag lieten strelen. Hij had de genen van zijn niet-joodse vader, Johannes Koopman uit Eindhoven, die bij Philips Electronica een grote uitvinder had willen worden maar in plaats daarvan als leraar wiskunde een lyceum had gediend. Zijn vader had proefwerken nagekeken, ongeïnteresseerde klassen met zijn snijdende stem sarcastisch tot de orde geroepen, in het weekend met buitenlandse collega's gecorrespondeerd en vergeefs uitgezien naar een universitaire baan die hem respect en tijd voor wetenschappelijk onderzoek had kunnen geven. Hij stierf toen Joop vijfentwintig was. Op de fiets naar huis kreeg zijn vader een hartaanval en lag naar adem snakkend onder de fietstassen vol proefwerken, tot hij door een ziekenwagen naar het Grootziekengasthuis werd vervoerd. Daar werd hij *DOA* verklaard, *death on arrival*, een term die Joop een paar keer in een script had gebruikt. Hij was vijf weken van zijn pensioen verwijderd.

In Mirjams uiterlijk waren de bijna zigeunerachtige trekken voortgezet van Anneke, Joops moeder. Op haar beurt had Anneke het exotische van haar vader geërfd, Herman de Vries. Joops grootvader was in 1943 in een Pools stadje vermoord en het enige wat hij had nagelaten was een handvol foto's: een donkere charmeur, een potloodsnorretje dat de vloeiende curve van zijn bovenlip volgde, dik zwart haar, de geloken oogopslag van de geboren verleider, een zelfverzekerde kin, een joodse edelman die een groothandel in thee dreef. Mirjam was van die kant van de familie. Ellen, Joops ex, was een blondine die weinig aan het uiterlijk van haar dochter leek te hebben toegevoegd, alsof ze tijdens de zwangerschap alleen als tijdelijke drager van de familietrekken van Joops moeder was opgetreden.

Hij hoorde hoe de kokende melk tegen de wand van het pannetje kroop, greep direct naar de steel om de pan op het aanrecht te zetten.

Ze zweeg terwijl ze aandachtig door de agenda bladerde.

'Je weet dat ik straks weg ben?' vroeg hij terwijl hij de melk klopte.

'Hoe laat ben je terug?'

'Geen idee. Misschien gaan we lunchen. En jij rijdt niet met Caroline mee.'

'Nee-hee,' zong ze.

'Het maakt niet uit met wie je meerijdt, als het maar niet met die waaghals is. Een kind van zeventien in een Porsche, bespottelijk.'

'In een gewone auto rijdt ze heel zeker.'

'Néé.'

'Ik rij wel met Pat mee.'

'Pat is oké. Die heeft verantwoordelijkheidsbesef.'

Ze vroeg: 'Je hebt 't geregeld, hè?'

'Ik ben gisteren even langsgereden. Alles is in orde. Je kunt eten en drinken wat je wilt, maar geen alcohol. En laat het ook niet door iemand anders bestellen. Acht mooie meiden bij elkaar zijn in staat elke jongeman tot welke bestelling dan ook te bewegen.'

'Geen wijn, geen bier,' zei ze om hem te sparen.

Hij keek even naar haar om en zag dat ze nog steeds in de agenda verdiept was. Ze keek op en glimlachte schuldbewust.

Ze zei: 'We gieten ons vol en gaan daar op de tafels dansen. Pap, waar zie je me voor aan?'

'Voor iemand die haar grenzen kent,' zei hij. 'Hier.'

Hij zette een forse mok cappuccino voor haar neer en ging naast haar zitten.

'Een badkuip met koffie,' zei ze.

'Hoeft niet leeg. Ik neem wel wat jij laat staan.'

'Je hebt al een cappuccino en een espresso gehad, zo veel koffie is niet goed voor je,' zei ze.

'Ik let wel op.'

Ze vouwde het zwarte vloeipapier om de agenda en legde het pakje terug in de tas van Saks Fifth Avenue. Daarna nam ze de mok tussen beide handen en nipte van de koffie met haar halfgeopende mond, met getuite lippen die op een dag iemand zouden pijpen. Nee. Joop keek weg, misselijk van zijn eigen verbeeldingskracht.

'Is er iets?'

'Niks. Beetje koppijn,' antwoordde hij.

'Is het een producent?'

Ze doelde op de afspraak die hij straks had. Terwijl Mirjam met zeven vriendinnen op Paradise Cove Beach in Malibu lunchte, zou hij na bijna twee decennia Philip van Gelder terugzien. Van Gelder, die zich gisterochtend onverwacht had gemeld, heette tegenwoordig Uri Gelder.

'Ik weet niet wat ie wil. Gewoon een uurtje ouwemannenpraat.'

'Je bent toch niet te laat voor vanavond?' vroeg ze.

'Liefje, het begint om halfnegen, ik ben uiterlijk om halfdrie terug.'

Vanavond gingen ze naar een speciale screening van een nieuwe speelfilm in de bioscoopzaal van de Directors' Guild. Er zouden sterren komen en Joop had drie kaartjes weten te regelen zodat Caroline, Mirjams boezemvriendin-met-Porsche die het kind was van rijke speelgoedfabrikanten, haar opwinding kon delen. Met Caroline was ze al vele dagen in druk telefonisch overleg over hun kledingkeuze.

'Pap, Caroline komt vanavond met de Porsche.'

'Best, maar jij rijdt met mij mee.'

'Jij kan de Porsche rijden, ik heb het haar al verteld.'

'Wat is er mis met onze wagen?'

'Niks. Hij rijdt en remt. Maar hij is niet cool.'

Joop reed in een Jaguar XJS die hij in 1984 nieuw had gekocht. De carrosserie was rondom gedeukt en beschadigd, maar de motor was onverwoestbaar en de elektrisch bedienbare ramen bleven zoemen.

'Een nieuwe gladde Jaguar is bourgeois,' zei hij, 'maar een stokoude Jag die bijna uit elkaar sodemietert is megacool.'

Ze zette de mok neer en bekeek hem meewarig.

'Pap...' Ze pauzeerde even om haar woorden meer accent te geven. '...Pap, zeg nooit *cool*. Iemand die ouder is dan vijfentwintig mag nooit – *nooit*! – cool zeggen!'

'Waarom niet?'

'Omdat je niet weet wat cool is, maar denkt dat het cool is om cool te zeggen. En dat, pap, is *really uncool*.'

Ze had hem met een superieure, ironische oogopslag aangekeken, met irissen zo donker dat ze nauwelijks te onderscheiden vielen van haar pupillen onder de sierlijke bogen van haar wenkbrauwen, met wimpers die zo lang waren dat een vogel ermee kon vliegen. Als ze cool zei, rondde ze haar zinnelijke lippen, als een kus.

Wanhopig staarde hij naar haar onaanraakbare gezicht. En zij veronderstelde dat ze hem met haar woorden had gekrenkt, want haar gezicht betrok en ze keek hem schuldig aan.

Ze sprak: 'Pap, sorry, ik wil je geen pijn doen.'

'Dat doe je niet, liefste.'

'Waarom kijk je dan opeens zo zielig?'

'Ik kijk niet zielig. Maar... het begint tot me door te dringen dat je al zeventien bent – en dat betekent dat je op een dag opgelucht zult vertrekken om aan je eigen leven te beginnen.'

'Ach papa...'

Ze stond op, legde haar hoofd op het zijne terwijl ze half over hem heen gebogen stond, haar armen om hem heen geslagen. Hij greep haar handen en drukte ze tegen zich aan.

Hij fluisterde: 'Wil je nog dat ik voor je zing?'

'In godsnaam,' fluisterde zijn kind terug, 'doe me dat niet aan.'

Voordat ze zich grinnikend van hem losmaakte, kuste ze hem boven op zijn hoofd. Ze griste het cadeau en de bak yoghurt van tafel, en fladderde de keuken uit. Hij keek haar na, ook al had ze zich aan zijn gezichtsveld onttrokken. De telefoon begon te rinkelen, maar hij bleef luisteren naar haar snelle stappen op de trap naar boven terwijl hij in de lucht die zij net verlaten had zijn arm naar haar bleef uitstrekken, alsof hij haar daarmee kon verleiden bij hem te blijven.

Zij riep: 'Als dat mama is, zeg dan dat ze over vijf minuten terugbelt, ik moet ontzettend nodig!'

Toen de deur van de badkamer dichtsloeg, stond hij op om de telefoon te beantwoorden.

'Gefeliciteerd, Joop,' hoorde hij Ellen zeggen.

'Jij ook,' zei hij.

'Heb je voor haar gezongen?'

'Daarmee doe ik haar geen plezier meer.'

'Ze is te hard voor je. Alles goed daar?'

'Alles in orde. En jij?' vroeg hij.

'Druk, gelukkig veel opdrachten. Gaat goed hier in Nederland door die fiscale subsidiedingen. Ik weet niet precies hoe het werkt, maar er is veel te doen. Jouw werk?'

'Gaat ook goed,' loog hij. Hij hoorde drukke achtergrondgeluiden, een luide stem die iets bekendmaakte.

'Ben je op het station?' vroeg hij.

'Heathrow. Ik vlieg zo door naar Kaapstad. Doe een paar commercials daar en neem een weekje vakantie.'

'Ik heb met je te doen,' zei hij.

'Mag ik mevrouw even?'

'Ze is even op de wc. Kun je zo terugbellen?'

'Ik bel over... exact acht minuten terug. Zeg dat ze klaarzit. Oké, Joop, maak er een mooie dag van!'

'Altijd,' zei hij. 'Let goed op daar. Fijne vakantie!'

'Absoluut! Kusjes!'

'Kusjes,' antwoordde hij voordat hij ophing.

# 4

Was ze toch met Caroline meegereden? Hij had het haar expliciet verboden, maar ze had zijn waarschuwing in de wind geslagen. Ondanks de lage temperatuur had Caroline de kap omlaag gedaan, gas gegeven en de Porsche tussen andere auto's gelaveerd, rechts ingehaald, als een kogel accelererend, lachend risico's genomen omdat ze jong en lichtzinnig was. Met één hand had ze druk kletsend de gloednieuwe Porsche over de Pacific Coast Highway gestuurd, de beroemde PCH, een drukke vierbaansweg zonder middenberm, vol bochten, plotselinge vergezichten, zijwegen die uit de bergen sprongen, met talloze garages die vlak aan de weg gelegen waren en die parkeerders tot razendsnelle manoeuvres dwongen.

Caroline was misschien lichtzinnig, maar Mirjam niet. Ze was een serieus mens met een vleugje genialiteit. Zijn kind, net als zijn vader begiftigd met inzicht in de bizarre orde die de mens met de natuur deelde: wiskunde. Ze was wulps vrouwelijk, verleidelijk en zich bewust van de kracht waarmee ze mannen aantrok, maar het was een van de rollen die zij kon spelen. Vaak kroop zij 's avonds zonder make-up naast hem op de bank, als het kil was gekleed in een legging en een vormeloze dikke trui, als het warm was in een wijd hemd en een sportbroek, om samen in stilte te lezen of naar een klassieke film te kijken die hij haar wilde laten zien. De laatste twee jaar was ze in het weekend uitgegaan. In het begin had hij haar angstvallig begeleid en haar naar een vriendin gereden en in de straat gewacht tot het halfelf was. Aanvankelijk luisterde hij in zijn auto naar de talkshows op de radio, maar toen dat begon te vervelen schafte hij een leeslampje aan dat gevoed werd door de accu en las een boek tot het tijd was om haar op te halen. Een keer was hij door patrouillerende politieagenten aangesproken. Verscheen er opeens een fel licht in zijn gezicht en hoorde hij een stem die om legitimatie vroeg. Achter zijn auto stond een politiewagen. Hij toonde zijn rijbewijs en legde uit dat hij op zijn dochter wachtte. '*And where's she, sir?*' wilden ze weten. Ze controleerden of hij de waarheid sprak, kwamen terug om te zeggen dat alles in orde was en wensten hem nog een goede avond, maar Mirjam was furieus. 'Rij dan een beetje rond als je zo hoognodig wilt wachten, verken de buurt een beetje, maar ga niet als een verkrachter in de auto zitten wachten. Sta ik echt voor joker door jou.' Dat wachten tot zij weer verscheen, zo bedacht hij, was zijn hoogstpersoonlijke gang naar de kerk, zijn moment van wekelijkse bezinning in de stilte van zijn oude Jaguar, luisterend naar de krekels, een huilende baby, het dichtslaan van een deur, het starten van een auto, het gegrom van een hond, de geluiden van televisieprogramma's (gelach bij een sitcom, ricocherende kogels bij een actiefilm, meanderende muziek bij een *love story*). Verre geluiden van werelden waaraan hij geen deel had. Hij was hier om te waken over zijn kind. De tijd verstreek en had een bestemming: de verschijning van zijn dochter. Op het afgesproken tijdstip, op de minuut precies, zwaaide de voordeur open van het huis waar een vriendin woonde of waar de party was, en daar verscheen ze, lachend, zwaaiend, en danste over het pad van de voortuin, huppelde de treden af naar de stoep en keek turend om zich heen. Ze wuifde wanneer hij de auto startte en de lichten aanknipte. Hij reed de auto tot vlak voor de plek waar ze wachtte, en het licht van zijn koplampen streek over haar lichaam. Ze opende het portier, liet zich in de lage wagen zakken en haar korte rok schoof omhoog en ont-hulde de volle schoonheid van haar benen. Nooit trok ze de rok omlaag, veilig als ze was naast hem, op het beige leer van de oude Engelse auto. De airco bracht verkoeling na de be-zwete uren op het feest, waarover ze onderweg opgewonden praatte tot hij haar voor de deur van hun huis op Superba Avenue bracht. Ga naar binnen, kindje, adem, droom, leef.

Philip moest hem steunen toen hij op de trap van het motel wankelde en naar de auto liep die Danny zou besturen. Vreemd, hoe emotie je lichaam aantast. Joop had een taxi kunnen nemen, maar die lieten in Santa Monica vaak lang op zich wachten. Het Cedars-Sinai lag voorbij Beverly Hills, in West Hollywood, naast de kolossale grijze bunker waarin het Beverly Center gevestigd was. Cedars was een uitgebreid ge-bouwencomplex waar de beste artsen van de stad werkten. Via de Santa Monica Freeway en de afslag Robertson reden ze er in twintig minuten naartoe. Danny kon rijden als een be-roepscoureur. Joop had nooit eerder in zo korte tijd West-Hol-lywood bereikt. Er waren goede bioscopen, restaurants, win-keltjes, cafés, waar Mirjam beter de weg kende dan hij. Het was vreemd dat Joop een sigaret in zijn hand had, scherpe rook in zijn longen zoog en zich niet meer herinnerde dat hij een sigaret had opgestoken.

Opeens stonden ze stil en keek hij op naar Philip, die bui-ten naast het geopende portier stond en hem een hand gaf bij het uitstappen, alsof hij een oud wijf was. Hij zag nu dat de auto blauw was, een Infiniti. Ze liepen naar binnen, meldden zich bij een balie en werden naar een andere afdeling verwezen. Lange gangen hier, veel verplegers en patiënten, en hij voelde zich ook echt een oud wijf, zijn benen leken te zijn gevuld met stroop, maar Philip hield hem overeind.

*Emergency*, heette het hier. Hij liet zich op een bank zakken, tussen andere mensen die moesten wachten tot de nachtmerrie voorbij was en de geliefde opeens lachend en zingend verscheen. Grapje! Niks aan de hand!

Iemand trok zijn aandacht en wees vreemd genoeg op zijn hand, tot Joop na vele seconden staren begreep dat de man bedoelde dat hij een sigaret vasthield, die hier verboden was. Hij drukte de sigaret uit.

Waarom had de aanblik van Mirjam vanochtend zo veel melancholie teweeggebracht? Een voorgevoel? Hij geloofde niet in voorgevoelens. Voorgevoelens waren voor mensen die in magische werelden leefden. Mensen die in sterrenbeelden, iriscopie en aromatherapie geloofden. Hun wereld was gevuld met voortekenen, bovennatuurlijke verbanden en goddelijke verschijnselen. Maar ook al was hij een ongelovige, hij kon niet loochenen dat hij vanochtend op een andere manier naar zijn dochter had gekeken dan in de afgelopen zeventien jaar.

Iemand die in voorgevoelens geloofde, geloofde ook in mythische straffen na het overtreden van de oerwetten. Een vader mag zijn ontklede dochter niet observeren. Hij had haar niet begeerd, althans niet met een seksuele intentie. Maar misschien werd in de wereld van de voorgevoeler elke vorm van observatie gestraft, ongeacht de intentie. In dat geval was hij schuldig – maar waarom zou Mirjam voor zijn schuld gestraft worden? Als er iemand iets te verwijten viel was hij dat, en als er een straf moest worden uitgedeeld was hij degene die door de bijl geraakt moest worden. Of is deze omgekeerde, onrechtvaardige straf juist het kenmerk van magische werelden? Treft het zwaard uitgerekend de onschuldige, waardoor de van zijn zonde doordrongen zondaar dubbel wordt gestraft? Nee, hij wilde niet bestaan in een wereld die zo blind en wreed was. Maar misschien was deze wereld, die van het toeval, minstens zo gruwelijk.

Voor hem doken Philip en een witgejaste man op.

'Joop, dit is dokter Hemmings.'

'Meneer Koepm'n...'

Joop ging staan en keek in het wijze gelaat van de arts, de tovenaar die het toeval kon omdraaien. Hij schudde zijn hand, de hand die een afscheid kon voorkomen. Een jaar of veertig, maar al helemaal grijs. Een bril met dikke glazen. Hemmings had veel gelezen. Kleine vermoeide ogen.

'Waar is ze, dokter?'

'We doen nog een paar tests. Over een paar dingen hebben we zekerheid. Loopt u even met me mee?'

Ze liepen de glimmende vloer van de gang op en betraden een zijkamer.

'Ik blijf hier op je wachten,' zei Philip bij de deur.

'Nee, nee, ga mee,' drong Joop aan. 'Dat is toch goed, dokter?'

'Als u daar prijs op stelt.'

'Ja. Kom maar, Philip.'

Philip ging mee naar binnen, de arts verduisterde de kamer. Een aan de muur bevestigde lichtbak gloeide op. Er hingen röntgenfoto's.

'Uw dochter zat achter op een motor. De motor is onderuitgegaan en ze is weggeslingerd. Ze is onder een tegemoetkomende auto gekomen. Hierdoor zijn ernstige trauma's ontstaan.'

Bij het horen van het woord 'motor' brak er bij Joop een brandend, bevrijdend, bezielend inzicht door: het was Mirjam niet! Ze hadden haar met iemand verwisseld! Haar *cellphone* was natuurlijk vanochtend gestolen zonder dat ze dat zelf had ontdekt, en nu dachten ze dat iemand anders Mirjam was!

Joop onderbrak de arts: 'U vergist zich. Een motor? Ze kent niemand met een motor. Het kan niet. Het is onmogelijk. Ze kan 't niet zijn! Niemand die wij kennen heeft een motor! Er moet een identiteitsverwisseling hebben plaatsgevonden.'

Hemmings zei: 'Het is begrijpelijk dat u zich aan elke strohalm vasthoudt, maar de bestuurder van de motor heeft haar naam opgegeven. Dit zijn foto's van de ruggengraat van uw dochter. En haar halswervels. Hier haar schedel.'

'Ik wil haar zien.'

'We gaan zo meteen naar haar toe. Ik wil u eerst uitleggen wat de situatie is.'

Joop knikte, maar hij gaf zich niet gewonnen. Hij wist niet wie er in dat eerstehulpbed lag, maar het kon niet Mirjam zijn. Hij ging haar direct hierna bellen. Het restaurant heette Bob Morris' Paradise Cove Beach Café, de enige zaak in dit deel van Californië die echt op het zand van het strand stond en verse vis en schaaldieren serveerde. Gisteren was hij erheen gereden om alvast een afdruk van zijn creditcard te laten maken en een handtekening op de nota te zetten zodat Mirjam alleen het bedrag hoefde in te vullen. De afgelopen zomer hadden ze twee keer per maand op zondag bij Bob Morris onder een parasol gezeten, de tenen kroelend in het zand, pinda's pellend die in een oud wijnvat bij de ingang voor het grijpen lagen, en soms had hij de wisselende bediening – surfende, zonverbrande jongens en meisjes uit de buurt die hier wat bijverdienden – over haar leeftijd misleid en een glas koele witte wijn voor haar ingeschonken. Je zult zien, daar zat ze nu te kletsen met haar vriendinnen, zeven andere dochters aan haar tafel, allemaal rond de zeventien, slimme mooie meiden naast zijn prinses.

Goed, dit was een misverstand.

Hemmings zei: 'Het ruggenmerg is ernstig beschadigd, onherroepelijk beschadigd. Verwondingen als deze veroorzaken permanente schade. Als zij ooit zou bijkomen, en helaas is die kans zo goed als nihil, dan zou zij nooit meer kunnen lopen. Deze trauma's leiden tot permanente verlammingen.'

Joop kon zich niet beheersen. 'Ik heb 't u al gezegd, dit is Mirjam niet! Ze kan niet bij iemand achter op een motor hebben gezeten, want ze kent niemand met een motor! Ik vind het erg vervelend voor u, maar ik sta hierbuiten! Mijn dochter is nu in een restaurant op Paradise Cove... Malibu... Bob Morris' Beach Café, u kent 't natuurlijk ook... Ze is daar aan 't lunchen met haar vriendinnen! Daar ging ze naartoe! Daar is ze dus nu!'

Met bezorgde blik wachtte Hemmings tot hij was uitgesproken.

Joop vervolgde: 'Ik, ik, begrijp wel dat haar *cellphone* tot deze verwarring heeft geleid, maar er moet een einde aan komen. Dit is te erg. Ik wil mijn dochter niet met dergelijke ellende in verband brengen. Zij is het enige wat ik heb. Dat klinkt als een pathetisch cliché, het zij zo. Zij is mijn leven. Daarom... ik ga haar nu bellen, dan kunt u verder met uw werk, en ik ook...'

En alsof iemand dit geregisseerd had, liet Joops telefoon nu opnieuw het Wilhelmus klinken. Philip hield het roze rugzakje in de hand en keek hem vragend aan, onzeker of hij hem de telefoon moest aanreiken. Zonder een spoor van ongeduld sloeg de arts zijn armen over elkaar en wachtte op wat Joop ging doen.

Joop lachte. 'Dit is ze? Wedden? Dit is ze.'

Hij maakte een gebaar en Philip opende het zakje en gaf hem de telefoon aan.

Met een onmogelijk trillende vinger, die hij probeerde te beheersen omdat hij niet wilde dat de arts zag dat hij bijna instortte, drukte Joop op het knopje.

'Ja,' zei hij.

'Mister Koopman? Dit is Caroline.'

'Caroline, goed dat je net belt. Mag ik Mirjam even? Ze is haar telefoon kwijt.'

'Ik probeerde haar al te bellen, maar ze neemt niet op. Ze is drie kwartier te laat nu en we maakten ons een beetje ongerust.'

'Ze is daar toch bij jullie? Is ze niet met jou meegereden? Wat is er aan de hand, Caroline?' Hij werd ziedend en schreeuwde: 'Ik wil niet dat hier een geintje wordt uitgehaald! Geen pubergrappen! Waar is ze! Geef de telefoon aan haar zodat ik met haar kan praten!'

Het meisje begon te huilen.

'Ze is hier niet, meneer Koopman. Ze is niet met mij of Pat meegereden...'

Hij blafte: 'Met wie reed ze dan wel mee!'

'Met God...'

'Met God? Waar heb je het in hemelsnaam over? God? GOD? Meisje, ik wil je wel zeggen dat ik je ouders hierover inlicht en ik verzeker je dat...'

Luid huilend zei ze: 'De man van God's Gym, de sportschool, u was er vorige week zelf! Iedereen noemt hem God. Van Godzilla. Want hij is zo groot.'

Hij had God's Gym bezocht. Hij had er zich laten wegen. Door een zwarte man van twee meter lengte, minstens driehonderd pond zwaar, een gigant. Toen de zaak een paar jaar geleden geopend werd, hadden gelovigen in de buurt tegen de naam geprotesteerd. Ze eisten voor de rechter dat de neonletters van de gevel verwijderd werden, maar de eis werd afgewezen.

'Wat – wat deed ze bij hem?' vroeg hij, zachter nu, maar nog steeds bevangen door een intense haat.

'We hadden vanochtend maar een uurtje school. De laatste

dag voor kerst. We zijn naar de *gym* geweest en toen zouden we hierheen gaan. God moest ook naar Malibu. En hij heeft een mooie Harley. Een klassieker. Hij wilde haar wel brengen.'

Joop kende de momenten uit films, films die de verbeelding van de twintigste-eeuwse mens gekleurd hebben, en hij vroeg zich af of de generaties die vóór de filmgeneratie leefden dezelfde ervaring gekend hebben: de wereld vertraagde, hij keek als door water naar de lichtbak en naar de röntgenfoto's, en vervolgens draaide hij langzaam zijn hoofd naar Hemmings en Philip, die met uitgestoken armen naar hem toe kwamen alsof ook zij in water bewogen, vertraagd door een onmogelijke zware lucht, en vreemd genoeg zag hij de telefoon uit zijn vingers glijden, de dure Motorola, terwijl hij dacht: gelukkig ben ik verzekerd voor schade aan de telefoon. En opeens zakte hij door de vloer van de kamer, althans, hij stelde vast dat hij naar beneden bewoog en ook stelde hij vast dat zijn hart brandde, gewoonweg in brand stond, en hij wilde hier zo graag weg en naar huis om iets voor Mirjam te koken, een lekkere pasta met zeedieren, of een quiche met echte Zwitserse gruyère, of een Hollandse gehaktbal die hij haar had leren eten, een domme ronde sappige Hollandse gehaktbal met uitjes, hij zag haar de uitjes snijden, met het mes op het snijblok tikken, en door het snijden van de uien kreeg ze tranen in haar ogen, ze keek glimlachend naar hem op en zei: 'Kijk, pap, ik huil.'

# | 5 |

In de vroege ochtend van zaterdag drieëntwintig december, in de stilte van tien over halfvier, het diepste van de nacht, stierf Mirjam. Ze lag in een kamer vol hightech apparatuur, een omgeving die haar geestdrift zou hebben opgewekt. Uitwendig was ze net zo volmaakt als de laatste keer dat hij haar had gezien, op die ongrijpbaar verre vrijdag om tien voor acht in de ochtend – twintig uur geleden – toen ze naar school ging voor een korte bijeenkomst ter afsluiting van het jaar en ter viering van het begin van de kerstvakantie. Ze had naar hem gezwaaid toen ze met haar witte Koga Miyata langs het huis liep om de vijf kilometer naar de school, op de hoek van Seventh en California, te fietsen. Misschien waren haar benen zo mooi geworden omdat ze elke dag op de fiets zat, als elke Nederlandse meid. Voorovergebogen over het stuur van haar *race bike*, die hij tweedehands had gekocht, fietste ze over het betonnen lint op het strand met de zeelucht op haar lippen. Als ze Lincoln nam, met haar schuivende kont op het smalle zadel, haar korte rok opgekropen, haar prachtige opwaaiende haar als een zwarte vlag achter haar hoofd, werd ze onafgebroken begeleid door het claxonconcert van hoopvolle automobilisten. Ze koos er daarom voor om over het strand te fietsen, laverend tussen de skaters en joggers.

Een dozijn buizen en draden verbond haar lichaam met een muur van computers en beeldschermen, waarop in grafieken haar 'vitale levensfuncties', zoals de verplegers en artsen die noemden, konden worden afgelezen. Urenlang hield hij haar hand vast. Hij fluisterde haar toe dat alles goed zou komen en dat ze zou herstellen en dat hij niet van haar zijde zou wijken en hij vertelde over vroeger, een kleine tocht door de volle schatkamer van zijn geheugen. Hij vertelde over wat hij daar aantrof, streelde haar vingers en pols, wachtte op een teken van herkenning.

Bij zonsondergang op die vrijdag, nog geen tien uur nadat hij haar had zien wegfietsen, had een arts gevraagd of hij met hem kon praten. Op zijn naambordje las Joop zijn naam: dr. Benjamin Pollock. Op de gang legde Pollock uit wat hij wilde bespreken. Joop had de leden van het team leren kennen en hij was erover ingelicht dat het team geen hoop meer had. Pollock benadrukte dat ze alles deden om zijn dochter te redden, maar ze moesten realistisch zijn en helaas waren er grenzen aan hun mogelijkheden. Misschien moest Joop rekening gaan houden met het onafwendbare. Pollock legde uit dat hij tot een ander team behoorde. Dat was wettelijk zo geregeld om de verantwoordelijkheden en belangen gescheiden te houden. Hij moest het onderwerp aansnijden omdat zijn dochter een leven kon redden. De kans dat zij zou overleven was in feite niet meer aanwezig, maar één orgaan had het ongeluk ongeschonden doorstaan. Haar hart was in perfecte conditie. Zij had zelf geen toekomst, maar zij kon toekomst schenken.

'Denkt u hierover na, meneer Koepm'n?' vroeg hij. 'Neem uw tijd en vraag u af wat uw dochter zou hebben gewild.'

Er volgde een halve avond, en een nacht. Joop bleef bij

haar. Philip en Danny weigerden de wachtruimte te verlaten en losten hem af wanneer hij een beker koffie nodig had, of een sigaretje, dat hij buiten moest gaan oproken. Danny hield het roze rugzakje bij zich, een onschuldig katoenen ding met leren riemen dat dagenlang op haar schouders had gedrukt; het rugzakje was het teken dat alles weer normaal kon worden, dat alles weer kon zijn zoals het gisteren was. Mirjam had een leven voor zich. Zij was geboren om een elegante en schokkend simpele wiskundige vergelijking te vinden waarmee alle priemgetallen konden worden voorspeld.

Hij belde Ellen. Haar stem op het antwoordapparaat meldde dat ze in het buitenland was en pas na zeven januari zou terugbellen, maar ze wenste de beller alvast fijne kerstdagen en een mooi nieuwjaar.

Hij sprak in: 'Ellen, als je dit hoort, bel me meteen terug. Er is iets gebeurd met Mirjam. Iets heel ergs. Bel meteen, alsjeblieft.'

Rond middernacht gebeurde er iets wat hij niet kon verklaren. Hij hield haar hand vast, vertelde over de vakantie naar Nederland van enkele jaren geleden en probeerde haar aan het lachen te brengen met een herinnering over een ruzie die hij in de trein met de conducteur had gemaakt. Hij legde zijn hoofd op haar hand en bleef met gesloten ogen liggen, zijn wang op haar huid. Toegegeven, hij was moe, en het kon niet anders dan dat wat hij toen ervoer een intense droom was, maar het was vreemd dat hij zichzelf zag, half gebogen over het bed, slapend naast Mirjam.

Hij bevond zich ergens hoog in de hoek van de ruimte en keek op zichzelf en het bed neer en zag hoe Mirjam opstond, ook al bleef ze tegelijkertijd liggen – iets maakte zich van haar los, en ofschoon hij kon zien, ook al had hij geen ogen, hij kon niet beschrijven wat zich precies aan haar lichaam onttrok maar het was iets wezenlijks dat hij Mirjam noemde. Ze kwam naar hem toe, dit onstoffelijke wezen, en hij besefte dat zij uit hetzelfde materiaal bestond – voor zover het materiaal was – en dat zij dezelfde gewaarwording had als hij. Hij voelde hoe zijn lichaam, ook al had hij dat niet, doorstraald werd van een grenzeloos geluk. Hij had geen mond maar noemde toch haar naam, en ze hoorde hem zonder oren. Er was geen pijn meer, geen verlangen, alles was vervuld. En zonder woorden vertelde ze hem dat hij, nu zij de wereld van de vier dimensies had verlaten, haar lichaam moest laten cremeren en de as bij Catalina Island over de zee moest uitstrooien. 'Vier dimensies?' vroeg hij zonder stem. 'Er zijn er toch drie?' Ze antwoordde: 'Je vergeet de tijddimensie, pap.'

Hij werd wakker gemaakt door een verpleger die op een alarmsignaal reageerde. Zes anderen verschenen en hij werd verzocht even op de gang te wachten; haar lichaamsfuncties vielen de ene na de andere uit, ze werd op de hart-longmachine aangesloten en verloor veel vocht, wat erop duidde dat haar hersenen aan het sterven waren.

Onder het licht van tl-buizen, heen en weer lopend in de gang en de wachtruimte, met rauwe ogen van uitputting, wist Joop wat hij moest doen wanneer ze gestorven was. Ze wilde dus gecremeerd worden, haar as moest worden uitgestrooid voor de kust van Catalina.

Afgelopen zomer hadden ze er een week doorgebracht, het eilandje tegenover Long Beach. Urenlang had ze daar in de schaduw van een reusachtige eucalyptus zitten lezen in *De man die van getallen hield*, een biografie van Paul Erdös, een van de grootste wiskundigen van de twintigste eeuw, en in een schrift met een dik zwart omslag aantekeningen gemaakt. Ze had over het eiland gedwaald terwijl hij in het huurhuisje aan het werk was, en 's avonds hadden ze over de oceaan gestaard en over zijn leven met Ellen gepraat. Zij vroeg, hij antwoordde.

Hij wist dat zij dat wilde. In de droom had zij het hem duidelijk gemaakt, ofschoon hij niet wist op welke manier dat gebeurd was. Hij zou doen wat zij wilde en hij had er geen enkele twijfel over: hij moest zijn meisje laten cremeren, hij zou haar met het water rond Catalina verenigen.

Het team liet haar pas uren later gaan. Machines en computers beademden haar lichaam en pompten bloed rond om haar voor donatie geschikte orgaan te beschermen totdat de recipiënt in gereedheid was gebracht. De recipiënt bevond zich ergens in de Verenigde Staten. Als hij dat wenste, en de recipiënt stemde daar ook in toe, kon hij later in contact met hem komen. Dat hoefde niet, verklaarde hij bij het invullen van de vragenlijst. Was hij gerechtigd alleen dit besluit te nemen? Hij antwoordde met ja, ook al drong het tot hem door dat hij Ellen moest inlichten.

In het eerste ochtendgloren werd hij door Philip en Danny thuisgebracht. Haar hart was al uit haar lichaam genomen. De gedachte was gekmakend; het beeld van het kloppende hart dat uit haar borstkas werd gehaald. De wetenschap had van irrationele angsten werkelijkheid gemaakt. In bijna alle talen viel het hart samen met liefde, eerlijkheid, menselijkheid, maar sinds harttransplantaties mogelijk waren was het hart ook een vervangbare pomp geworden. Anderhalf pond in gewicht, vlees van zijn kind.

Nooit eerder had hij alleen in dit huis geleefd. Eerst was Ellen er geweest, toen Mirjam, en als ze lijfelijk afwezig waren dan zweefde tussen de muren de heerlijke verwachting van hun thuiskomst.

Het duurde uren voor hij de moed had naar boven te gaan en de deur van haar kamer te openen. Toen hij dat deed zag hij op haar nachtkastje de halfvolle bak yoghurt en op haar bed het tasje van Saks staan, de nieuwe agenda op het opengevouwen zwarte vloeipapier.

# | 6 |

Op een filmset had hij Ellen voor het eerst gezien. Ze deed er kleding. Na de mavo had ze een tweejarige modeopleiding gevolgd en werk gevonden als kledingassistente bij televisieprogramma's. De korte film was haar eerste eigen klus. Ze kreeg nauwelijks iets betaald maar had het werk aangenomen omdat ze er een *credit* voor kreeg: *kleding Ellen Meerman.*

De eerste set van de productie bevond zich achter het Centraal Station in Amsterdam. Om acht uur 's ochtends dook Joop de gang in onder de perrons, liep naar de IJ-zijde en het eerste crewlid dat hij zag, naast een Volkswagenbusje dat volhing met kleding, was een jonge vrouw die in een strakke korte broek de kou trotseerde. Hotpants heetten ze en ze behoorden dat jaar al tot een voorbije mode. Maar Ellen hield er hardnekkig aan vast, wetende welk effect de aanblik van haar lichtzinnige broekje sorteerde. Ze had oogverblindend mooie benen en de hotpants zaten zo strak om haar kont dat de vorm van haar billen scherp te onderscheiden was. Om haar bovenlijf droeg ze een strak jack met een kraag van bont, om haar benen netkousen, haar voeten in vuilwitte gymschoenen.

'Weet jij de set van *Het einde van 't IJ*?' vroeg hij.

'Loop maar met me mee,' zei ze. Een aangename, zware stem. Een elastische tred, alsof ze op luchtkussens liep.

'Ben je figurant?' vroeg ze.

'Nee,' grinnikte Joop moeizaam, ontgoocheld over hoe zij hem geclassificeerd had, 'ik ben de schrijver van het script.'

'Joop Koopman?'

'En jij?' vroeg hij.

'Ik doe de kleding. Ik ben Ellen.'

Tijdens het lopen stak ze hem glimlachend een hand toe.

'Slim, zoals je dat verhaal vertelt. Ontzettend slim. Heb ik ontzettend veel bewondering voor.'

Twee keer 'ontzettend', dacht hij. Ze was prachtig. Het deed er niet toe hoe vaak ze met die lippen 'ontzettend' zei.

Ofschoon hij niet van plan was geweest om de set vaak te bezoeken keerde hij elke ochtend terug. Voor haar. Hij haalde koffie wanneer ze daar prijs op stelde, hield haar gezelschap wanneer ze moest wachten, hielp haar wanneer ze met een arm vol kleren in haar huurbusje stond.

Het bescheiden budget van de film liet niet meer dan zes draaidagen toe, maar ook een korte film moest met een feestje worden afgerond. Hij ging omdat het feestje het slot van de productie van zijn eerste echte film markeerde en omdat hij een afspraak met Ellen wilde maken.

Met vier etentjes, verspreid over vier achtereenvolgende weken, maakte hij haar op een bijna ouderwetse manier het hof. Hij nodigde haar uit, hij betaalde, hij begeleidde haar netjes naar huis en nam met een vormelijke handdruk afscheid. Ondertussen verslond hij haar met zijn ogen. Ellen was anders dan de vrouwen die hij kende. Ze had niet gestudeerd, las nooit een krant, werkte sinds haar achttiende, was niet geïnteresseerd in de abstracties die hem als jonge schrijver obsedeerden – vorm en inhoud, werkelijkheid en fictie – en was spontaner, intuïtiever, directer dan hij. Hij had een paar vriendinnen gehad, maar had zich niet in het vrijgezellenleven van Amsterdam gestort. Hij had gelezen en gestudeerd, op zoek naar antwoorden op de grote vragen van het leven en de wereld. Maar hij kon niet ontkennen – ook al had hij het in zijn ernstige jacht op kennis geprobeerd – dat hij ook verlangde naar ruisende rokken, een smalle vrouwenhand die een geblondeerde lok wegstreek, de delicate manier waarop een ring om een vinger werd geschoven, hoe een panty werd opgerold voordat er een voet in gleed. Ellen was het vrouwelijke lichaam dat zijn zwevende geest op aarde kon houden. Zij stond midden in de wereld, terwijl hij er van achter een matglasraam naar keek.

De vijfde keer zag hij haar bij toeval voor de zuivelkoeling van Albert Heijn. Ze had een pot yoghurt in de hand en las de tekst van het etiket. Ze droeg een spijkerbroek, een dik, nylon jack, en ze duwde een boodschappenkar. Ze was atletisch gebouwd, leek op afstand langer dan ze was. Ze had een gezicht dat hem deed denken aan Egyptische beelden, een lange hals, een langwerpig gelaat met een vrij grote neus, grote groene ogen en gulzige lippen. Ze was aards. Priesteres van de natuur.

Waarmee had hij haar bij de zuivelkoeling aangesproken? Goh, wat toevallig, ik was net in de buurt, heb je haast, iets drinken? Schijnbaar nonchalant had ze in zijn boodschappenmand gekeken en gezien dat hij tonijn in blik, eieren, mayonaise en rode wijn mee naar huis ging nemen. Zij zei: 'Ik heb sla, tomaten, boontjes. Weet je wat? Als we de boodschappen bij elkaar doen kunnen we samen een niçoise maken. Bij jou of bij mij?'

Haar boodschappentas wachtte naast de voordeur toen ze in zijn piepkleine badkamer de spijkerbroek van haar benen stroopte en, ofschoon hij nog maar net de gashaard had aangestoken en de kamers kou ademden, poedelnaakt op de drempel van zijn slaapkamer ging staan. Was het de kou of de opwinding die haar tepels zo hard maakten?

Stevige, maagdelijke borsten, een lichte glooiing van haar buik, prachtige benen, sierlijke vingers en dik blond haar, dat ze in de badkamer had losgemaakt en dat nu vol haar schouders bedekte. Hij begeerde haar lichaam en Ellen genoot van zijn begeerte, die haar macht gaf en daardoor de mogelijkheid om zich aan hem over te geven.

'Vind je me erg lelijk?' vroeg ze. Alsof ze moest poseren voor een blootblad plaatste ze haar handen op de deurlijsten links en rechts van haar schouders en onbevreesd liet ze hem naar haar borsten en het driehoekje onder haar buik kijken.

'Afzichtelijk,' grapte hij moedig. Hij maakte een gebaar naar het kussen naast zich. Ze kwam naar hem toe en hij zag haar borsten lichtjes deinen. Ze sloeg de deken terug, bekeek goedkeurend wat zij bij hem veroorzaakte en kroop op hem, bedekte hem met haar zachte lichaam terwijl ze over hem heen gleed tot haar borsten zijn lippen bereikten.

Het was 1979. In de late middagzon van een strakblauwe novemberdag gingen ze een uur lang schaamteloos hun gang. Hij wist niet dat hij dit allemaal durfde. Daarna maakte Ellen met drukke gebaren een salade niçoise, waarvoor ze een eenvoudige maar perfecte dressing van olie, azijn, knoflook, zout en peper had bereid. Omdat ze het koud had dronk ze er thee bij. In het busje hing alles ordelijk en gerangschikt, maar na haar vertrek kostte het hem drie kwartier om het aanrecht leeg te ruimen.

Wat er van hem geworden zou zijn zonder Ellen? Een schuwe, schimmige dichter die zijn leven kettingrokend, jeneverdrinkend en schuldenmakend zag vervliegen tot hij op een dag door een geërgerde huisbaas dood in zijn bed zou worden aangetroffen.

Wanneer Ellen haar woninkje in de Jordaan binnendanste, wapperden de gordijnen van uitgelatenheid, raakte het aanrecht vreugdevol bedolven onder potten en pannen, en bereidden de buren zich verwachtingsvol voor op een nieuwe aflevering in het hoorspel dat aan Ellens orgasmen voorafging. Alles wat ze deed was geladen van erotiek. Al haar zintuigen stonden in direct contact met haar seksualiteit. Joop wist niet waarom ze hem had uitverkoren – de eerste twee maanden lieten ze elkaar 'vrij', hij wist dat ze het met anderen deed en was ziek van jaloezie – maar hij had zich voorgenomen om er niet veel over na te denken. Ze herinnerde hem aan Linda, zijn verre nicht die haar ouders bij een auto-ongeluk verloren had. Linda was zeventien toen zij door zijn ouders in huis werd genomen, hij een jaar jonger, en tien maanden lang werd hij door haar ingewijd in handelingen die hem dag en nacht in een koortsige roes hielden wat tot een rampzalig schooljaar leidde. Bij zijn latere vriendinnen ontbrak de intense lichamelijkheid die hij bij Linda had gevonden. Tot Ellen opdook. Intelligent maar niet intellectueel. Aards en geil. Ongrijpbaar en niet te doorgronden.

Ondanks zijn voornemens moest Joop vaststellen dat hij door Ellen geobsedeerd werd. Hij kon het nauwelijks verdragen dat zij nog een leven had buiten dat met hem. Onafgebroken hield hij haar in het oog – al was het maar denkbeeldig – wanneer zij in een kroeg met zijn vrienden sprak, wanneer zij overdag zonder zijn toezicht haar werk deed en de verbeelding van de mannen om zich heen op hol liet slaan, wanneer zij alleen in bed lag en het vermoedelijk met zichzelf deed. Want hij was er in die eerste periode van overtuigd dat zij de hele dag aan niets anders dacht dan seks.

Veel veranderde toen ze besloten dat het serieus was. Hij hield zijn kamers in de Pijp aan en trok feitelijk bij Ellen in. In haar etage in de Jordaan probeerde hij schrijvend te voldoen aan de voorwaarden van de commissie voor filmsubsidies. Soms opende ze wild de deur en verscheen ze in al haar pracht, met rode wangen van de kou, met haren die na een fietstocht haar gezicht wild omlijstten, trok hem met een hand tegen zich aan om hem met geweld te zoenen en greep ze met de andere naar zijn kruis.

Meteen na de voltooiing van zijn opleiding aan de Filmacademie had Joop *Het einde van 't IJ* geschreven. De film werd geregisseerd door Bert Hulscher, een filmmaker die twee jaar eerder dan hij de academie verlaten had. Bert had contact met hem gezocht nadat Joop in een literair tijdschrift een kort verhaal had gepubliceerd, waarin volgens Bert een film school.

Na zijn eerste film werd Bert meteen omhelsd door de kleine elite die in Nederland subsidiegeld verdeelde en mocht hij met een langere film zijn kwaliteiten bewijzen. Joop Koopman deed bij de filmcommissie de ene aanvraag na de andere voor het schrijven van filmscenario's. Stuk voor stuk werden ze afgewezen omdat ze 'te talig' en 'te weinig visueel' werden bevonden.

Terwijl Bert aan zijn eerste bioscoopfilm werkte, schreef Joop een van zijn scenario's om tot een roman, en de tweede uitgever die hij benaderde besloot tot publicatie. De kritieken bewezen wat hij al wist: hij kon schrijven, zelfs zoiets complex als een roman, door de critici welwillend geprezen als het werk van 'een vooraanstaand debutant'. Maar de frustratie dat hij geen steun kon vinden voor zijn filmprojecten, ook al had hij met de roman succes en liet zijn postgiro een rustgevend saldo zien, vergrootte zijn hardnekkigheid.

In twee jaar tijd deed hij negen aanvragen. Bij de behandeling vroeg hij steevast zijn aanvraag mondeling te mogen toelichten. De commissie prees zijn inzet en talent en legde hem iedere keer uit, voorzichtig geworden door zijn plotselinge literaire reputatie, dat hij in hun ogen meer een literair verteller was dan een filmschrijver. Wanneer hij een dag later belde om het besluit van de commissie aan te horen kreeg hij steevast een omfloerst néé te horen. Joop maakte zelfs geen kans toen Bert Hulscher uitgenodigd werd om lid van de commissie te worden. En hij wist wat het betekende toen Bert zijn boodschappen op het antwoordapparaat niet meer beantwoordde. Een tijdlang vermoedde hij een boosaardig complot om hem buiten de filmwereld te houden, maar toen hij er geen sluitend motief voor kon vinden hield hij het op pech en toeval.

Na *Het einde van 't IJ* had Ellen carrière gemaakt. Ze had een exhibitionistische smaak die goed aansloot bij de stijl van de commercials in die tijd, waardoor ze binnen enkele maanden meer opdrachten kreeg aangeboden dan ze kon aannemen. En van kleding had ze haar werkterrein verbreed tot *art direction.*

In de vroege zomer van 1982 kreeg Ellen een telefoontje van een Nederlandse cameraman met wie zij aan een paar spotjes had gewerkt. De cameraman was in het voorjaar naar Los Angeles vertrokken en bereidde een grote speelfilm voor. Hij had de producent over haar uitbundige werk verteld en vroeg of zij een tape kon sturen. Drie weken later ontving ze een ticket met het verzoek om te komen praten.

Een dag na haar vertrek belde ze.

'Het heet de Sunset Marquis. Iedereen zit hier rond het zwembad. Ik heb Robert Duvall gezien en ik geloof ook Clint Eastwood.'

Een steek van jaloezie. 'Geloof je 't of weet je 't zeker?'

'Hij moet het geweest zijn! Hij leek er sprekend op!'

'En het weer?

'Heerlijk. Ontzettend warm, maar echt lekker. En nu komt het...'

'Nu komt wat?'

'Ze willen dat ik het doe!'

'Echt?'

'Echt. Acht weken voorbereiding. Acht weken draaien. En weet je voor hoeveel per week?'

'Zeg 't.'

'Tweeduizend dollar per week!'

'Zo veel?'

'Maar... ik doe 't alleen wanneer jij meekomt.'

'Wat moet ik daar doen?'

'Je gaat daar schrijven. *Fuck* die subsidies! Op een dag verkoop je wat. *Mind my words.*'

'Het is daar nog moeilijker dan hier,' zei hij, maar hij was niet echt van plan om daarover met haar in discussie te gaan. Hij wilde niets liever.

In de zomer van 1982 vertrokken ze met vier koffers bagage. Aangezien Ellen over inkomsten beschikte, konden ze een studio – een zit-slaapkamer met een open keuken – in een door verslaafden bewoonde wijk van Hollywood huren, een versleten Chevrolet onderhouden, zich met goedkope Chinese *takeout*-maaltijden voeden.

De film werd een maand uitgesteld, en toen nog een maand voordat hij definitief werd geschrapt. Ellen had betaald gekregen, maar maakte nu mee wat aan de orde van de dag was in Hollywood: veel films, zelfs al waren ze voorbereid en was de hele crew aan het werk, werden nooit geschoten. Met het geld dat Ellen opzij gelegd had konden ze het een tijdje uitzingen.

Joop schreef scripts, vertaalde ze en liep de agentschappen af die niet per definitie *unsollicited* werk afwezen. En na vijf maanden vond hij een agent die in hem geloofde. Op diens advies mat hij zich een nom de plume aan. Volgens zijn agent werden scripts van buitenlanders vaak ongelezen geretourneerd omdat de ervaring geleerd had dat buitenlanders niet gewend waren aan het Hollywoodsysteem en de spelregels niet consequent toepasten. En zonder rekening te houden met zijn gevoeligheden nam de agent met een rode viltstift Joops werk onder handen.

Voortaan noemde Joop Koopman zich Joe Merchant, een naam als van een variétéartiest, en een jaar na zijn aankomst in Los Angeles vond het wonder plaats: zijn agent verkocht een van zijn scripts. Voor maar liefst vijftigduizend dollar. Echte dollars. Een cheque van een echte Hollywoodproducent. Een vermogen.

In Venice, het deel van Los Angeles dat nog steeds in de ban was van flowerpower en daarom hippies, dealers, junks, kunstenaars, schrijvers en filmmensen aantrok – en waar Joop en Ellen in het weekend vaak over het strand slenterden – vonden ze een betaalbaar huis. Venice was relatief goedkoop vergeleken met andere delen van West-Los Angeles. Het huis had acht maanden te koop gestaan en had blijkbaar op hun bod gewacht. Het was een vrijstaand houten huis in een rustige *middle class*-buurt waar nog niet de *gentrification* had toegeslagen en die niet door *gangs* geïnfecteerd was. Het huis stond op Superba Avenue, halverwege Lincoln Boulevard en het strand. Een vijf minuten durende wandeling westwaarts langs verzorgde tuintjes met palmen en varens leidde naar de befaamde *boardwalk* van Venice Beach, en oostwaarts naar de supermarkten, eettentjes, stomerijen en autowasserijen op Lincoln. Het huis was nog geen bouwval, maar vertoonde ernstig achterstallig onderhoud. 'Gewoon een likje verf en het kan er weer jaren tegen,' had de makelaar gelogen.

Toen zij uit de Chevrolet gestapt waren en het huis stonden te bekijken, zei Ellen: 'Joe Merchant in Venice. *The Merchant of Venice.* Dat is toch een toneelstuk? Van wie?'

'Shakespeare,' zei hij.

Na de eerste bezichtiging liepen ze door de buurt naar het strand.

'Het ligt ideaal,' zei Ellen. 'Maar er moet wel een hoop aan gedaan worden.'

'Bijna alles,' zei hij. 'Nieuwe keuken. Badkamer. WC. Goten. Dak.'

'Als we ook nog andere kosten krijgen wordt het te duur,' zei ze.

'Nou ja, dat zijn de kosten,' antwoordde hij.

Zij herhaalde: 'Er kunnen andere kosten bij komen.'

'Je bedoelt: verborgen gebreken of zoiets?'

'Ik bedoel iets anders, iets heel anders.'

'Wat dan?' Hij bleef staan terwijl hij haar hand greep. Hij vroeg: 'Wat bedoel je?'

'Weet je nog – dat ik de pil vergeten was?'

Sinds hij haar kende had ze regelmatig een dag overgeslagen omdat ze het vergeten was of omdat ze de strip niet kon vinden, maar nooit had zijn zaad het doel gevonden.

Hij herhaalde: 'Wat bedoel je?'

'Wat zou ik bedoelen? Ik ben zwanger. Vanochtend kreeg ik de uitslag. Ik wist ook niet... het is misschien ontzettend stom, maar... wat vind jij?'

Ze kochten het huis. Ze hadden geen geld voor een aannemer en deden alles zelf. Ze sliepen in slaapzakken, haalden hun eten bij Mexicaanse fastfoodrestaurants, douchten zonder gordijnen, schilderden de muren, schuurden en lakten de vloeren, herstelden de plinten, plaatsten nieuwe keukenkastjes, en Joop ontdekte dat hij in staat was om als een evenwichtskunstenaar op het dak te wandelen en rottende *shingles* te vervangen, de vierkante plaatjes hout die in Amerika als dakpan fungeren.

Op achttien september 1983 trouwden ze. Ellen was zes maanden zwanger. Hun moeders vlogen naar Los Angeles en deelden een kamer in een motel op Lincoln Boulevard. De ceremonie op het gemeentehuis duurde drie minuten. Hun moeders getuigden. De hele dag voelde Ellen het kind wild bewegen, alsof het in de roes van gelukzaligheid wilde delen.

# 7

Joop ontwaakte om één uur 's nachts, het begin van de vijfentwintigste december van het jaar 2000. Kerstdag. De eerste minuut bleef hij liggen en vroeg hij zich af waarom hij rond deze tijd op de bank in de woonkamer lag. Een moment heerste er vrede, want hij nam aan dat Mirjam in bed lag. Tot zich opeens, in felle flarden die vanaf de verste uithoeken van zijn geheugen naar zijn hart schoten (vreemd genoeg was het een fysieke gewaarwording die in het binnenste van zijn borstkas speelde), de gebeurtenissen van de afgelopen dagen tot een coherent geheel verenigden en de onacceptabele notie zich opdrong dat Mirjams bed onbeslapen was en dat zij nooit meer naar beneden zou komen. Hij sprong op, ziek van de beelden in zijn kop, vloog naar boven en wierp de deur van haar kamer open.

Hij liet zich op de drempel zakken en zat daar met zijn gezicht verborgen achter zijn handen, als een orthodoxe jood heen en weer bewegend terwijl hij onafgebroken haar naam noemde. Toen verviel hij minutenlang in een stilte die alleen begeleid werd door zijn ademhaling. Soms verbeeldde hij zich dat dit een nachtmerrie was waaruit hij zou ontwaken, maar even zo vaak wist hij dat Mirjams dood een onherroepelijk feit was en dat haar stem nooit meer door de telefoon zou klinken, dat zij nooit meer met haar vingers door zijn haar zou kroelen. Maar als hij zich concentreerde, zijn ogen dichtkneep en op zijn tanden beet, zijn handen tot vuisten balde en elke vezel van zijn lijf spande, dan zag hij haar, dan hoorde hij haar stem, dan kon hij de gladde huid van haar hals strelen.

Na een uur leek de pijn weg te vloeien en ging hij nuchter naar de keuken. Hij stak een sigaret op van een van de naast het roze rugzakje liggende pakjes die Philip – Philip? O ja, Philip had hem trouw gedurende de middag en nacht van de ramp gezelschap gehouden – had achtergelaten. Hij liep de nachtelijke tuin in en rookte de sigaret. Het was even windstil, de buitenthermometer gaf tien graden aan, en van ver weg waaierde over de daken het geluid van landende vliegtuigen op LAX. Hij zag geen sterren, nevel hing boven de stad. Geen lamp brandde in de huizen die hij vanuit zijn tuin kon zien. Later op deze dag zouden alle families bijeenkomen om kalkoen te eten. Ze waren uitgenodigd bij Carolines ouders. Nouveaux riches, maar hartelijk. Bewoonden een enorm huis op Main Street in Santa Monica, boven een ondergrondse privéparkeergarage waar een tiental kostbare auto's stond. Rijkdom in deze stad had vaak iets pervers. Er zouden rond de veertig gasten komen, hun advocaten, zakenrelaties, bijna allemaal joden die Chanoeka en kerst dit jaar lieten samenvallen. Mirjam wist dat Joop financieel een moeilijke periode doormaakte en ze had na een aftastende voorzet – ze wist niet wat ze bij het diner moest dragen – niet meer aangedrongen, want ze kon leven met de beperkingen die zijn financiële situatie oplegde. Maar hij wist dat ze iets nieuws wilde dragen, ook al kon ze oogverblindend aan tafel verschijnen in elk van de jurken die ze bezat – twee kasten vol, meende hij, maar blijkbaar nooit genoeg, of niet precies genoeg, of net niet goed, of voor bepaalde dagen ongeschikt (de tere balans van kledingkeuze en vrouwelijke stemming zou hij als man nooit doorgronden). Hij had haar zijn creditcard gegeven en Mirjam was met een jurk thuisgekomen die maar veertig dollar kostte. Vorige week zondag had ze de bus genomen, de zaken op Melrose doorzocht en op de vlooienmarkt op de hoek met Fairfax een tweedehandsje gevonden. Bloedrood fluweel afgezet met zwarte sliertеn, ruches heetten ze, redelijk decent vallend tot halverwege haar bovenbenen maar met een gevaarlijk laag decolleté. Ze had de sieraden van Joops moeder geërfd, althans, hij had ze haar geschonken, enkele ringen en halskettingen, en na de aanschaf van de jurk was ze 's avonds zijn werkkamer binnengestapt en had gevraagd of ze zich zo in het openbaar kon vertonen. Opgestoken haar, oorbellen met koraalrode stenen, sieraden, hoge naaldhakken, in zwarte, glanzende panties gestoken benen. Hij knikte.

'Echt, pap? Zie je echt niet dat het een oude jurk is?'

'Nee, echt niet.'

'Vind je de sieraden niet te veel?'

'Nee. Bij jou is niets te veel.'

'Dat is een gevaarlijk antwoord. Je bent niet eerlijk.'

'Ik ben altijd eerlijk. Tegenover jou wel.'

'Je bent jezelf in de problemen aan het praten! Echt waar?'

'Mirjam, je hebt jezelf in de spiegel gezien, je hebt blijkbaar besloten – en daar heb je ruim een uur over gedaan – dat je er goed genoeg uitziet om je armzalige vader om een mening te vragen, en denk je nou echt dat ik ga zeggen dat je zo niet de straat op kan?'

'Dat zijn vreselijke dingen die je zegt. Je maakt me ontzettend onzeker. Ik moet gewoon precies weten wat je vindt, er komen daar echte *heavy hitters*.'

'Sinds wanneer ben jij geïnteresseerd in *heavy hitters*?'

'Ik wil niet dat zij denken dat we *white trash* zijn.'

'Jij hebt meer royalty in je pink dan zij…'

'Cliché, papa, de buitenkant doet ook mee.'

'Jouw buitenkant is hors concours.'

'Hors concours? Dat is dus zoiets als buiten competitie? En dat betekent?'

'Dat je zo mooi bent dat je van competitie wordt uitgesloten uit medelijden met de andere mededingers.'

'Nou ben je een lieve pap.'

'Kus?'

'Vooruit.' Ze drukte volle gelakte lippen op zijn voorhoofd. 'Een extra mond boven je ogen is nooit weg,' zei ze toen ze wegliep.

Onwillekeurig bewoog zijn hand naar zijn voorhoofd en streek erover, alsof hij er het reliëf van de afdruk van haar lippen kon vinden. Die jurk zou ze vandaag dragen. Met de glinsterende sieraden van zijn moeder. De glimmende pumps. De glanzende panty. Op de drempel van zijn bewustzijn lag de panische gedachte dat alles anders was, dat ze niet zou verschijnen en dat zijn leven opeens in het teken van iets rampzaligs stond, maar hij wilde er niet aan denken, weigerde de woorden te vinden die aan die werkelijkheid gestalte gaven. Straks zou alles gewoon zijn wanneer deze bizarre nacht was opgelost in het licht van een normale ochtend.

Hij ging op de bank liggen, een jas over zich heen geslagen, beseffend dat hij niet meer naar boven moest gaan, de deuren en kamers daar moest mijden en zijn gedachten moest richten op de beelden die hij in zijn geheugen aantrof, die ruime, rijke danszaal van zijn geest, die bood waarnaar hij verlangde.

# | 8 |

Gezeten op een krukje had hij Ellen gesteund toen ze grommend en vloekend de spieren van haar lichaam spande om haar lichaam van het kind te verlossen. Over haar bezwete schouder kijkend, haar blonde paardenstaart in zijn gezicht, zijn handen onder haar oksels, begon Joop met haar mee te persen, niet alleen denkbeeldig maar ook lichamelijk, alsof hij kon helpen door het ritme van haar ademhaling over te nemen. Ook hij beet op zijn tanden, zette zich schrap wanneer zij zich met alle macht in een perswee stortte. Tussen de weeen door ademde hij net als Ellen met korte, snelle hapjes, als een hond na het rennen. Doordat hij haar vasthield en meegevoerd werd door de spanningen in haar lichaam droeg Joop symbolisch bij aan Ellens gevecht op de baarkruk.

Om ruimte te maken had Joop een uur daarvoor de keukentafel tegen de wand geschoven, daarna een stuk bouwplastic op de pas gelakte houten vloer gelegd. De ramen achter het aanrecht gaven uitzicht op de tuin. Het was de eerste winter in dit huis en hij had vastgesteld dat in dit jaargetijde het zonlicht pas laat naar binnen draaide, maar onder de heldere blauwe lucht tintelde het vandaag van licht en leven.

Met haar gebrul in zijn oor en haar woedende lijf tegen zijn borst en tussen zijn armen zag hij hoe tussen haar dijen iets verscheen.

'Ja, nog één!' moedigde de vroedvrouw aan.

Ellen knikte en zocht naar krachten die ver voorbij haar mogelijkheden leken te liggen, maar opeens verhardde haar lichaam en met Ellens oerbrul verscheen een verschrompeld pakketje mens. De vroedvrouw ving het op en meteen zette het kind het op een schreeuwen. Was het mooi? Nee, het was beestachtig en gruwelijk, maar het was ook natuurlijk zoals de documentaires van de National Geographic de natuur toonden: met een immorele, esthetische orde die voorbij menselijke normen lag. Zijn spermatozoön was Ellens eicel binnengedrongen en nu was het tijd voor een mens.

Nog voor ze op adem had kunnen komen mompelde Ellen: 'Mag ik haar vasthouden?'

'Eén seconde nog,' antwoordde de vroedvrouw.

Ze knipte de navelstreng door, legde het wezentje op een weegschaal, deed kort enkele tests die Joop niet doorgrondde, en met een schorre, aangetaste stem fluisterde Ellen in zijn oor: 'Joop, we hebben een kindje, echt een kindje.'

Even legde ze haar bezwete, vermoeide hoofd op zijn schouder en hij kuste haar oorschelp. Na tien seconden richtte ze zich weer op en zei: 'Mijn kindje.'

Het wezen werd in een doek gewikkeld en hunkerend nam Ellen het aan, met de zorg, precisie en ervaring waarover zij van nature scheen te beschikken. Het was tweeëntwintig december 1983, tien over twaalf 's middags.

'Mijn kindje,' fluisterde Ellen terwijl het kleine wezen, dat grote ogen op de wereld gericht hield, rillend in haar armen naar warmte zocht. Het had donker haar, een bleekrode huid, een brede mond.

'Zij wordt prachtig,' zei de vroedvrouw. 'Ik heb duizenden bevallingen gedaan en ik zie meteen wat het wordt. *She'll be a knockout.*'

Over de schouder van zijn vrouw keek Joop naar zijn dochter. Hij probeerde iets in haar blik en de vorm van haar gezicht te herkennen, maar ze was een vreemde, of liever: ze was van niemand, ze had een eigen, onafhankelijk karakter, een individu met een eigen krachtbron, een eigen bestemming die ze pas over tientallen jaren zou ontrafelen. Ze gaven haar de tweede voornaam van zijn moeder.

'Mirjam,' fluisterde Ellen. 'Dag Mirjam. Welkom bij ons.'

Zes weken na Mirjams geboorte verkocht hij nog een script. Opnieuw vijftigduizend dollar. Het moeizame eerste jaar in Los Angeles was uitgemond in een periode van voorspoed. Die avond schurkte Ellen na afloop van *Johnny Carson* haar kont op die typische manier tegen hem aan die traditioneel betekende: ik wil, ik ben bereid, streel me. Toen ze nog zwanger was had ze, om haar volle buik te beschermen, bij het vrijen telkens op haar handen gesteund, voorovergebogen op haar knieën, haar billen naar hem omhoog.

Het was drie maanden geleden dat ze voor het laatst hadden gevreeën. Na afloop lag ze in zijn armen met haar rug naar hem toe, haar billen in zijn schoot. Stil luisterden ze naar de ademhaling van hun kind. Ellen hield zijn handen tussen haar borsten vast, drukte ze met kracht tegen zich aan en zei: 'Ik ben bang.'

Hij werd erdoor overvallen. En vroeg: 'Bang?'

'Ja,' hoorde hij, 'bang. Dat dit voorbijgaat.'

'Dit gaat niet voorbij,' antwoordde hij.

'Echt niet?' vroeg ze.

'Nooit,' zei hij.

Maar er drong opeens een paradox tot hem door: dat geluk

iets was wat alleen gegrepen kon worden wanneer het zich had opgelost. Hij schoof nog dichter tegen haar aan. Toen het geluk in zijn ogen schitterde, kon hij niets zien. Geluk bestond alleen in de herinnering. Maar het was angstaanjagend om hieraan te denken, alsof woorden het gevoel konden beschadigen. Ellen had iets uitgesproken wat ongezegd had moeten blijven.

Hij drukte haar tegen zich aan en sprak als een gebed: 'Dit gaat nooit voorbij. Dit mag nooit voorbijgaan.'

# | 9 |

Het was de bel van de voordeur die hem uit een diepe slaap sleurde. Hij wilde niet, maar de bel bleef maar jengelen. Hij sloeg zijn ogen op en luisterde. Iemand drukte nu in een vast ritme op de knop en de elektrische bel zeurde af en aan, als druppels aan een lekkende kraan.

Langs het roze rugzakje, dat hij aan een haak bij de kapstok had gehangen liep hij naar de voordeur en keek door het raampje. Philip. Philip zag hem, liet zijn hand zakken, en glimlachte weemoedig.

Joop draaide de deur van het slot.

'Je neemt niet op,' zei Philip. 'Ik wilde je niet storen, maar ik begon me ongerust te maken.'

'Dat is aardig. Heb je sigaretten bij je? De mijne zijn op.'

'Laat je me binnen of blijven we hier staan?'

'Kom binnen.'

Joop stapte opzij en maakte ruimte voor Philip. Voor de deur stond de blauwe Infiniti waarin ze hem naar het ziekenhuis hadden gereden. Danny leunde tegen de zijkant van de auto en stak een sigaret op.

Philip vroeg: 'Weet je dat er iemand in een auto voor je huis zit?'

'Danny,' zei Joop terwijl hij de deur sloot.

'Nee. Een grote zwarte man. Ik denk dat hij 't is.'

Meteen stapte Joop terug en keek door het deurraampje naar buiten. Schuin achter de Infiniti stond een glanzend nieuwe zwarte Jeep Cherokee. De ruiten waren getint, maar het was duidelijk dat achter het stuur een grote, donkere man zat.

'Wat moet ie hier?' vroeg Joop.

'Bel de politie als je hem weg wilt hebben.'

'Ja.'

'En steek de telefoonstekker weer in de muur. Niemand kan je bereiken.'

'Zal ik doen.'

Maar hij had alleen oog voor de man in de Jeep, de man die zijn kind naar haar dood had vervoerd. Als de man daar bleef wachten zou hij hem vermoorden. Hij kon zich voorstellen dat hij vrijwillig was gekomen om te sterven voor het kwaad dat hij had aangericht.

Philip zei: 'Je blijft hier. Laat hem met rust. De politie zoekt het uit.'

Joop antwoordde niet. Hij voelde Philips hand op zijn schouder.

'Genoeg geloerd. Kijk me aan. Hoe gaat het met je? Je hoeft je niet te scheren, een joodse man hoeft zich na zoiets niet te scheren, maar ga je wassen. Je stinkt. Dat hemd droeg je vrijdag ook al. Dat is drie dagen geleden.'

'Heb je een sigaret voor me?'

'Natuurlijk. Is daar de keuken? Kom mee.'

Ze liepen de keuken in. Op het aanrecht stonden acht lege wijnflessen. Joop dronk niks zwaarders en de acht flessen waren de getuigen van de manier waarop hij de slaap had opgezocht. Tylenol met wijn. De pillen lagen in de kamer. Hij had nog twee dozen met elk zes flessen wijn. Een grote voorraad, maar ze waren een aanbieding van Trader Joe's.

'Heb je gegeten?'

'Geen trek.'

Ze gingen aan de keukentafel zitten. Philip schoof een pakje Marlboro naar hem toe.

'Ik wil dat je even naar buiten gaat. Kom mee wat eten. Iedereen hier is Jiddisch, maar met kerst zijn ze allemaal een dag lang gojs. We gaan ergens een stukje kalkoen eten.'

'Dat is aardig van je,' antwoordde Joop, die nauwelijks kon praten omdat zijn verhemelte en keel pijn deden, 'maar ik hoef niks. Ik maak straks wel wat.'

'Heb je spullen in huis dan?'

'Ja.'

Natuurlijk had hij eten in huis. Een dochter van zeventien die met twee, drie vriendinnen kon binnenvallen. Altijd genoeg *diet coke*, chips, *chocolate dip cookies*, *marshmallows*. En in de diepvries zalm, tonijn, *whitefish*, ingeslagen bij die dure viswinkel op Colorado. Elke maand rekende hij zorgvuldig uit wat hij kon besteden.

'Heb je vrienden hier? Je moet niet alleen blijven. Als zoiets gebeurd is dan moeten er mensen in huis zijn. De oude jidden hebben sjiwwezitten niet zonder reden uitgevonden.'

'Sjiwwezitten,' mompelde Joop. Dat is wat hij deed. Zich overgeven aan de stilstand. Niet op een stoel maar op een kussen vlak boven de grond zitten. Dat deed hij op de bank. Hij zei: 'Ik hoef even niemand te zien.'

Philip keek hem bezorgd aan. Schoof toen uit het borstzakje van zijn colbert een kaartje en zei: 'Bel me. Maakt niet uit hoe laat het is. Ik ben hier nog twee dagen. Daarna verdwijn ik weer. M'n nummers in Tel Aviv staan er ook op.'

Joop knikte, probeerde de letters en getallen op het kaartje te lezen, maar zijn ogen konden de trillende tekens niet ontcijferen.

'Wat ga je met haar doen?'

Joop staarde voor zich uit, in zijn hoofd op zoek naar het besluit dat hij had genomen. Hij slikte moeizaam en zei: 'Crematie. En daarna... Catalina Island, hier vlak voor de kust. We waren daar een paar maanden geleden – een week – ze wilde daar gaan wonen, zei ze, na haar studie daar een zomerhuisje kopen als ze rijk en beroemd was geworden.'

'Goed,' zei Philip. 'Goed dat je dat weet.'

'Ja,' beaamde Joop, en herinnerde zich dat ze de boodschap aan hem in een droom had geopenbaard.

Philip zei: 'Ga even mee een stukje lopen. Het is lekker weer nu.'

'Nee, nee – ik moet hier dingen doen.'

'Goed,' zei Philip, en stond op. 'Bel me. Maar zorg er eerst voor dat je bereikbaar bent. Er zijn mensen die dat willen, weet je, juist nu.'

'Zal ik doen.'

Hij volgde Philip naar de voordeur, de aanraker die tandarts had willen worden maar in Israël voor spion had gestudeerd. Misschien had hij met Mirjam ook naar Israël moeten gaan. Misschien had hij haar wel haar rijbewijs moeten gunnen. Mijn god, als ze zelf had gereden was er niets gebeurd.

'Sterkte, jongen,' zei Philip, zich naar hem omkerend.

'Ja,' zei Joop.

'En let op die Jeep daar.'

Krachtig kneep hij in Joops arm, teder en bemoedigend, en liep door de voortuin terug naar de auto.

Joop bleef in de deuropening staan. De trekken kon hij niet herkennen achter het zonwerende glas, maar hij wist wie het was, alsof hij hem kon ruiken.

# | 10 |

Opnieuw werd hij door de bel gewekt. Hij richtte zich op en bleef zitten, met de rug van zijn vuisten door zijn ogen wrijvend, wachtend tot de bel zou wegsterven, maar ook nu bleef iemand hardnekkig op de knop drukken, niet pulserend maar continu. De bel klonk als een lange brul. Tot het gezeur opeens ophield.

Joop liet zich achterover zakken en wachtte tot hij adem genoeg had om naar de wc te lopen. Er werd op het raam getikt. Hij opende zijn ogen en zag twee geüniformeerde agenten staan, met hun gezichten voorovergebogen tegen de ruit. Ze roffelden nog een keer en hij richtte zich op. Een van hen wees naar de voordeur.

Kreunend drukte Joop zich op uit de bank en liep met kleine stapjes naar de deur. Zijn lichaam was zwak en kwetsbaar. Hij had jaren geslapen. Hij was een oude man en zou spoedig sterven.

Hij opende de deur.

'Mister Koepm'n?'

'Ja. Dat ben ik.'

Hij zag dat ze binnen een oogopslag zijn blote voeten, zijn smerige hemd, zijn ongeschoren kop en bloeddoorlopen ogen in hun identificatielijst specificeerden: alcoholist, niet gevaarlijk, verwaarloosd maar nog niet geschikt voor directe opname. Twee breedgebouwde mannen in strakke hemden met korte mouwen, zware koppels met wapens en allerlei in leer verpakte attributen, wandelende communicatiecentra. Ze hadden gladde wangen, een *crew-cut*, handen die dwars door een muur konden slaan. De oudste, die een dikke snor op zijn bovenlip koesterde, een echte Bromsnor, was een jaar of dertig. Mirjam kende *Swiebertje* niet, de Nederlandse tv-serie die in zijn jeugd elk kind aan de buis gekluisterd hield, maar de naam was deel geworden van haar typeringen.

Bromsnor zei: 'We hebben telefoontjes gekregen van de school van uw dochter. Van ouders van vriendinnen van... van uw dochter. Allereerst ons medeleven. Het is tragisch wat er gebeurd is. We wilden alleen maar controleren of alles oké is. Kunnen we iets voor u doen?'

'Nee, nee, ik red 't wel.'

'Het zou fijn zijn als u weer bereikbaar bent. De telefoon maakt een groot verschil. Kunnen we iemand voor u waarschuwen?'

'Nee, dank u wel.'

'We kregen ook een telefoontje van het Cedars-Sinai. Kregen u ook niet te pakken. Of u contact wilt opnemen.'

'Ja, ja, zal ik doen.'

'U weet dat de politie in Malibu bezig is met het onderzoek?'

'Ik had toen meteen... vrijdagmiddag al, toen was er een politieman in het ziekenhuis.'

De andere agent mengde zich nu in het gesprek. 'We willen u er ook op wijzen dat er *support groups* zijn voor familieleden van verkeersslachtoffers. We hebben wat voor u meegenomen. Kijkt u 't even door. Hoop mensen hebben er veel steun aan.'

De agent bood hem een pakje folders aan. Joop nam het in ontvangst en zag het vuil onder zijn nagels. Hun was het ook niet ontgaan. Hij hield de folders schuin achter zich en schoof zijn andere hand in zijn broekzak.

Bromsnor vroeg: 'Mister Koepm'n, heeft u familie in de stad?'

'Nee, geen familie.'

'Vrienden?'

'Natuurlijk, vrienden.'

De andere agent zei: 'Het is onze ervaring dat 't helpt wanneer mensen, onder dit soort omstandigheden, even een andere omgeving opzoeken. U kunt er ook in de folders over lezen. Allerlei tips waar u misschien wat aan heeft.'

'Ik zal 't lezen, ja.'

Bromsnor nam het weer van zijn collega over. 'De administrateur van het Cedars zei dat 't dringend was. Het zou fijn zijn als u straks nog even kunt bellen.'

'Ik doe 't meteen.'

Ze keken hem een moment zwijgend aan, onzeker over het resultaat van hun missie.

Joop had de indruk dat ze op een reactie van hem wachtten. Hij vroeg, om hun een plezier te doen: 'Weet u wie er gebeld hebben?'

De jongste antwoordde: 'Nee, meneer, we kregen gewoon de opdracht om even te checken bij u.'

'Goed,' zei Joop, wachtend op hun vertrek.

Bromsnor zei: 'Nog even iets anders, meneer. Een van uw buren vertelde dat er iemand al een paar dagen in een auto voor uw huis zit. Grote Afro-Amerikaanse man, dertig jaar oud, zwaar, driehonderd pond. Hij is er vandaag niet. Heeft u hem gezien?'

'Nee,' zei Joop.

'U bent dus niet lastiggevallen?' vroeg Bromsnor.

'Nee.'

'Het kenteken van zijn auto was doorgegeven, dat hebben we even gecheckt. Het is de man die betrokken is geweest bij het ongeval. Heeft u hem eerder ontmoet?'

'Ja, ja,' zei Joop, onwillig om aan momenten te denken die hij niet zelf met zorg had uitgekozen. 'Eén keer, ja.'

'Wilt u ook zeggen waar?'

'Ik was een uur in zijn *gym* – God's Gym.'

'Die sportschool op Main Street?' vroeg de jongste.

'Ja.'

'Verder niet?'

'Nee,' zei Joop.

'Denkt u dat hij een reden heeft om u te bedreigen?' vroeg Bromsnor.

'Nee.'

'Als u daaraan behoefte heeft zouden we een rechter kunnen vragen een straatverbod op te leggen.'

'Ik heb geen last van hem.'

Bromsnor knikte. 'Goed,' zei hij. 'Nogmaals, mister Koepm'n, ons oprecht medeleven. Het moet heel zwaar voor u zijn.'

Joop boog zijn hoofd en kon niets zeggen. Hij zag dat hun broekspijpen een scherpe vouw hadden. Hoeveel broeken zouden ze hebben? Vijf, zodat ze elke werkdag een schone konden dragen? Elke dag vier dollar voor de stomerij. Twintig dollar per week. Misschien kregen ze korting bij een speciale *law enforcement dry cleaner*.

'Ik zal de folders lezen,' zei hij.

'Mooi. Dank u wel,' hoorde hij hen in koor zeggen.

Joop knikte en sloot de deur toen hun zware, zwarte schoenen uit zijn blikveld stapten.

# | 11 |

Er was een week verstreken. Een week was ze nu weg. Het was halfacht 's ochtends. Een week geleden had hij met haar in de keuken staan praten, had ze het vliesdunne vloeipapier geopend dat bij Saks met aandacht rond de agenda gewikkeld was. Een week.

Hij hield zich aan meubels en aan de muur vast om de voordeur te bereiken. Hij wankelde omdat hij met pillen en wijn zijn kop verdoofd hield, maar de tijd was hem niet ontgaan. De schelle bel hield aan en hij wist de deur te bereiken, liet er zich bijna tegenaan vallen.

Hij keek door het raampje. En moest zijn blik naar boven laten glijden. De grote zwarte man keek hem van bovenaf aan. Het bijna ronde hoofd, de stierennek, de neus, die in gevechten was platgebeukt, de zware wenkbrauwen onder een laag voorhoofd, de brede, roofdierachtige onderkaak, de donkerbruine ogen met het gelige oogwit. Ongeschoren, net als hij. Secondenlang bekeken ze elkaar, beoordeelden ze de verwoesting die bij de ander was aangericht.

'Wat wil je?' zei Joop. Maar hij hoorde dat zijn stem nauwelijks adem had. Hij schraapte zijn keel en riep: 'Wat doe je hier!'

De man had hem gehoord. Hij knikte.

'Ze moet begraven worden!' zei hij met zijn sonore grotemannenstem.

Joop zag zijn lippen en tong bewegen, forse Afrikaanse lippen die elke dag veel voedsel moesten verwerken om dat grote lichaam van brandstof te voorzien. Zijn Mirjam begraven? Hij wilde niets. De tijd moest stollen. Elke verandering kon de stilte doen scheuren.

'Is jouw zorg niet!' riep Joop terug. 'Ga weg hier! Ga weg uit mijn tuin!'

De reus knikte. Maar bleef onverzettelijk staan.

'Het is voor haar,' zei hij. 'Ze ligt in een mortuarium op Beverly. Ze moest weg bij het Cedars. U reageerde niet. Ik heb haar daarheen laten brengen. Ik heb dat in uw naam gedaan.'

'Jij mag niks doen!' brulde Joop. 'Jij mag je nergens mee bemoeien! Niks mag jij! Ga weg jij!'

Opnieuw knikte de man, met gebogen hoofd nu. Maar hij was zo lang dat Joop nog steeds onbelemmerd zijn gezicht kon zien.

'Waar wacht je op! Weg! Wil je dat ik de politie bel!'

'Het mag niet zo blijven,' zei de man terwijl hij naar zijn handen keek. 'Als mensen sterven hebben ze recht op een ritueel. Mirjam moet een graf krijgen. Ik bemoei me nergens mee, maar u reageert niet. U neemt de telefoon niet op. U haalt de post niet uit uw brievenbus. Ik moest iets doen. Ik zei maar dat ik namens u handelde. Doet u het dan alstublieft zelf. Doe 't voor haar. Ze heeft er recht op. Mister Koepm'n, ze heeft nog steeds rechten!'

Het gezicht van de grote man trok opeens in een kramp en zijn ogen stroomden vol. Terwijl hij in zijn handen kneep, perste hij zijn lippen op elkaar en probeerde zijn tranen in te slikken. Maar de tranen bleven stromen en met diepe uithalen stond de man voor zijn deur te huilen. Zijn schouders schokten en hij opende zijn mond en haalde diep adem om de pijnscheuten van verdriet te kunnen weerstaan.

De aanblik van de man was niet te verdragen. Joop deed een stap opzij en zocht steun bij de muur naast de kapstok, met zijn schouder tegen het rugzakje, en onttrok zich aan het uitzicht door het raam. Gedempt hoorde hij het gesnik van de man. De man had de motor bestuurd. Zijn dochter was gestorven, maar de man was ongedeerd, stond hier nu te janken alsof het zijn eigen kind was geweest. Hij had geen recht op medelijden. Niet van Joop. Niet hier.

Joop wachtte tot er geen gesnik meer door de deur klonk. Na een paar minuten leek de man zijn huilende lijf onder controle te krijgen. Het gesnik stopte en Joop hoorde dat de man zijn neus snoot.

'Mister Koepm'n, sir?' hoorde Joop vervolgens. 'Mister Koepm'n? Luistert u even naar me? Ik weet dat u me hoort. Mister Koepm'n, ik heb gisteren m'n zaak verkocht! U bent er geweest, pas geleden nog! Ik moet daar les blijven geven, maar ik heb het verkocht en ik heb er geld aan overgehouden! *Real money*! Mister Koepm'n, ik wil een gedenkteken voor haar oprichten! Een tempel, sir! Een beeld in een Griekse tempel met zuilen! Zoiets als de tempel van Artemis in Ephesus! Iets wat er eeuwig zal staan! Ik betaal alles, sir! Italiaans marmer, het kan niet mooi genoeg worden! Ionische zuilen met slanke echinussen! Met een bewerkte torus! En een fries met afbeeldingen! Ze wordt gebalsemd zoals de Egyptenaren dat gedaan hebben, er zijn nog drie mensen in Caïro die dat kunnen, ik heb het al uitgezocht! Ze staan klaar, sir! Eén teken van u en morgen zijn ze hier. De bouwmeester woont in Bologna, in Italië, hij is bezig met een ontwerp! Geld speelt geen rol! Mag ik u straks bellen, sir? Neemt u dan op? Er moet iets gedaan worden, zo kan het niet langer. Het is een week geleden, sir. Niemand mag langer dan een week zo behandeld worden. En zij zeker niet. Denk erover na, sir. Ik bel u op.'

# | 12 |

Drie dagen geleden had Joop een slof laten bezorgen en hem resteerde nog één pakje. Hij zat in de keuken en rookte. Het zou mooi weer worden vandaag, meldde Channel Five. Joop keek, geluids- en beeldbehang voor zijn dolende gedachten. Hij had de kranten binnengehaald die in hun transparante zakjes in de voortuin hadden gelegen, oud nieuws voor ogen die niet konden lezen. De telefoon ging.

Hij stond op, liep naar het aanrecht en zette de tv uit. De gele telefoon hing naast de blinkende Acquaviva-espressomachine.

Hij tilde de hoorn van de haak en zei: 'Ja.'

'*It's me,* sir, Erroll Washington. Godzilla.'

'Luister, Erroll Washington of Godzilla of hoe ze je ook noemen. Ze wil geen mausoleum. Mirjam is geen meisje voor een mausoleum, was geen meisje…'

Hij haalde diep adem en sloot zijn ogen, leunde tegen het aanrecht, overmand door vermoeidheid, weerzin en de behoefte aan stilte.

Joop mompelde: 'Jij bent schuldig aan de dood van mijn

kind. Jij hebt het veroorzaakt. Ik zal het je nooit vergeven. Ik weet niet waarom ik met je praat. Ik moet je daarom zeggen: ik stel het op prijs dat je je gemeld hebt, dank voor je aanbod, maar liever geen contact meer.'

'Ik begrijp het, sir, en ik zal dat respecteren. Maar ik wil u zeggen: mijn leven is voor u. Ik heb leven genomen en ik wil leven teruggeven. Mijn leven. Het leven dat ik geleid heb is ten einde. Ik moet de dood van uw dochter compenseren, ook al is compensatie onmogelijk. Ik zou graag willen ruilen met uw dochter, maar dat kan niet. Ik heb overwogen om een einde aan mijn leven te maken, maar dat zou u niet helpen. Daar heb ik over nagedacht: wat kan u helpen, althans, waardoor kunt u een beetje getroost worden, hoe oppervlakkig dan ook. Nou, wat u kan helpen, dat is mijn leven. Doet u ermee wat u wilt. Ik kan voor u werken, ik kan u gezelschap houden, ik kan u beschermen, ik kan met u schaken, ik kan voor u koken en ik kan de was doen. Ik ben uw dienaar. Gebruikt u mij, alstublieft. Als u mij wilt treffen, neem dan mijn leven in uw hand. Als u zegt dat ik mijn leven moet beëindigen dan doe ik dat. Letterlijk.'

Met gesloten ogen schudde Joop zijn hoofd.

'Je bent gek. Godzilla, jongen, je raaskalt, je weet niet wat je zegt.'

'Nee, sir, ik heb hier uitgebreid over nagedacht. Ik weet wat ik doe. Ik weet altijd wat ik doe.'

'Nee, anders had je vorige week niet mijn dochter meegenomen.'

'Sir, u heeft gelijk.'

'Ben je getrouwd?'

'Nee, ik ben ongetrouwd. Ik ben achtentwintig, ik heb geen kinderen, ik woon in een penthouse in Ocean Views in Santa Monica, die aan het begin, ik ben drie keer wereldkampioen karate geweest en ik heb eergisteren mijn sportschool verkocht. Kreeg er minder voor dan ik wilde. Maar nog altijd zevenhonderdduizend dollar. Alles wat ik heb is voor u.'

'Ik wil niks van je!' riep Joop bitter. 'Ik wil niet dat je een poging doet om de dood van mijn dochter af te kopen! Als je wilt dat ik met je praat, dan moet je zoiets niet zeggen!'

'Dat begrijp ik, sir, dat wil ik niet. Ik wil niks afkopen. Ik wil geven. Mijn leven. Tot ik sterf. Ik wil haar plaats innemen.'

'Lijd je al lang aan dit soort behoeften, Godzilla?'

'U suggereert dat ik gek ben, en dat sluit ik niet uit. Misschien is het gekte wat ik wil doen. Maar ik kan niet anders. Ik moet goedmaken wat ik verkeerd gedaan heb. Ik had dat als kind al, ik heb het nog steeds.'

'Je had haar niet mogen meenemen.'

'Ik weet het. Maar het was goed bedoeld. Er was een oliespoor en we zijn onderuitgegaan.'

Op die vrijdagmiddag had een politieman hem de aanleiding tot het ongeluk uitgelegd: een bestelwagen met een defecte carterpakking had olie gemorst, de motorbanden hadden hun grip op het asfalt verloren en Mirjam was van de duozit afgeslingerd en onder de wielen van een tegemoetkomende Ford Explorer geslagen. De helm had haar niet beschermd. Niemand droeg schuld, behalve misschien de bestuurder van de bestelwagen. Een politiecruiser had het oliespoor gevolgd en de bestelwagen getraceerd; de bestuurder wist niet dat uit de carter olie lekte en stortte in toen hij van het ongeluk hoorde. Toch had Mirjam nog geleefd als Godzilla de rit alleen had gemaakt, wanneer Mirjam met Pat was meegereden, of zelfs met Caroline, wanneer zij zelf had kunnen rijden...

'Dus ik kan over jouw leven beschikken?' vroeg Joop.

'*Yes,* sir.'

'Vind je dat niet een beetje... vind je niet dat je aan iets omstredens appelleert?'

'Ik kies. In vrijheid,' zei hij trots.

'En dan?' vroeg Joop. 'Wat verandert er dan?'

'Zij komt niet terug,' antwoordde de zwarte man, 'maar er is dan weer iemand die veel om u zal geven.'

# 13

Nadat hij het nummer had opgeschreven en de hoorn had opgehangen, bleef Joop een minuut stil bij de espressomachine staan staren naar de lege keuken in het lege huis. Erroll Washington was een krankzinnige die zich als heilige gedroeg. Of misschien was dat onzorgvuldig geformuleerd: als heilige was je per definitie krankzinnig. De heiligen in de geschiedenis waren allemaal bezetenen die stemmen hoorden en visioenen beleefden. Maar Erroll had gelijk gehad toen hij zei dat Mirjam op een ritueel wachtte. Geen begrafenis maar een crematie. Ze had het hem geopenbaard.

Joop ontstak een van zijn laatste sigaretten. Openbaringen beperken zich tot speelfilms, antieke verhalen en hysterische gelovigen. Katholieke wonderen en openbaringen worden door specialisten van het Vaticaan onderzocht en wanneer deze tot de conclusie komen dat het verschijnsel niet met ons verstand begrepen kan worden verklaart de kerk het onbegrijpelijke tot officieel wonder. Natuurlijk had Mirjam niets geopenbaard. In de machinekamer die haar in leven hield had hij gedroomd. Niets meer en niets minder. In de thora sprak

Jahweh tot zijn profeten wanneer ze sliepen. De zingevende droom was het terrein van waarzeggende piskijkers en wierookbrandende handlezers. Het was de pijn van het moment die zijn droom als een openbaring had uitgedost. Hij wist niets over Mirjams ideeën over haar begrafenis. Zij had wel eens naar de zijne gevraagd, maar hij had dat altijd ontlopen.

'Ik weet 't niet en ik wil 't niet weten. Het is te morbide om over te praten.'

'Het is deel van het leven, pap.'

'Nee, het is geen deel van het leven. Dus hoef ik er niet over na te denken. Het is te vroeg. Later praten we daar wel over.'

'Kinderachtig,' oordeelde ze.

Hij wist niet of zij ooit over haar eigen dood had nagedacht en of zij een voorkeur had voor de manier waarop de nabestaanden haar lichaam zouden behandelen. Misschien had zij een vriendin in vertrouwen genomen, misschien wist Caroline het.

Hij nam opnieuw de hoorn op en draaide het toegangsnummer van de voicemail. Zesendertig berichten. Te veel. Te moe. Hij hing op en stak een sigaret aan. Pakte de telefoon weer en belde inlichtingen. Ze verbonden hem door met Caroline Levi.

Ze nam op. Slaperig. Traag. Het was nog vroeg en het was vakantie.

'Caroline – je spreekt met Joop Koopman.'

Hij klonk schor en zwak. In een paar dagen had hij een volle slof door zijn longen laten walmen.

'Mister Koepm'n.'

Hij hoorde dat ze rechtop ging zitten.

'Ik ben blij dat u belt. De school, ze willen een herdenkingsbijeenkomst organiseren. We zijn er allemaal kapot van. Het is zo vreselijk. We hebben niets gehoord over een begrafenis.'

'Nee, nee, ze is nog niet begraven. Daar bel ik over, Caroline. Ik weet niet precies... heeft ze er misschien met jou over gesproken, over begrafenissen?'

'Nou...'

'Nou?' herhaalde hij.

'Een paar weken geleden in de klas – we hadden een gesprek over dit soort dingen. Toen zei ze dat ze voor crematie was. Dat vond ze beter dan begrafenissen. Maar het was meer in het algemeen dat ze dat zei.'

'Goed,' zei Joop.

In zijn droom had niet alleen zijn verlangen vorm gekregen, maar ook zijn intuïtie. Crematie. Oplossen. Verdwijnen.

'Weet u al wanneer het gebeurt?'

'Nee,' antwoordde hij.

'Als wij iets kunnen doen...'

'Nee, dank je.'

Hij wilde er niemand hebben. 'O ja, de crematie,' zei hij, 'die is... alleen in familiekring, begrijp je...'

'O. Ja, ik begrijp 't, natuurlijk. Natuurlijk. Sterkte.'

'Ja, dank je wel.'

Hij wilde ophangen, maar ze riep hem nog iets toe: 'Meneer Koepm'n! Nog even... kunnen we ergens afscheid van haar nemen?'

'Je wilt haar zien?'

'Als 't kan, ja. Ze was mijn beste vriendin, dat weet u.'

Hij hoorde dat ze huilde. En hij wist niet waar Mirjam was. Hij had zo weinig respect voor het dode lichaam van zijn dochter, het geschonden lichaam waaruit roofdieren haar hart hadden weggesneden (Waarom had hij daarin toegestemd? Welke waanzin had bezit van hem genomen?), dat hij niet eens wist waar ze zich nu bevond. Hij wist wel waarom hij dat niet wist – hij wilde zich geen beeld van haar dood vormen – maar het was een zwakte waarvoor hij zich nu schaamde.

'Caroline, joden doen dat niet. Als iemand gestorven is neem je geen afscheid van het lichaam.'

'Ja, dat weet ik wel, maar...'

'Dank je wel, Caroline, ik zal kijken wat ik kan doen.'

Hij moest die vriendschap eren, hij had geen keuze. Hij hing op, stak een verse sigaret op en belde Erroll.

'Mister Koepm'n,' hoorde hij hem zeggen.

'Waar ligt ze?' vroeg Joop.

'Een uitvaartcentrum op Beverly. Della Rosa. Italianen.'

Joop vroeg: 'Kunnen ze haar laten cremeren?'

'Ze kunnen dat allemaal in orde brengen.'

'Een vriendin wil haar nog even zien. Ik geef je haar nummer wel.'

'En u, sir?'

'Ik wil niet.'

'Laat u de urn bijzetten of wilt u de urn thuis hebben?'

'Ik wil haar as uitstrooien. Zo snel mogelijk.'

'Ik weet niet of dat in de stad zomaar mag, sir.'

'Op zee. Bij Catalina.'

'U heeft dus een boot nodig?'

'Ja.'

'Ik ga even om me heen vragen, sir. Ik bel zo snel mogelijk terug.'

'Oké, tot straks,' antwoordde Joop.

Anderhalf uur later meldde Erroll zich. Joop had droomloos geslapen. Alles deed pijn, zelfs zijn botten waren moe.

'Caroline Levi gaat zo meteen kijken. Uw dochter wordt straks om vijf uur gecremeerd. Morgenochtend krijgen we de urn en om elf uur vertrekt de boot.'

'Dank je wel,' zei Joop nuchter.

Voor altijd ging hij afscheid van zijn meisje nemen. Nooit meer zou ze hier naast hem aan het aanrecht staan lummelen, een boterham met schijfjes komkommer en pindakaas maken, samen met hem naar de tuin staren tot de thee getrokken was, roddelen over de buren, grommen over het schoolrooster, met het strelen van zijn schouder afscheid nemen wanneer ze terug naar haar kamer liep – de ijle, bijna betekenisloze overgangsrituelen tussen de serieuze uren van arbeid, concentratie en ambitie die later niets meer dan de boekensteunen zijn van de verhalen die de tijd hebben doorstaan. Soms keek hij haar in de spiegeling van de keukenramen na, en als hij zich concentreerde kon hij haar beeld misschien weer in de ruit zien, zoals vroeger.

'Moet ik even komen?' hoorde hij Erroll vragen. 'Ik kom u graag gezelschap houden. Binnen vijf seconden ben ik bij u.'

'Vijf seconden?' vroeg Joop, zijn gezicht met zijn onderarm drogend.

'Ik sta voor de deur. Mag ik binnenkomen? Je moet niet alleen zijn wanneer je rouwt.'

# | 1 4 |

De temperatuursgrafiek van de laatste dag van het jaar 2000 vertoonde een grillig verloop. 's Ochtends om halfacht was het slechts zeven graden Celsius en lag de stad onder een dichte mist die een zicht van vierhonderd meter toeliet. Na negen uur begon het kwik snel te stijgen en nam het zicht toe tot acht kilometer. Om elf uur, toen ze uitvoeren, was het zicht bijna tien kilometer. Na de rustige ochtenduren werd de windsnelheid veertien komma acht kilometer per uur, een zacht briesje dat de golven niet kon opjagen. De lucht bleef nevelig. Na een halfuur varen verschenen aan de horizon de omtrekken van Santa Catalina Island. Erroll zat naast hem op de U-vormige bank op de achterplecht, de koperen vaas, afgesloten met een met rozetten versierde deksel, met beide brede handen tegen zich aan gedrukt.

De boot was een groot plezierjacht dat *Ocean Blue* heette, met een bemanning van twee: een stuurman en een assistent die na het losgooien van de trossen vooral als taak had de gasten te voorzien van drankjes en hapjes. Tot vanochtend had Joop dezelfde kleren gedragen als op de dag van het ongeluk. Hij had zijn lichaam laten vervuilen omdat hij het beschamend vond om zichzelf te verzorgen, zijn lichaam schoon te spoelen, deodorant en shampoo te gebruiken, zich te scheren en zijn wangen, kin en hals te besprenkelen met aftershave (die hij pas sinds enkele jaren gebruikte omdat Mirjam hem daartoe had aangezet – dat rook lekker, en maakte hem aantrekkelijk voor de vrouwtjes, had zij voorspeld), ofwel: zijn lijfelijke leven te vieren terwijl het lijf van zijn kind voor altijd geschonden was. Hij kon zich niet beter vertonen dan hij zich voelde. Zijn eigen lichaam had geen waarde meer, maar voor hun vertrek naar de boot had Erroll hem ertoe bewogen zich te wassen.

Ongevraagd was de grote man die ochtend naar haar kamer gestapt. Joop was in de keuken en hoorde boven zich zware voetstappen in haar kamer.

'Wat doe je daar boven?' brulde hij. 'Kom naar beneden! Raak niks aan! Je blijft met je poten van haar spullen af, hoor je!'

'Sir! Ik zou niet eens iets wíllen aanraken!'

Het bleef stil, Joop hoorde niets meer, alsof Erroll op bed was gaan liggen.

'Kom naar beneden!'

'Als u me komt halen!'

'Hou op met dat spelletje! Ik wil dat je naar beneden komt!'

'Ik kom als u bewijst dat u hierheen durft te komen!'

'Dit is mijn huis! Ik bepaal waar ik durf te komen!'

'We weten allebei waarom u beneden slaapt, waarom u zich niet verschoont! U kunt gerust komen! Het is een lege kamer, sir, heel erg leeg!'

Het kostte Joop een kwartier om de keuken te verlaten. Een minuut of vijf in de gang voor de trap. En na de laatste trede wachtte Erroll hem op, de aanblik van haar kamer met zijn grote lijf afschermend. Door Errolls aanwezigheid durfde Joop zo ver te komen.

'Waarom doe je dit allemaal, God? Wat wil je toch van me?'

'Ik doe 't omdat ik schuldig ben. En u bent de enige die me kan vergeven.'

'Dat zal ik nooit doen.'

'Dat accepteer ik. Die straf aanvaard ik. Wat gaat u met haar spullen doen?'

'Daar wil ik niet over nadenken.'

'U kunt de kamer intact laten. Die agenda was het cadeautje die dag?'

'Ja.'

'Dat is erg, sir. Mag ik u wat aanraden? U moet hem zelf gebruiken, die agenda. Elke dag moet u 'm aanraken en openen, er iets in schrijven. Dat zou ze hebben gewild, ik weet het zeker.'

'Jij weet een hoop zeker.'

'Ik weet niks zeker. Ik twijfel de hele dag. Maar ik weet wel dat u zich netjes moet aankleden. Uit respect voor haar.'

Joop trok een wit overhemd en een donker pak aan.

Long Beach was achter nevels verdwenen. De zon schemerde maar bleef dun en brak niet door. Het was behaaglijk op de boot. De zilte lucht gleed langs zijn slapen en verleidde Joop ertoe – een paar minuten lang – het leven te accepteren zoals het zich aan hem had voorgedaan, het vertrek van Ellen, de zorg voor hun kind, de ramp van negen dagen geleden. Hij liet zich met gesloten ogen achterover zakken en gaf zich over aan de koestering door de zon. Maar hij kon zich deze stemming niet veroorloven, het betekende dat hij Mirjam verraadde. Hij opende zijn ogen en ging weer rechtop zitten.

Gistermiddag had Erroll het mortuarium van de begrafenisondernemer in West-Hollywood bezocht. Op de terugweg had hij bij de California Pizza Kitchen pizza's, pasta's en salades ingeslagen, ergens een nieuwe slof Marlboro's gekocht, en hij had Joop tot de vroege ochtend gezelschap gehouden. Ze hadden vooral gezwegen. Erroll had wat opgeruimd, was nog een keer naar een supermarkt op Lincoln gereden om verse melk, vruchtensappen en brood te kopen, en daarna had hij toegekeken hoe Joop zijn eerste twee pakjes verrookte. Daarbij had hij hem telkens vuur uit een wegwerpaansteker aangeboden en na elke sigaret de asbak geleegd. Later had hij de koud geworden pizza's weggegooid. Tussen vijf en zes 's middags werd haar lichaam verbrand.

'Je hoeft niet te blijven,' had Joop halverwege de avond gezegd. Ze zaten in de halfduistere woonkamer. Aanvankelijk had Erroll alle lampen aangedaan, maar Joop kon zo veel licht niet verdragen.

'Het is zaterdag, ga uit, laat je bewonderen door de dames. Ik neem aan dat ze je gevaarlijk en aantrekkelijk tegelijk vinden. Je ziet eruit als Mike Tyson, een zachtaardige versie, voor zover zoiets mogelijk is.'

'Ik blijf. Tenzij u me wegstuurt. Maar als u denkt dat ik zachtaardig ben – dat is niet zo. Ik heb mensen vernield. In de ring. Buiten de ring. Maar er was altijd een rechtvaardiging. Ik deelde straffen uit. Ze hadden de regels overtreden. Anderen beledigd. Mij beledigd. Dan leer ik ze nederigheid.'

Twintig minuten en drie sigaretten later vroeg Joop: 'Waar ben je opgegroeid?'

'South Central.'

Erroll had een lange weg afgelegd. Van South Central in LA naar Ocean Views in Santa Monica was hetzelfde als een maanreis.

Ze zeiden niets, allebei in stilte luisterend naar de wereld buiten het huis, de passerende auto's, de heli's op weg naar het nabijgelegen LAX, dat slechts zes kilometer ten zuiden van Venice lag, op Lincoln het gegil van ambulances, brandweerauto's en politiewagens op weg naar een catastrofe.

Een halfuur later vroeg Joop: 'Sinds wanneer heet je Godzilla?'

'Pas toen ik begon te vechten. Professioneel dan. Tot mijn vijftiende was ik een bange dikke jongen. Ik was lang maar niet agressief. Ik vrat de hele dag chips en hamburgers en M&M's. Ik las, ik hield van klassieke muziek. In South Central zijn dat ongezonde passies. Om daar te overleven moet je over lichaamskracht beschikken.'

'Hoe moet ik jou noemen?'

'De meeste mensen noemen me God.'

'Ga je je daardoor almachtig voelen?'

'Integendeel. Je wordt er klein door.'

'God's Gym – ik herinner me, met die naam veroorzaakte je een hoop gezeik.'

'Ik wilde niemand beledigen. Maar het kwam van Godzilla, niet van God. Het was ironisch bedoeld. Je krijgt een goddelijk lichaam bij ons.'

'Waarom heb je de zaak verkocht?'

'Voor het mausoleum.'

'Geloof ik niks van.'

'Die argwaan is bij mij niet nodig, sir. Ik lieg niet. Uit principe niet.'

'Ken je die grap van Groucho Marx: dit zijn mijn principes, en als je ze niks vindt dan heb ik andere voor je?'

'Geestig, maar cynisch,' antwoordde Erroll.

Om middernacht had Ellen uit Zuid-Afrika gebeld. Ze had haar antwoordapparaat afgeluisterd. Dit moment moest aanbreken, de ramp na de ramp. Hij moest de vrouw inlichten die haar had gebaard.

'Een ongeluk. Ze zat bij iemand achter op een motor. Ze zijn onderuitgegaan door olie op de weg. Ze is door een andere auto gegrepen.'

'Waarom heb je haar op een motor laten stappen!' gilde Ellen.

'Heb ik niet! Ik wist het niet.'

'Zoiets hoor je te weten!'

Toen zei ze zacht, haar stem nauwelijks boven de ruis van de lijn verheffend: 'Normaal heb ik voorgevoelens. Nu niet. We hadden het heerlijk hier. Ik wist van niets. Ik had geen idee.'

Ellen geloofde in iriscopie, aromatherapie en horoscopen.

Voor de tiende keer vroeg ze: 'Wanneer precies is ze gestorven?'

'De drieëntwintigste. Halfvier 's ochtends.'

'Was je erbij?'

'Ja.'

'Had ze pijn?'

'Nee. Ze had geen pijn.'

'Waaraan precies?'

'Hersenbeschadiging. Nekwervels. De dokters zeiden dat ze niets gevoeld heeft. Ze was meteen bewusteloos.'

'Is ze al begraven?'

'Ze is gecremeerd. Ik dacht dat ze dat wilde.'

'Crematie is goed, ja.'

Weer zweeg ze langdurig, hij hoorde geen ademhaling, niets.

Toen zei ze: 'Ik heb altijd gedacht dat ze niet bij ons zou blijven, weet je. Ik heb je dat nooit durven zeggen, maar... ze was zo mooi, zo slim, ik was zo bang dat ze niet voor ons was... ze is nu weg, hè?'

'Ze is weg, Ellen.'

'Dit kan helemaal niet! Joop! Zeg dat het niet waar is! Je wilt me alleen maar... je wilt me straffen! Zeg me de waarheid! Hierover maak je geen grappen!'

'Ze is er niet meer,' zei hij.

Ellen zweeg, een minuut, maar hij hoorde haar niet snikken. Misschien had ze haar hand op de hoorn gelegd.

'Ik luisterde het antwoordapparaat af. Had ik het maar niet gedaan. Dan was het allemaal niet waar geweest.'

Ze geloofde in magie, mythologie, verborgen tekens.

'Ik wist niet hoe ik je moest bereiken,' zei hij.

'Dat was ook de bedoeling,' zei ze, 'ik wilde alleen zijn. Ik was daar met iemand, we waren heel erg gelukkig, en nu dit...' Toen begon ze te huilen. Twee uur lang stelde zij dezelfde vragen en herhaalde hij zijn antwoorden. Hij verdroeg de verscheurende woede die ze door de lijn schreeuwde – over de onvolkomenheid van zijn zorg, over zijn falen als vader, over de ramp die hij over haar gebracht had. Ze wilde naar LA komen, maar een uur later belde ze om te zeggen dat ze niet kwam, ze kon het niet aan.

Joop viel op de bank in slaap. Toen hij zijn ogen opende, maakte hij mee hoe de grote man ontwaakte. Erroll zat in de brede fauteuil naast het tv-toestel en keerde met gesnuif en gerek van zijn ledematen terug uit zijn slaap.

'Goedemorgen,' zei hij toen hij merkte dat Joop naar hem keek.

'Goedemorgen, God,' antwoordde Joop. 'Ik weet niet of me dat lukt, dat ge-God.'

'Alles went. Maar noem me zoals u wilt. Ik ben die ik ben, de naam doet er niet toe.'

Daarna was Erroll naar West-Hollywood gegaan om de urn te halen. Joop had hem in de tuin opgewacht. De urn stond in een sinaasappelkistje op de bodem van de Jeep, op het hoogpolige kleed voor de leren achterbank. De rit naar Long Beach had op deze stille zondagochtend nog geen vijfentwintig minuten geduurd.

Catalina was niet meer dan negenentwintig kilometer lang en elf kilometer breed. Het eiland bestond uit twee delen (het meest rechtse leek een apart eiland te zijn) die door een smalle landtong met elkaar waren verbonden. Een eiland met groene heuvels, loslopende buffels en ongeschonden meertjes.

Erroll hield de urn vast alsof zij diamanten bevatte. Hij droeg een poloshirt en een dun windjack waarvan de mouwen rond zijn zware spieren spanden. Hij had een nek die breder was dan zijn hoofd. Zijn benen waren gestoken in een soepele zwarte trainingsbroek. De spieren van zijn bovenbenen waren zo breed als een stoel. Hij nam meer ruimte in dan elk ander menselijk wezen dat Joop kende.

'Hoe doe je dat in een vliegtuig?' vroeg Joop.

'Business,' antwoordde Erroll. 'Anders ga ik niet.'

'Word je veel gevraagd?'

'Nog steeds, ja.'

'Wedstrijden?'

'Niet meer, nee. Demonstratiepartijen. Goed betaald altijd. Mooi eiland,' zei hij. 'Ik ben er nooit geweest. Als het helder is zie ik het liggen vanuit m'n flat, maar dit is de eerste keer dat ik het van dichtbij zie. Waarom hier?'

'We zijn hier geweest samen, afgelopen zomer. Ze had dromen om hier later een tweede huisje te vinden.'

'Een tweede huisje? En het eerste?'

'Weet ik niet. Ik denk dat ze het zelf ook niet wist.'

'Wilt u muziek? Ze hebben een goede geluidsinstallatie aan boord en een uitgebreide audiotheek.'

'Nee.'

Erroll maakte een gebaar naar de assistent. Deze liep de stuurkamer in en gaf de stuurman blijkbaar opdracht om te vertragen, want het toerental van de motor daalde en de boot draaide.

'Zo liggen ze voor de wind,' verklaarde Erroll het draaien van de boot.

'Heb je aan alles gedacht?'

'Ik heb m'n best gedaan. Dat is het minste wat ik kan doen.'

Joop bleef zitten en keek met open mond, diep ademend, naar de nevels boven hem, alsof hij uit de lucht moed naar binnen kon zuigen.

'Geef maar,' zei hij.

'Buigt u zich maar naar buiten,' raadde Erroll hem aan, 'dan geef ik u de urn aan.'

Joop ging met zijn knieën op de bank zitten en boog zich over de rugzitting. Beneden hem het water, kabbelend tegen de witte scheepswand. De urn, die hij nog niet beroerd had, werd door Erroll boven het water gehouden, gereed voor Joops handen.

De urn was niet groter dan een gallonpak melk. Dat was alles wat van zijn kind resteerde. Joop greep naar de handvatten en Erroll gaf haar aan. De urn leek wel leeg.

'Het weegt niet veel,' zei Erroll. 'Zeg maar wanneer de deksel eraf moet.'

Joop knikte. Maar hij wachtte. Keek naar de golven. Naar zijn handen. Hij had het gevoel dat hij iets moest zeggen, maar hij kende geen gebeden. Hij zocht naar rituele woorden, en van ver weg kwamen klanken dichterbij die hij van vroeger kende.

'Jitkedal wejitkaddasj,' hoorde hij.

Het was de stem van Erroll.

'Wilt u dat ik doorga? Het is het kaddisj, ik heb het opgezocht. Ik dacht, misschien wilde u de woorden zeggen. U kunt het me nazeggen als u wilt. Wilt u iets op uw hoofd? Je moet je hoofd bedekken bij deze woorden hebben ze me uitgelegd.'

Joop knikte.

Uit zijn broekzak haalde Erroll twee baseballcaps. Trok er één over zijn hoofd, drukte de andere op Joops hoofd. De cap zakte half over zijn oren.

'Zegt u me na? Het is een oud gebed. Duizenden jaren.'

Van een papiertje las Erroll de woorden op. Joop zei hem

na. En in een opwelling van liefde hield hij de urn schuin, zodat de deksel in het water viel. Hij zag haar as. Langzaam walmde ze weg in de wind, werd ze in grijze, ijle wolkjes meegenomen tot ze zich onzichtbaar had gemaakt. Erroll uitte klanken die hij niet begreep maar toch herhaalde. Hij wist dat er geen Opperwezen bestond dat zijn dochter zou opvangen en troosten, en desondanks zei hij de woorden na – terwijl de wind de urn leegde.

# 15

Het kostte dagen om de mensen te bedanken die hadden gebeld of geschreven, haar vriendinnen, hun ouders, de buren in de straat, mensen met wie hij gewerkt had, zelfs mensen in Nederland met wie hij jaren geen contact had gehad en die via een ongrijpbaar informatienetwerk over Mirjams ongeluk hadden gehoord, een paar advocaten met ideeën over smartengeld. Hij had ze schriftelijk bedankt met het rouwkaartje dat Erroll had laten drukken, Joop had er met de hand een paar woorden bij geschreven. In deze stad had hij vrienden en kennissen, maar de relaties waren allemaal gegrondvest op gemeenschappelijke belangen, ontstaan uit projecten, opdrachten, *rewrites* waaraan hij had gewerkt. Sommigen kende hij vanaf zijn aankomst in LA, maar hij had geen kracht om zich naakt aan hun medelijden uit te leveren. Ze hadden gebeld, vaak meerdere malen omdat hij het antwoordapparaat niet had afgeluisterd, en hij had hun een briefje gestuurd en beloofd dat hij contact zou opnemen zodra hij er de behoefte toe voelde.

Opnieuw ontving hij een brief van Linda, de wilde zeventienjarige van dertig jaar geleden. Hij had haar eerste brief nog niet beantwoord, maar daaraan refereerde ze niet. Ze had Ellen gesproken, wist dus van Mirjam en wenste hem sterkte en zei dat ze voor haar en hem zou bidden. Hij stuurde een kaartje.

In het begin van het nieuwe semester had Mirjams school een herdenkingsbijeenkomst gehouden, de uitnodiging voor een toespraak had hij afgeslagen; Caroline belde om te zeggen dat het mooi en ontroerend was geweest, iedereen had gehuild en een paar leerlingen hadden muziek gemaakt, er was door klasgenoten gesproken en er zou een inzameling gehouden worden voor een plaquette in het wiskundelokaal voor de beste wiskundestudent die de school had gekend.

Het menselijke bestaan behoefde rituelen – Erroll had hem dat ingewreven – en dat hield in dat hij verantwoordelijk was, juist nu, na haar dood, voor het onderhoud van zijn geheugen. De rituelen van de geest. Daar liep zij nog rond, kon hij naar haar luisteren, kon hij haar aanraken zoals in de heftige dromen die hij de afgelopen weken had gekend. Nog steeds dronk hij veel, maar zonder pillen. Badend in het zweet ontwaakte hij 's ochtends uit een intense wereld die gelukkig zelden herkenbaar was als een gedroomde werkelijkheid, en een paar maal was hij snikkend in bed wakker geworden, verloren terugkerend in het huis dat zijn hart was kwijtgeraakt. Dat laatste nam hij letterlijk: ze hadden hem bericht dat haar hart geslaagd getransplanteerd was. Wanneer hij huilend ontwaakte, kon hij de dag niet verdragen. Hij bleef dan uren in bed liggen in een onzinnige poging terug te keren naar de wereld die hem net was ontglipt, een gedroomde wereld die, hoe grillig en absurd ook, hem dierbaar was omdat hij er Mirjam kon tegenkomen. Hij was kilo's afgevallen.

'Rouw kent zo z'n fasen,' had Erroll gezegd, 'ik heb dat veel gezien. Over een tijdje komen de vreetbuien.'

Joop kon niet werken. Niet alleen was de kans dat hij iets zou verkopen te verwaarlozen, het was lachwekkend om zich aan zijn verbeelding over te geven terwijl hij iets had meegemaakt wat zijn verbeelding in een zompig moerasje had veranderd. De bron voor de fictieve ellende die hij vroeger regelmatig in zijn scripts teweeggebracht had – moorden, martelingen – was volgestort met reële ellende. Ellende had voor hem geen amusementswaarde meer. Maar hij moest worden afgeleid, meende Erroll. Ze maakten nu wandelingen over het strand tot aan de Santa Monica Pier, veelal zwijgend, dronken onderweg wat, en liepen dezelfde weg terug. Erroll sliep beneden in een slaapzak op de bank, een ruime driezitter die te kort was voor zijn gestalte, maar hij klaagde niet. Elke dag moest hij een paar uur naar zijn *gym* om vaste klanten te begeleiden en het grootste deel van de dag vulde hij Joops huis met zijn luidruchtige lichaam. Erroll had toestemming gevraagd om met Joops computer door het www te reizen en was soms urenlang verdiept in verre sites. Of hij las in boeken die hij bij de plaatselijke bibliotheek had gehaald, populair-wetenschappelijke titels over geologie, bijbelwetenschap, kosmologie, natuurkunde. Het was Joop een raadsel waarom hij de reus duldde. Hij haatte de man, althans, hij vond dat hij hem moest haten, maar zijn aanwezigheid verloste hem van de snerpende stilte die Mirjams vertrek had nagelaten. Als Erroll naar God's Gym was, keek Joop naar zijn terugkeer uit. Wanneer Erroll thuiskwam leek zijn grote lichaam, dat ontstellend hevig ademde, hijgde, gromde, de kamers op te warmen.

Justitie had besloten om geen strafvervolging in te stellen, niet tegen Erroll, noch tegen de chauffeur van de olielekkende bestelwagen, niet tegen de bestuurster van de Explorer, maar het stond hem vrij om een civiele procedure in te stellen, vertelde de politieman die hem hiervan telefonisch op de hoogte stelde.

De dagen verstreken, dagen die het fatale moment naar de horizon brachten. Joop wilde trouw blijven aan de emotie van die dag, maar het werd steeds lastiger om daaraan in Errolls nabijheid vast te houden. Erroll dwong hem de straat op te gaan. Wanneer Joop naast hem langs de zonnebrilkramen, tatoeagesalons, T-shirtverkopers, hippies, zwervers, zwevers en exhibitionisten op de Boardwalk sjokte, was hij een chronisch zieke die na lange tijd zijn bleke huid voor de buitenlucht ontblootte. Maar het leidde af, en hij wist niet of dat goed of slecht was. 's Nachts ging hij in zijn dromen op zoek naar zijn kind. Gelukzalig trof hij haar bijna altijd ergens aan, in een grot, boven op een berg, in een stad, in een ruïne. Als hij in de spiegel keek, zag hij de rouw als een schaduw in zijn gezicht, net als in de lijnen van zijn handen en in de vorm van zijn voeten.

Terwijl Joop zwijgend rookte, zat Erroll 's avonds te lezen.

'Kent u dit, *Het verborgen gezicht van God*?'

'Nee,' antwoordde Joop.

'Gaat over de bijbel. Waarom God zich uit de wereld heeft teruggetrokken.'

'Waarom lees je het?' vroeg Joop.

'Omdat ik wil weten waarom God dit heeft laten gebeuren.'

'Ben je er al achter?'

'Nog niet. Maar ik heb een spoor. Kabbala, heeft u zich daar wel eens in verdiept?'

'Nee.'

'Weet u dat daarin een beschrijving staat van de oorsprong van de kosmos die overeenkomt met de big bang?'

'Wist ik niet.'

'Ik wil een breder beeld krijgen van... van alles. Daarom lees ik dit boek. De man die het geschreven heeft woont in San Diego.'

'Mooie stad,' zei Joop.

'De kabbala zegt dat alles uit één punt door een explosie is ontstaan. En die kabbalisten hebben ook beschreven hoe daarna materie is ontstaan, en het is wonderlijk: het lijkt precies op wat de wetenschap denkt hoe het na de big bang is gegaan. Toch interessant, vindt u niet, dat mystiek en wetenschap bij elkaar komen?'

'Misschien,' antwoordde Joop.

# DEEL TWEE

# | 1 |

Januari ging voorbij. Op elf februari 2001 begon het te regenen. Op vijftien februari trokken de regenwolken weg. Het kwik begon op te lopen en op zeventien februari werd het rond het middaguur twintig graden. Ofschoon het de gehele dag grotendeels bewolkt bleef, zou de temperatuur oplopen tot meer dan eenentwintig graden.

Op zondag achttien februari belde Philip. Hij was in de stad en kon een uur later bij hem zijn.

'Ik heb veel aan je gedacht,' zei Philip. Hij legde een hand op Joops schouder. 'Niet dat je daar veel aan hebt. Niemand kan je aan zoiets helpen.'

'*Bij* zoiets helpen. Niet *aan*,' zei Joop.

Philip bleef hem bij zijn schouder vasthouden en zei: 'Weet je waarom ik zo graag tienduizend kilometer afleg? Om door jou gecorrigeerd te worden.'

Sinds zijn terugkeer naar Israël had hij een paar keer gebeld, maar Joop had niet geantwoord. Danny, die buiten bij de auto bleef wachten, groette met een korte, militaire zwaai.

'Danny kan binnenkomen,' zei Joop.

'Buiten is hij van meer nut. Heb je even?'

Joop liep voor hem uit naar de keuken. 'Wat kan ik voor je inschenken?'

'Glas water. Red je 't een beetje?' vroeg Philip.

'Redden – geen idee.'

Toen ze de keuken betraden ging Erroll staan. Hij had aan tafel de dikke zondagseditie van de *LA Times* zitten lezen. Joop stelde hen aan elkaar voor en vroeg Erroll of hij het lezen in de kamer kon voortzetten omdat hij even met zijn Nederlandse vriend in de keuken wilde zitten.

'Natuurlijk. Ik was toch net van plan om naar buiten te gaan. Ik ga nog even een paar andere kranten halen. Nog iets meenemen?'

'Niet voor mij.'

'*Nice meeting you, sir,*' zei hij tegen Philip bij het verlaten van de keuken.

Minzaam knikte Philip terug. Hij had niets gezegd en wachtte tot de voordeur sloot: 'De man van de motor?'

'Ja. Vreemd verhaal, ik zal je er niet mee vermoeien.'

'Doe 't toch.'

Joop schonk een glas Evian voor hem in. Het water uit de kraan was zuiver, maar in deze stad dronk je Evian, Perrier, Pellegrino. Elke maand had hij bij een goedkope supermarkt op Lincoln een halve pallet gekocht en nu Mirjam het niet meer dronk zou hij op de kosten van water besparen.

Hij vertelde dat Erroll hem de afgelopen weken had geholpen. 'Hij wil boete doen, een offer brengen. Hij zorgt dat de koelkast gevuld blijft, dat alles schoon is, hij doet de was, strijkt zelfs, wat we hier in huis nooit hebben gedaan omdat we alles naar de stomerij...'

Hij hoorde zichzelf afdwalen en liet de rest van de zin in de lucht hangen.

'Een fatsoenlijk mens,' ging hij verder. 'Een curieuze, intens goede man.'

'Als je hem 's nachts op straat zou tegenkomen...'

'...Weet je niet hoe snel je zou moeten wegkomen. Schijn bedriegt.'

Philip nam een slok water, zei: 'Uit dit soort rampen kunnen de vreemdste vriendschappen ontstaan.' Maar in zijn stem was verwondering te bespeuren.

Joop trok een stoel van de tafel weg en ging vlak voor het aanrecht zitten. Hij stak een sigaret op en zei: 'Hij is geen vriend. Geen idee wat hij is. Ik vertrouw hem. In het begin niet. Hij meldde zich hier, ik wist niet wat ik ermee aan moest. En nu – ik geef toe dat ik aan hem gewend ben. Ik ben blij dat hij er is.'

'Dat is wat telt,' knikte Philip terwijl hij naar het pakje Marlboro op tafel greep. Het was een lege opmerking.

'Je komt voor de gezelligheid op bezoek,' zei Joop.

'Waarom bel je me nooit terug? Er zijn mensen die met je meevoelen, ook al denk je van niet.'

'Ik had je echt teruggebeld. Maar ik was er nog niet aan toe,' zei Joop.

'Ik wilde ook nog een keer terugkomen op die affaire met Omar van Lieshout.'

'Had ik niet verwacht,' zei Joop laconiek. 'Ik dacht echt dat je voor de gezelligheid kwam.'

'Waarvoor zou ik anders komen?'

'Je denkt dat ik in staat ben om iets voor jou te betekenen. Nu? Philip, je wijst naar me en ik val om. Een gebroken tak brengt me aan het janken. Ik ben tot niks in staat. Zonder... zonder Erroll had ik het niet gered.'

'Wat zou je toen hebben geantwoord, eind december?'

'Néé. Dat zou mijn antwoord geweest zijn. Een kind om voor te zorgen. Dat gevaar kon lopen...'

'...Gevaar, nee, zo goed als uitgesloten,' onderbrak Philip hem.

'Ik wilde niet in een ingewikkelde situatie belanden. En daarbij: ik ben geen geheim agent of hoe zoiets moge heten! Ik ben een gewone janlul uit Holland die de kost verdient met ideetjes en invalletjes. Maar ik ben niet – wat jij geworden bent.'

'Ik ben ook een janlul uit Holland.'

'Jij bent een beroepsspion uit Israël. En jij bent opgeleid om te liegen en te bedriegen en ik neem aan om mensen te vermoorden.'

Met spot in zijn stem zei Philip: 'Joop, je hebt geen idee wat we doen. Dat niet.'

'Wat dan wel?' vroeg Joop.

'Wat heb je eraan dat je 't weet?'

'Algemene ontwikkeling.'

'Lees de krant.'

'Waarom ben je gekomen, Philip?'

'Om te kijken hoe het met je ging.'

'Uitstekend, dank je.'

'En om te kijken of je je wilt inzetten voor de joden in Israel.'

'Ik kan me nauwelijks voor mezelf inzetten, hoe kan ik me voor anderen inzetten?'

'Omdat het leven doorgaat, Joop, omdat de wereld doordraait. Omdat we moeten voorkomen dat onschuldigen sterven, omdat we moeten voorkomen dat het tuig de wereld regeert, dat we jonge mensen moeten begraven.'

Joop stond op en keerde zijn rug naar Philip. De zon brak door de wolken en hulde de tuin in een warme gloed. Honderden keren had hij met Mirjam buiten gegeten. Net als alle Amerikanen had hij hamburgers gegrild, kipfilet, worstjes, en hadden ze coke gedronken en de sla aangemaakt met *blue cheese-* of *thousand islands*-dressing uit een plastic flacon. Toen ze klein was had hij voor haar verjaardag tuinfeesten georganiseerd, speeltoestellen en clowns laten komen. Van alle momenten had hij genoten, elk moment was kostbaar geweest, elk moment had hij geheiligd zoals gelovigen hun beelden, totems, tempels. Het dagelijks geluk had achteloos om hem heen gedanst.

Hij was woedend. Op die zon, die struiken, die bomen. Op die onmogelijke onverstoorbaarheid. Op de warmte waarin de kou oploste.

## | 2 |

In een zaal achter een verlaten winkel waarvan de ramen met kranten waren afgeplakt, op Pico Boulevard in Rancho Park vlak bij de Fox-studio's, kreeg Joop een week lang onderricht.

'En ik wil niet dat wat ik ga doen in strijd is met de wetten hier.'

'Je bent niet met iets bezig wat de veiligheid van Amerika in gevaar brengt,' antwoordde Philip. 'In tegendeel, het zou wel eens kunnen zijn dat je de veiligheid bevordert. Het enige wat je doet is contact zoeken met iemand. Een andere Nederlander. Dat je een geheime agenda hebt is juridisch volstrekt irrelevant. Je besteelt hem niet, je geeft geen staatsgeheimen door. Je wilt maar één ding: te weten komen waarom Omar in LA rondhangt. Dat kan nooit in strijd zijn met welke wet dan ook.'

's Ochtends werd hij door Danny opgehaald. Hij werd naar de winkel gereden en tot vier uur was hij met Philip in gesprek over de biografie van Omar van Lieshout. Ze spraken procedures af, de manier waarop ze met elkaar zouden communiceren, en Philip ging ermee akkoord dat Joop te allen tijde kon stoppen.

Op de voorlaatste dag van zijn *crash course* hoorde Joop bij thuiskomst onbekende stemmen in de keuken. Vanuit de hal zag hij een man en een vrouw staan, in druk gesprek met Erroll. De man was een Aziaat met een kaalgeschoren hoofd, gehuld in een lang oranje gewaad dat tot boven zijn enkels reikte, kunststof sandalen aan zijn voeten. Hij stond links van de Acquaviva, beide handen rond een kop dampende thee. Zijn leeftijd was niet te schatten, net zomin als die van de vrouw. Zij was gekleed in een wijde broek en een net zo wijd hemd, beide van zachtrood katoen, die weinig van de vorm van haar lichaam onthulden. Ze was niet kaalgeschoren maar haar haren waren gemillimeterd, waardoor er een schaduw van zwarte stekels op haar mooi gevormde schedel lag. Om haar hals een brede zilveren ketting. Twee boeddhisten, een Aziatische en een Europese. Met over elkaar geslagen armen stond de vrouw ruggelings tegen het aanrecht, op de plek waar Mirjam altijd gestaan had, en zij luisterde met een aandachtige glimlach naar Erroll, wiens stem door de gang galmde.

Terwijl Joop naar haar keek, drong het tot hem door wie zij was.

'Linda,' zei hij.

Ze wendde haar blik van Erroll af en keek vragend de gang in.

'Joop...'

Ze kwam naar hem toe en de glimlach loste in ernst op. Hij zag nu dat ze op blote voeten over de keukenvloer liep. De ketting rinkelde.

'Joop,' herhaalde ze zacht.

Grote helderblauwe ogen, geen make-up, geen lipstick. Rond haar ogen en lippen dienden de eerste kloofjes zich aan, maar de jaren hadden haar huid niet getekend. Van dichtbij zag ze er niet ouder uit dan veertig jaar en konden de wijde kleren niet verhullen dat ze nog steeds een mooi lichaam had, net als het meisje dat hij had gekend.

Toen ze voor hem stond zei ze: 'Dag Joop.'

En onhandig bogen ze zich naar elkaar toe en kusten elkaar op de wang. Ze was veel kleiner dan hij zich herinnerde. Hij bewoog zich al weer van haar hoofd weg toen zij hem nog een derde kus wilde geven. Ze lachten verlegen.

'Drie keer,' zei Joop vrolijk om hun onhandigheid te maskeren, 'op z'n Hollands.'

Schuchter keek ze hem aan, onzeker over de woorden die ze moest kiezen.

'Laat me even naar je kijken,' zei hij om haar zwijgen te doorbreken. 'Wanneer hebben wij elkaar voor 't laatst gezien?'

In een poging haar schroom te verzachten pakte hij haar handen vast. Stekelhaartjes die de vloeiende vorm van haar hoofd accentueerden, een regelmatig, onopgesmukt gelaat, bedeesde blik die zijn ogen meed en zich op een plek op de keukenvloer richtte – ze leefde buiten de tijd, dacht hij.

'Op dertien maart 1971 zat ik op de boot naar Dover. Dus die ochtend hebben we elkaar voor het laatst gezien.' Een voorzichtige stem, precies articulerend. Ogen als van een oplettend hert.

'Dover? Ik dacht dat 't Harwich was,' zei Joop.

'Dover. Saint Helena's in Bath. Deftige meisjesschool... wat goed om je te zien,' zei ze.

'Ja,' zei hij, 'het is vreemd om de tijd zo te ondergaan, vind je niet, wanneer mensen elkaar na zo lang weer tegenkomen.'

Hij was zestien. Zij had hem ingewijd toen ze niet ouder was dan Mirjam.

Ze wendde zich naar de man. 'Mag ik je voorstellen aan Usso Apury? Hij is al heel lang een van mijn beste vrienden. Door velen wordt hij als een heilige beschouwd.'

De Aziatische man drukte zijn handpalmen tegen elkaar, de toppen van zijn vingers vlak onder de kin, en maakte een lichte buiging. Een bijna rond hoofd met een in een glimlach versteend gezicht waarop niets te lezen viel. Zijn geschoren hoofd glom. Ter begroeting boog Joop ook licht. Een monnik, lama of priester, dacht hij. Dus zij is ook zoiets. Iriscopie. Aromatherapie. Haar gymschoenen stonden op de vloer voor een aanrechtkastje.

'Erroll was gaan staan. 'Ik kwam net terug van de supermarkt, en ik dacht, ze kunnen binnen even wachten, ik hoop dat u dat goed vindt.'

'Tuurlijk.'

Linda was een jaar ouder dan hij, achtenveertig dus, maar ze oogde tien jaar jonger. Wanneer ze destijds klaarkwam rilde ze genoeglijk, als iemand die met koude ledematen in een warm bad ging zitten. Zijn zaad smeerde ze op haar tepels. De manier waarop ze zich nu kleedde suggereerde dat ze het theater van het lichaam – lingerie, make-up, modieuze kleding – had afgezworen. De ketting was vermoedelijk een amulet. Tegen het boze oog, of zo.

'We waren net in gesprek over Tibet,' zei Erroll. 'Meneer Apury komt daarvandaan. Of de hoogte, de bergen en de lucht bijdragen aan het gevoel dat er meer is tussen hemel en aarde. Ik ben ervan overtuigd dat de heilige plekken van de mensheid niet willekeurig gekozen zijn. Er moet iets met die plekken zijn. Jeruzalem, Mekka, Delphi, noem maar op.'

'Het heeft met energiestromen te maken,' zei Linda met onschuldige blik.

'Van energiestromen weet ik helaas niets,' zei Joop.

'De aarde is een levend organisme,' beweerde ze zonder een greintje twijfel.

'Levend?'

'Levend,' herhaalde ze beslist, en ze leek lichtelijk verrast te zijn over zijn onwil.

'Een afkoelende planeet,' hield Joop vol. Een zwever, dacht

hij, een waarheidszoeker. Vroeger verslaafd aan seks, nu aan hogere sferen. Maar hij moest haar met respect bejegenen. Ze was integer.

'Een bol, de volmaakte vorm, waarop wezens liefde, hoop, inzicht, bevrijding, kunnen ervaren,' zei ze.

'Ja. En ook verlies, honger, gebrek, angst,' vulde Joop aan.

'Geloof je niet dat het een met het ander samenhangt?' vroeg ze verbaasd, alsof hij de zonderling was en niet zij.

'Ik weet niet wat je bedoelt met samenhangt en met een en ander.'

'Dat je ervaart waarop je je ingesteld hebt?'

'Nee. Ik heb me niet ingesteld op wat ik net heb meegemaakt. Mijn dochter was niet ingesteld op wat haar is overkomen.'

'Alles heeft een plek in de kosmos,' merkte de monnik met een diepe buikstem op. Hij klonk nog lager dan die van Erroll.

'In de kosmos bestaan geen plekken,' zei Joop, 'de kosmos is toeval.'

De monnik vroeg, enigszins voorovergebogen naar de grond kijkend, wat misschien een teken van respect was: 'Maar u kunt toch niet ontkennen dat de kosmos geordend is?'

'De ordening van het toeval,' zei Joop. Hij liet zich in zijn eigen huis niet van de sokken praten. Waarom had ze haar schoenen uitgetrokken?

'In het boeddhisme is alles met alles verbonden,' zei de monnik, naar Joops knieën starend. Het moest eerbied zijn waardoor hij zijn blik had neergeslagen. Zoiets was een teken van beschaving in Azië. '*Shunyata*, niets staat op zichzelf, niets is absoluut.'

'Ik respecteer uw manier van denken,' zei Joop, 'maar het zijn abstracties die in mijn leven geen plaats hebben.'

'Wat voor u abstract is, is voor mij concreet,' antwoordde de monnik. 'Ik voel met u mee, met het onverwachte waardoor u bent getroffen. Waarom het uiteindelijk gaat, in ieders leven, is het overwinnen van het lijden. En lijden en verlangen vormen een eenheid. Het is de opdracht om daaraan te ontstijgen.'

'Als u daarin slaagt, dan benijd ik u.'

'Dat is wat ik poog,' boog de monnik met zelfbewuste bescheidenheid. 'Je moet verdwijnen in de essentie van de leegte. En in die leegte zul je je kunnen verenigen met de essentie.'

Daarop had Joop niets te zeggen. De monnik staarde nog steeds naar zijn benen. Om steun vragend glimlachte Joop naar Linda. Ze zag dat hij zich geen raad wist met dit gesprek.

'Ik geloof dat we je overvallen met onze leer,' zei ze verontschuldigend. 'Ik kwam je alleen even gedag zeggen, kijken of ik iets voor je kon doen, herinneringen ophalen. Verder niks bijzonders.'

Hij kon haar niet wegsturen. Ze hadden elkaar dertig jaar niet gezien.

'Blijven jullie eten?' vroeg Joop. 'Het is heel aardig van je dat je de moeite neemt om even langs te komen.'

'We blijven graag eten, ja toch?' vroeg ze aan de monnik.

'Graag,' boog de man.

'Maar Usso is strikt vegetarisch. Ik wat minder,' verklaarde Linda.

'Daar kunnen we wat aan doen,' zei Joop. 'We hebben alles in huis. Zullen wij samen voor de heren koken?'

Voor het eerst glimlachte ze, een weemoedige, ontwapenende lach.

'Dat is een goed idee,' zei Linda. 'Wij met ons tweeën in de keuken.'

'Ga lekker in de kamer zitten,' zei Joop tegen Erroll en de monnik, 'wij doen het werk.'

Hij liet haar de inhoud van de koelkast en de voorraadkast zien en ze kozen voor rijst met groenten, en hij verbaasde zich over de stille, in wijde lappen gehulde vrouw die zij was geworden. Hun verleden wilde hij niet oprakelen en ze wisselden bij het snijden van de groente en het vullen van de pannen beleefdheden uit, ze prees het comfort van de keuken, het uitzicht op de tuin, informeerde naar zijn buren, en toen zij zich wat minder gespannen toonde vroeg hij wat haar naar LA had gebracht. Ze maakte met Usso Apury een wereldtournee. Apury was een beroemde Tibetaanse monnik en met hun reis hoopten ze genoeg geld op te halen om de toekomst te verzekeren van zijn klooster in Dharamsala in het noorden van India, aan de voet van de Himalaya. Wist hij iets van de situatie van Tibetanen? Hij bekende dat hij niets over Tibet wist. In 1950 was Tibet door China overmeesterd en na negen jaar brak er in Lhasa, de hoofdstad, een volksopstand uit. Alleen al in maart van dat jaar kwamen bijna negentigduizend mensen om het leven. Usso Apury, een zevenjarige kindmonnik, vluchtte met duizenden andere monniken uit Tibet. Het centrum van het Tibetaanse boeddhisme bevond zich voortaan in Dharamsala, waar ook de dalai lama zich vestigde. Daar had Linda leraar Apury ontmoet, twaalf jaar geleden.

'Als je er aankomt is het eerste wat je ziet de benedenstad, en dat is het echte India,' vertelde ze met zachte stem, en hij ging vlak naast haar staan om haar te kunnen horen, 'drukte, chaos, bedelaars. Maar de bovenstad is magisch. Daar zitten de Tibetanen in Macleodganj, hun eigen wijk. Dharamsala was vroeger een vakantieoord voor de Britten in India, want het is er heerlijk zacht in de zomer, en in Macleodganj – daar voel je nog die oude koloniale sfeer. Je zit daar op vijftienhonderd meter hoogte, wat de Tibetanen natuurlijk erg laag vinden, ze hadden in het begin ook aanpassingsproblemen, echt lichamelijke problemen omdat ze gewend waren aan een leven op meer dan drieduizend meter. En waarom is de bovenstad zo mooi? Door het uitzicht, aan de ene kant de vallei van

Kangra, aan de andere kant de granieten rotsen van de keten van Dhaula Dhar, die daar uit de aarde omhoogkomen als de torens van die kerk van Gaudí in Barcelona...'

'Sagrada Familia,' vulde Joop aan.

'Ja,' zei ze.

'Wat vond je daar dat je niet ergens anders vond? Je hoeft niet te antwoorden als je m'n vraag te vrijpostig vindt.'

'Nee, nee.' Geruststellend knikte ze hem toe, maar ze sprak aarzelend: 'Ik was veel ziek – iets met mijn bloedsomloop. Niemand kon me vertellen wat het was. Specialisten niet. Vervolgens kreeg ik hartritmestoornissen.'

Wat bij zijn dochter na de dood van haar hersenen volmaakt was blijven functioneren, was bij Linda gaan haperen. Maar ze had het gered, ze stond nu zwijgend en ademend naast hem, met zorg wortels in gelijke stukjes snijdend en wachtend op de moed om verder te praten. Hij zocht naar een vraag die een einde kon maken aan het verslag van haar ziekte.

'Ik wist dat het niet lichamelijk was,' ging ze verder voordat hij iets kon zeggen. 'Vraag me niet hoe ik dat wist. Het was geestelijk. Iets anders dan alleen een storing in het mechanisme van mijn lichaam. Ik woonde in New York...'

'...New York?' vroeg Joop, die meteen de kans benutte om het gesprek op een ander onderwerp te brengen. Zijn moeder had hem nooit verteld wat Linda haar toevertrouwde, zoals je een alcoholist ook niet een borrel aanbiedt. 'Vertel wat er na... Bath was het toch?'

'Bath, ja,' zei ze. 'Ik ben daar naar school geweest nadat ik...' Opnieuw aarzelde ze. '...Nadat ik Nederland verlaten had...'

'...Weggestuurd was,' zei Joop onomwonden. Hij had aan haar vertrek bijgedragen en bespeurde daarvan nog steeds spijt, ook al had de situatie om een dringende oplossing gevraagd. Voordat ze in bad waren gaan zitten, en daar door zijn vader werden betrapt, had ze hem op de harde tegelvloer van de badkamer geduwd. Elegant had ze haar rokken opgetild en was zonder broekje op zijn gezicht gaan zitten. In de schemer onder de rok hield hij haar bij haar billen vast en kleine rillingen trokken door haar lichaam wanneer hij hijgend deed wat zij wilde. 'Als er geen penetratie is, dan is er ook geen geneuk. Penetratie is neuken. Maar dat doen wij niet. Wij doen dat toch niet, hè Joop?' Hij kreunde met volle mond. Ze leunde achterover en voelde met haar hand achter zich. 'Rustig maar, beestje, jij mag straks.'

Onzinnige herinneringen. Hij keek haar een moment aan en zocht in haar gezicht naar sporen van de wilde kat die zij was geweest. Hij betwijfelde of zij het nog wist. Misschien was hij een van velen geworden. Of misschien had ze zich tot een onbevlekt bestaan bekeerd en leefde ze nu als een non.

'Ik heb daar de middelbare school afgemaakt en ben toen naar Amerika gegaan. Law School gedaan. Ik ben bij een *law firm* in New York gaan werken. Tot ik daar wegging, dat is inmiddels dertien jaar geleden, dus zo heel lang heb ik dat niet gedaan. Toen ben ik gaan reizen en in Dharamsala terechtgekomen. Sinds die tijd deel ik zo'n beetje mijn leven in tweeën. In New York werk ik, zes, zeven maanden achter elkaar, en dan ga ik weer een jaar terug naar India.'

'Lijkt me een grote afstand, niet alleen letterlijk.'

'Ja, maar het kan niet anders,' zei ze, bijna alsof ze een misdaad bekende. 'Ik moet ergens geld verdienen. Ik ging naar Dharamsala. En daar werd ik genezen.'

Hij wist niet wat hij allemaal overhoophaalde, maar hij wilde het weten: 'Genezen?'

'Ja. Door meditatie,' antwoordde ze vol overtuiging, met een blik die geen ruimte liet voor twijfel. 'Mijn hart is niet alleen mijn hart. In het Tibetaanse boeddhisme staat het hart voor wijsheid. In de kabbala voor schoonheid. In elke oude meditatietraditie is het hart een bijzonder orgaan. Er is een samenhang tussen geest en lichaam, maar die is zo complex, zo ongrijpbaar nog, dat de westerse wetenschap nog steeds geen verklaring heeft voor die samenhang. Nu kun je kiezen uit twee dingen: net doen alsof het niet bestaat omdat je geen verklaring of verifieerbare theorie kunt vinden, of uitgaan van de vaststelling dat er iets gaande is, en dus gewoon praktisch en realistisch met de samenhang omgaan. Meditatie heeft mijn hartritme hersteld. Zonder moderne medicijnen of apparaten.' Een serene glimlach trok over haar gezicht. 'En jij, hoe is 't toen met jou gegaan?'

Bij het eten stelde Erroll de ene vraag na de andere, bezeten bijna, over de ideeën waardoor de monnik geleid werd. De man at met precieze, langzame, rituele bewegingen. Met rechte rug zat hij op een krukje, plukte met stokjes aan zijn voedsel en kauwde langzaam op vogelhapjes.

'Om te kunnen mediteren heb je de energie van je lichaam nodig,' legde hij Erroll uit. 'Maar omgekeerd vindt tijdens de meditatie een zuivering van je lichaam plaats. Je lichaam wordt door de meditatie geladen. Geest en lichaam vallen samen. Er is geen scheiding, zoals in de westerse tradities, waarin lichaam en geest met elkaar op gespannen voet staan. Bij ons geen "ik denk dus ik ben" van Descartes. Ik ben omdat ik ben, zou veel meer bij ons passen. Of: ik ben wanneer ik verdwijn. De variaties zijn oneindig.'

'Meditatie en kruiden hebben me genezen,' zei Linda, 'de sutra van het hart, heb je daar ooit van gehoord?'

'Nee,' zei Joop. Hij wist niet wat een sutra was maar was er desondanks van overtuigd dat hij geen sutra wilde horen, en zeker niet die van het hart, maar hij wilde haar niet kwetsen. Het eigengereide, lichamelijke meisje van vroeger was opgelost in een ingetogen, bijna onstoffelijke vrouw die hem enigszins op de zenuwen werkte.

'Het is een van de belangrijkste sutra's.'

De monnik zei: 'De sutra's zijn de originele teksten van de Boeddha. De grote leraar Tan Hsu zegt over deze sutra: "De Sutra van het Hart is samengesteld uit delen van de Mahaprajnadpramita, teksten en eenvoudige woorden werden zorgvuldig gebruikt om diepe betekenissen over te dragen." '

'Wat staat erin?' vroeg Erroll.

Linda sloeg haar ogen neer en reciteerde: '*Er is geen waarheid in lijden, van de oorzaak van lijden, van het einde van lijden, noch van het pad. Er is geen wijsheid, en er is geen doel.* Zulke dingen staan erin. Woorden waar je sprakeloos van wordt.'

Toen Linda vertrok, vroeg ze of Joop zaterdag tijd had. Hij gaf haar zijn telefoonnummer. Ze ergerde hem. En tegelijkertijd besefte hij dat die ergernis niet op haar plaats was. Hij verzette zich tegen de verwarrende gedachte dat hij blij was met haar plotselinge aanwezigheid.

# | 3 |

Die nacht sliep Joop niet. De monnik had Linda geleerd zich te bevrijden van aanrakingen en smaken, van muziek en rouw. 'Alle lijden ontstaat uit verlangen,' had de monnik gezegd. Best.

Nog steeds probeerde hij te doorgronden waarom hij in het ziekenhuis als een openbaring de zekerheid over Mirjams crematie had gevonden. Hij was nuchter genoeg om te weten dat dergelijke ervaringen alleen binnen de grenzen van een droom of hallucinatie ontstonden, en het was hoogst discutabel of daaraan boeddhistische, joodse, freudiaanse betekenissen konden worden toegekend – het probleem was dat hij zich niet aan de intensiteit van die ervaring kon onttrekken.

Halverwege de nacht stond Joop op, liep naar de keuken en dronk een glas wijn. In de woonkamer gromde Erroll sonoor in het ritme van zijn diepe ademhaling, de slaapzak half geopend, zijn stalen lijf bijna onzichtbaar in de donkere kamer. Joop trok het lintje uit het knisperende cellofaan van een vers pakje sigaretten, zette de tv zacht aan zodat hij Erroll niet wekte, en probeerde zich te concentreren op een herhaling van ABC News. Bush was officieel president geworden. Joop had er niets van gemerkt. Hij rookte, dag en nacht rookte hij. Het was lachwekkend dat hij was gestopt met roken omdat hij oud wilde worden.

Linda had over haar hart gesproken en ook al was het hem bekend, ook al had hij deze gedachte al veel eerder toegelaten, het drong pas nu in volle omvang tot hem door dat het hart van zijn kind nog altijd klopte. In een ander lichaam. In de hectiek van het ziekenhuis had hij er toestemming voor gegeven – 'Wat zou uw dochter hebben gewild, mister Koepm'n?' – en nu zat iemand ergens met een verhitte kop op een pot te schijten of rukte zich af terwijl het hart van zijn kind het bloed naar zijn lul pompte. Waarom dacht hij dat het een man was? Was het een schoft? Een moordenaar? Een monnik? Dit was Joops eigen sutra – wat dat ook mocht zijn – van het hart: het gevoel van mijn kind, de adem van mijn dochter, de plaats van haar ziel. Zonder twijfel was het volstrekt anders dan die oude, magische tradities deden voorkomen, maar het hart dat die nacht door gespecialiseerde handen en hightech apparatuur in een ander lichaam was getransplanteerd betekende ook voor hem vleesgeworden schoonheid en wijsheid. Haar hart. Hij wilde weten wie haar hart had gekregen. Welk lichaam van haar schoonheid genoot.

# | 4 |

De lege winkel op Pico Boulevard bevond zich in een onaantrekkelijke rij zaken die zelden door klanten leken te worden bezocht. Zonder aandacht passeerden de automobilisten de stoffige winkeletalages, de parkeerplaatsen waren meestal verlaten, de krantenautomaten op de straathoeken waren aan het einde van de middag nog half gevuld.

Danny parkeerde de auto naast grote afvalcontainers en via de personeelsingang betrad Joop de winkel. Onder drie armaturen met tl-buizen stonden in het midden van de ruimte een houten tafel, vier grijze kunststof stoelen, een overheadprojector, een laptop, een thermoskan met koffie.

Toen Joop om negen uur binnenkwam, zat Philip achter de laptop en groette met een grom zonder van het beeldscherm op te kijken.

'Goeie nacht gehad?' mompelde Philip.

'Gaat wel.'

Nadat hij een kop koffie had ingeschonken ging Joop tegenover Philip aan de grote vierkante tafel zitten en stak een sigaret op. Hij zei: 'Ik doe 't niet.'

'Wat niet?' vroeg Philip, blijkbaar niet luisterend.

'Ik doe 't niet,' herhaalde Joop.

Nu keek Philip op. 'Wat doe je niet?'

'Dit. Deze maffe kermis. Ik vind het knap dat je me zover gekregen hebt, maar het is tegelijkertijd onverantwoord. Van mij. En van jou. Dit is werk voor een professional. Voor een jonge, slimme jood. Een jongen als Danny. Die bereid is willens en wetens iemand te belazeren. Philip, ik ben een onnozele man. Ik ga er altijd van uit dat mensen me goedgezind zijn, dat de wereld me goedgezind is. Je hebt een hardcore cynicus nodig. Ik heb andere dingen die me bezighouden, er is een hoop dat ik moet uitzoeken, ik ben nog steeds rauw van binnen alsof ik glas gegeten heb. Je neemt een onacceptabel risico door met mij in zee te willen.'

'Ik wil niks. Ik heb geen keuze,' zei Philip. 'Wat is er gisteravond gebeurd?'

'Niks bijzonders,' antwoordde Joop onwillig.

'Vertel, waardoor ben je van mening veranderd?'

'Ik kan er m'n kop niet bij houden, dat is alles. Ik kan me niet concentreren.'

Hij moest haar hart vinden. Hij moest zich volledig wijden aan de vraag waar haar hart was.

'En de afgelopen dagen dan?'

'Oppervlakkig, ja.' In werkelijkheid had hij aandachtig alles in zich opgenomen. Het had hem afgeleid, beziggehouden, op ideeën gebracht. 'Ik ga er een puinhoop van maken. Dit mag jij jezelf niet aandoen.'

'Je krijgt een schrijfopdracht van ons,' zei Philip.

'Dit is geen schrijfopdracht. Dit is iets wat je ervaren agenten laat doen. Niet een amateur als ik.'

'Je *krijgt* een opdracht,' zei Philip. 'Met vrienden van ons hebben we wat geregeld. We zijn er de afgelopen dagen mee bezig geweest. Je krijgt een kantoor op Sunset, op de Strip, en elke dag lunch je bij Ristorante Primavera. Omar komt daar een paar keer per week. En de rest van de dag werk je rustig aan een verhaal. Naar eigen keuze. De firma betaalt.'

'Welke firma?'

'Onze vrienden.'

'Wie?'

'Het is voor Showcrime,' zei Philip.

Showcrime – een geprezen serie *made-for-tv*-films van een kabelkanaal.

'Showcrime? Vrienden van je?'

'Van óns. Een reële opdracht. Als ze gaan checken vinden ze de waarheid. Zo wordt dit spel gespeeld.'

'Je gaat wel ver, Philip.'

'Joop – we hebben geen keus. Zonder jou komen we nooit bij hem in de buurt. We volgen hem, weten waar hij uithangt, tappen alles af, maar we kunnen niet echt op z'n huid komen. Een Nederlander moet dat doen. Met Nederlandse woorden. Vaak heb je met dit soort gevallen andere middelen waarmee je iemand uit z'n tent kunt lokken. Geld, of vrouwen, vaak vrouwen, die blijven nummer één. Maar táál? *Never*. Als je thuiskomt, ligt er een brief van Showcrime met de vraag of je een script voor ze wil schrijven.'

'Hoe heb je dat voor elkaar gekregen?'

'Ze wilden jou toch al vragen. Ken je Jeff Silberman?'

'Van gehoord.'

'Hij wordt jouw producer daar. Hij stelde jou voor, een paar maanden geleden. Wij hebben ze niets opgelegd, wij hebben ze niets gevraagd. We hebben alleen maar gebruik gemaakt van de mogelijkheden.'

'Waarom geloof ik jou niet?' vroeg Joop bitter.

'Omdat je niet in jezelf gelooft.'

'Mag ik even lachen?'

'Bel Silberman! Geloof mij niet, waarom zou je? Vraag 't

Silberman en je zult zien dat je daar echt boven aan de lijst stond. Je hebt een goed *track record.*'

'Fijn om dat van een deskundige te horen.'

'Ik heb het van deskundigen. Wil je vandaag even de tijd om na te denken? Ik geef je vrijaf,' zei Philip. Hij stond op, liep om de tafel heen, legde vriendschappelijk zijn handen op Joops schouders en boog zich voorover. 'Denk niet dat ik je voor iets vraag wat je niet aankan.'

Philip trok een stoel onder de tafel uit en ging naast hem zitten: 'Wat we van je vragen is: ga lunchen bij Primavera. Je zult daar geen spijt van hebben. Komen veel mooie vrouwen, daar op de Strip. Eten is eersteklas. Luister naar Omar. Vertel ons wat hij gezegd heeft. Dat – is – alles.'

Joop staarde voor zich uit, zich erover verbazend hoe weinig er resteerde van de vastbeslotenheid waarmee hij was binnengekomen.

'Ik moet even...' Met een zucht schudde hij zijn hoofd. 'We praten maandag verder, goed?'

'Natuurlijk – luister Joop, ik heb dit werk de laatste twintig jaar gedaan. Ik ben met mijn neus op weerzinwekkende feiten gedrukt. Je wordt geen mensenvriend met mijn soort werk. Ik duik opeens op in jouw leven. Op het verkeerde moment. Maar ik weet wat er kan gebeuren als we dit niet oplossen. Ik ken een paar Omars die geen goede behandeling hebben gekregen en dat heeft tot rampen geleid. En de Omars die we op tijd wel behoorlijk behandeld hebben, daar heb je nooit over gelezen of gehoord. Soms hebben we mensen nodig zoals jij. Buitenstaanders. Artsen, loodgieters, leraren. We vragen moedige joden om een tijdje hun leven op te passen...'

'Aan te passen.'

'Aan te passen om een tragedie te voorkomen.'

'En om wat te kunnen bijverdienen.'

'We vergoeden hun kosten.'

'Wat dat script betreft – ik moet nadenken, ik voel me er niet prettig bij.'

'Wat is er gisteravond met je gebeurd? Een vrouw ontmoet?'

'Ja.' Misschien had ook Linda's bezoek bijgedragen aan zijn besef dat hij met Philip moest breken, maar doorslaggevend was Mirjams hart.

'Dat verklaart veel.'

'Verklaart niks. Je kent haar misschien nog, ze heeft een jaartje bij ons in huis gewoond. Linda de Vries. Ze is een paar keer meegekomen naar sjoel.' En pijpte hem in de dames-wc. Dat was veilig omdat de enige vaste bezoekster van de zaterdagse dienst, mevrouw Kuilman, boven de synagoge woonde en altijd haar eigen wc op de tweede etage gebruikte.

'Of ik me haar herinner? *You bet.* Leuke meid was dat. Ik ben nog een tijd straalverliefd op haar geweest.'

'Ze kwam langs. Na dertig jaar. Voor het eerst sinds... sinds toen, heb ik me... wat beter gevoeld.'

'Waarom kwam ze langs?'

'Omdat ze voor de Palestijnen spioneert! Wat denk je wel? Ze kwam langs omdat ze in de stad is! Omdat ze over Mirjam heeft gehoord!'

'Zo bedoel ik 't niet,' verontschuldigde Philip zich.

'Zo begreep ik 't wel.' Joop bedaarde nu. Stak een nieuwe sigaret op. 'Nooit geweten dat jij interesse in haar had. Je kreeg geloof ik genoeg belangstelling op school.'

'Optisch bedrog. Ik bad om *the real thing* wanneer ik me aftrok,' zei Philip. 'Ze woonde bij jullie thuis toch?'

'Ja.'

Philip begreep dat hij geen details wilde prijsgeven. 'Ken je dat gebouw naast de Book Soup? Tegenover Tower Records? Daar heeft Showcrime een vloer. En een werkkamer voor jou.'

'Philip – je praat te veel, je moet stoppen anders hou ik er echt mee op.'

'Sorry,' zei Philip, 'je hebt gelijk. Moet Danny je terugbrengen?'

'Ja, graag – nee, ik wil een eindje lopen, neem wel ergens een taxi. En in het Nederlands zeg je *etage*. Ze hebben een *etage*.'

'Joop, doe me 't niet aan om ermee op te houden. Doe 't niet voor de joden, of de Amerikanen. Doe 't in naam van de zuiverheid van de Nederlandse taal.'

Joop voelde zich belazerd en gemanipuleerd, maar hij kon een grijns niet onderdrukken. 'Geef me even tijd. Als ik 't doe, doe ik 't omdat ik geen partij voor je ben.'

# | 5 |

Bussen en taxi's passeerden hem, maar hij ging te voet. Behalve joggers, die zich herkenbaar als joggers uitdosten op Nikes, met een zweetband rond het hoofd en een hartritmemeter om de pols, kwam in dit deel van de stad niemand op de gedachte om te gaan lopen. Afstanden overbrugde je per auto. Het was een van de redenen geweest om aan de kust te gaan wonen. In Santa Monica en Venice kwam je regelmatig onvervalste wandelaars tegen en soms een zonderling die te voet was gaan winkelen en een volle boodschappentas droeg. Niemand wilde ervan verdacht worden geen voertuig te kunnen bekostigen.

In het begin had hij met Ellen gefietst, wat in Hollywood mogelijk is als je de heuvels mijdt. Ze woonden toen in een bouwvallig appartementencomplex op Franklin, tussen uitkeringstrekkers, zuiplappen en jonge, zelfverzekerde schrijvers, acteurs, regisseurs en andere filmdromers. Geen geld, wat cool was in de laatste fase vlak voor de grote doorbraak. Ze aten soms in een *diner* op de hoek van Argyle, een tent die bij een hotel hoorde dat kamers ook per uur verhuurde. Op zondagochtend zaten de *booths* vol strijdbare, ambitieuze kunstenaars, allemaal jonge mensen met ambities en kwaliteiten, allemaal op weg naar een verwoestende entree in de enige *industry* die verder niet omschreven hoefde te worden. De mentale elektriciteit hing daar boven de formica tafels en je raakte er in gesprek met de mensen die, gedwongen door de drukte, naast je of tegenover je op de bank plaatsnamen, en je vroeg je af of jij met de intensiteit en gedrevenheid van je onbekende tafelgenoten kon concurreren, of jij je plek kon vinden in een stad die zinderde van hun talent. Hij had werk verkocht, opdrachten gekregen, en was niet ten onder gegaan zoals het gros van de zoekers van die tijd. Maar hij wist dat hij het niet echt had gered. Een half succes. Goed, maar met pech. Slechts één script had het tot op het doek gered, een eenmalige premièrevertoning. Het was een MOW, een voor de tv gemaakte Movie Of the Week met Tom Green, een jonge acteur van Nederlandse afkomst die daarna in de vergetelheid was geraakt. Vele honderden schreven zoals Joop het ene script na het andere, kregen jaarlijks genoeg betaald om te overleven, maar zagen zelden hun idee tot een film uitgroeien.

In zijn begintijd, na zijn eerste twee verkopen, beleefde hij een periode die achteraf gezien zijn grote bloei was. Hij verdiende per jaar honderdvijftig- tot tweehonderdduizend dollar. Hij was weliswaar gescheiden, moest voor zijn babydochter zorgen, maar hij had geen geldgebrek en veroorloofde zich een Jaguar, en een oppas wanneer die nodig was. Hij wist nog niet dat je behoorlijk kon verkopen maar nooit een film van je werk zou zien. Verteerd door jaloezie en woede, na Ellens verraad, met haatgevoelens die aan moordlust grensden, schreef hij zijn scripts, op weg naar erkenning en herkenning, op weg naar een strandhuis in Malibu en een appartement in de Hills.

Ellen ging terug naar Nederland, hem met advocaten bestokend, en twee jaar lang neukte hij uit wraak alles wat langskwam. Niet thuis, niet in de nabijheid van zijn kind en de herinneringen aan Ellen, maar vooral in hotelkamers, een enkele keer bij de vrouwen thuis. Vrouwen die bij een agentschap of een productiemaatschappij werkten en dringend de bevrediging van een behoefte zochten. Hij deed zijn best seks als een onafhankelijke drift te beschouwen, maar uiteindelijk gaf hij zichzelf toe dat hij iemand was die seks, liefde en vriendschap in één persoon zocht, en liet hij de kansen lopen en keerde zich langzaam van de *singles scene* af. Hij was toen jonger, slank, zag er goed uit met het dikke golvende haar en de helderblauwe ogen van een Noorse schaatsheld. In de parkeergarage onder de Century City Mall had hij een keer bijgedragen aan de levenskwaliteit van een bekende producente, achter in haar Rolls Silver Cloud II, waarvan het dak lager was dan hij had verwacht. Met opgetrokken rok en gebogen rug was ze op hem gekropen en had zich naar een kreun van voldoening gereden. Daarna waren ze wat gaan drinken in de bar van het aan de overkant gelegen Hilton. Een vriendschappelijke kus op de wang bij haar jachtige afscheid. Toen hij haar een maand later weer tegenkwam bespeurde hij geen teken van herkenning; hij was ondergegaan in een zee van collega's.

Al jaren had hij er niet meer aan gedacht, maar de herinnering dook op omdat hij langs de Mall liep. Zijn geheugen draaide overuren. Alles kwam terug. Sinds Mirjams vertrek was alles er weer. En niks mocht verloren gaan.

Ook al leek het er een paar keer op dat het zou gaan regenen (dat gebeurde pas de volgende middag), het bleef droog onder de zware bewolking. Een wandeling van anderhalf uur. De donkergrijze gebouwen van Cedars stonden in een wijk met *overpriced* restaurants, kleding- en meubelwinkels. Bij de parkeermeters wachtten Bentleys, Ferrari's, de duurste Cadillacs en Jaguars. De kille terrassen van de restaurants en cafés werden verwarmd door *heaters*, hoge gashaarden die via een soort warmteparasol de tafeltjes verwarmden. Broodmagere vrouwen met gezichten achter zonnebrillen – de zon was van geen belang – bogen zich daar naar elkaar toe met geheimen, roddels, klachten.

Ondanks de frisse lucht had Joop het warm gekregen. Op Gracie Allen Drive meldde hij zich bij de receptie en vroeg naar de transplantatiecoördinator. Ander gebouw, andere verdieping, andere tijden. Hij hoorde de echo's van het ongeluk door de gangen zingen. De verdwijning van zijn kind was als een reflectie in het water, zichtbaar maar ongrijpbaar. Hij begon te begrijpen dat mensen na het vertrek van een geliefde konden verder leven: het was gewenning, niks meer dan dat. Gewenning en uitputting. Maar nooit aanvaarding. Steeds vaker zou hij haar vergeten, tot hij op een dag besefte dat zij al een week uit zijn gedachten was geweest. Dan pas zou zij echt dood zijn.

Bij de aangewezen balie vroeg hij naar de transplantatiecoordinator. Debby Brown. Debby was buiten het gebouw in gesprek, had hij een afspraak? Nee. Het was spontaan, zijn dochter, ziet u, in de nacht van tweeëntwintig op drieëntwintig december van het vorige jaar, net iets meer dan twee maanden geleden, toen heeft hij toestemming gegeven maar hij wil er nu over praten. De baliemedewerkster knikte. Debby's *beeper* stond uit, maar ze zou Debby binnen een uur spreken, kon zij hem bereiken? Hij gaf het nummer van zijn *cellphone*.

Via de uitgang op Third Street verliet hij het gebouw. Hij liep om het gebouw heen en volgde San Vicente naar het noorden, een wandeling van vijfentwintig minuten onder dezelfde grauwe hemel die hem de hele ochtend al begeleid had. Het was twaalf uur toen hij de Strip bereikte en langs de modewinkels en restaurants naar Primavera liep. De zaak lag aan de noordkant van de Strip, schuin tegenover Le Dome, een van de restaurants waar topagenten met hun topcliënten lunchten. Primavera was een kleine Italiaanse zaak, tientallen authentieke foto's van Venetië aan de wanden, een notenhouten lambrisering die tot net boven de schouder reikte wanneer je zat. De ruimte mat hoogstens acht bij acht meter en stond vol met witgedekte tafeltjes, de meeste voor twee, enkele voor vier personen. De meerderheid van de aanwezige stoelen werd bezet door slordig geklede bezoekers als Joop, die gespannen luisterden naar drukpratende, Pellegrino drinkende *junior agents*, althans hij nam aan dat het agenten waren omdat ze oogden als de agenten die hij in de loop der jaren was tegengekomen, afgetrainde jongemannen in Armani-kostuums, met hagelwitte overhemden, glanzend zijden dassen, grote Rolexen, gedetailleerd gecoupeerd haar dat perfect in vorm bleef, gebarend in de hoogste staat van agitatie, dan weer spelend met de sleuteltjes van de Porsche, en altijd volkomen zeker van hun zaak.

'Lunch?' vroeg een meisje van een jaar of twintig, donker en mooi, mediterraan van uiterlijk en net zo zelfverzekerd als haar belangrijkste gasten. Ze droeg een laag uitgesneden, rood truitje, te kaal voor deze koele dag maar goed voor haar decolleté.

'*Sure.*'

'*How many?*'

'*One.*'

'*Follow me, please.*'

Ze pakte een menukaart van een stapel en slalomde tussen de tafels voor hem uit. De strakke spijkerbroek spande om een prachtige kont, ideaal voor een serveerster. Ze legde de menukaart op een tafeltje in de hoek tegen de achtermuur. Hij was een vreemde, en alleen, en ze hoefde hem dus geen centrale plek te geven die hem in direct oogcontact met binnenkomers bracht; dit waren de codes in deze stad. Maar de plek gaf hem overzicht, en er was niets dat zich aan zijn waarneming kon onttrekken. Hij bestelde een glas Merlot, daarmee verradend dat hij vandaag niet werkte, want het behoorde ook tot de code dat de werklunch zonder alcohol werd genuttigd. De kaart bood traditionele Italiaanse gerechten, aangevuld met caloriearme Hollywoodkost.

De piepjes van de Wilhelmusmelodie klonken. Een onbekend nummer achter het kengetal van dit deel van de stad. Hij beantwoordde de oproep.

'Merchant. Koopman.'

'Merchant?' hoorde hij Linda vragen. 'Pseudoniem?'

'Zoiets, ja.' Een kinderlijke vreugde bij het horen van haar stem. Iemand die hij van lang geleden kende. Vertrouwd en onbekend tegelijk. Met een geschoren hoofd.

Zij vroeg meisjesachtig: 'Doe je iets leuks?'

'Ik ga even wat eten, nu. Jij?'

'Ik heb zo meteen een lunch met een paar geldmensen. Bankiers met een zwak voor de dalai lama. En verder bel ik zomaar. Ik wilde... ik weet niet waarom ik bel – ik wil je gewoon even horen.'

'Dat is lief,' zei hij. Woorden die hij al lang niet meer had gezegd. De laatste vriendin, een vergissing die acht maanden had geduurd, had een jaar geleden definitief van zijn diensten afgezien. Het was een lastige affaire geweest, want ze was een van Mirjams docenten. Ze had hem een condoléancekaartje gestuurd. Zijn rusteloze rechterhand verkruimelde een stukje stokbrood.

Linda vroeg: 'We zien elkaar morgen toch, hè?'

'Hebben we afgesproken,' antwoordde hij. 'Wil je iets speciaals eten?'

'Maakt niet uit, alles is goed.'

'Gaat je vriend mee?'

'Hij is dit weekend in een *retreat* in de bergen. Geeft daar een cursus. Big Bear. Zul je wel kennen.'

'Ben er een paar keer geweest, ja. Daar ligt nu een forse partij sneeuw.'

'Wat denk je dat er 's winters in Dharamsala ligt?'

'Kunnen die monniken skiën?'

'Ze zweven over de sneeuw. Hebben een gigantische hoeveelheid woorden voor sneeuw en voor wat wij allemaal onder dat ene woordje "wit" schuiven.'

Met een knikje dankte hij de serveerster, die zijn glas wijn voor hem neerzette.

'Ga een keer mee naar India,' zei Linda bevlogen, 'misschien brengt het je op ideeën.'

Een intrigerende gedachte die hij niet kon onderdrukken: was ze overal geschoren?

'Ik ben bang dat jij heel wat gevoeliger bent voor het niets van de meditatie dan ik,' zei hij.

'Wanneer je schrijft en echt heel erg geconcentreerd bent, is dat ook meditatie.'

'Gelukkig. Als we zo blijven denken dan kunnen we alleen maar vaststellen dat we veel gemeen hebben.'

Hij glimlachte, net als zij hopelijk deed.

'Wat doet je vriend bij zo'n cursus?' vroeg hij.

'Meditatietechnieken. Jij denkt natuurlijk dat je alleen maar je ogen dichtdoet en je met je tenen identificeert, maar het werkt allemaal heel nauw. Ademhaling, de stappen in je concentratie. Ik weet dat het allemaal vaag en zweverig klinkt, maar het gekke is dat het werkelijk gaat om techniek en precisie.'

'En wat is het doel?' vroeg Joop.

'Het doel is om elk doel op te geven.'

'Lukt dat?'

Ze vroeg: 'Waarom denk je dat ik je bel?'

'Omdat je je verveelt.'

'Een boeddhist verveelt zich nooit. Ik word geroepen. Als er iets is, laat een bericht in het hotel achter. Carmel in Santa Monica.'

'Doe ik,' zei hij.

'Dag, lieve Joop, tot morgen.'

'Tot morgen.'

Hij legde de telefoon neer en veegde de broodkruimels bij elkaar. Was Linda bij machte om hem uit het ritme van zijn rouw te sleuren? Zou hij zich kunnen verliezen in de eerste de beste vrouw die zijn leven na Mirjams vertrek kruiste? Of was het de herinnering aan vroeger die nu illusies opstookte?

De serveerster kwam terug. Zij vroeg: 'Heeft u al een keuze gemaakt?'

Hij zei: 'Ik heb nog niet gekeken.' En vroeg zich af waarom haar woorden hem zo opvielen. Hij keek haar aan, een mooi meisje voor wie je elke dag zou willen terugkeren. Haar werk had haar geleerd dat ze resoluut en zorgvuldig diende te zijn en dat haar jeugdige vrouwelijkheid een middel was om hoge tips te krijgen wanneer je bij het serveren wat *cleavage* toonde.

'Ik kom over een minuutje terug,' zei ze.

'U spreekt Nederlands,' zei hij voordat zij zich van zijn tafel had verwijderd.

'Ik ben Nederlandse. Ik hoorde u net Nederlands praten. Gebeurt niet vaak hier.'

'Ik dacht dat ik iets Italiaans in je accent hoorde.'

'Spaans,' zei ze, 'Spaanse vader, Nederlandse moeder, aan het werk in een Italiaans restaurant in Amerika.'

'Ik ben Joop,' zei hij.

Zij gaf hem een hand. 'Sandra.'

'Ben je hier al lang?'

'Twee jaar. Heeft u al besloten?'

'Doe maar een pasta,' zei hij.

'Van 't dagmenu? Heel lekker. *Vongole* vandaag.'

'Is goed, ja.'

'Ik spreek altijd graag Nederlands,' zei ze, aanstalten makend om binnenkomers te begroeten. 'Een woordje als "lekker" kennen Amerikanen niet. Dank u wel.'

Hij gaf haar de menukaart terug en ze slalomde weg. Omar kwam dus niet alleen voor de kwaliteit van het eten. Hij kon met haar praten. Misschien wel met haar flirten. Een paar minuten later schoof ze zijn bestelling op tafel. De telefoon lag naast zijn glas.

'*Refill?*' vroeg ze.

'Doe maar,' zei hij.

Hij at de pasta, veegde met een stukje brood de sausresten van zijn bord, dronk een espresso en de lunch verstreek zonder bericht van het ziekenhuis.

Bij het afrekenen vroeg hij: 'Veel Nederlanders hier in de buurt?'

'Ik ken wel wat mensen, ja,' zei Sandra. 'Ik heb u nooit eerder gezien.'

'Ik werk hier nog maar net,' zei hij. 'Ik probeer de restaurants in de buurt uit.'

'Onze prijs-kwaliteitverhouding is de beste van de hele Strip.'

Hij overhandigde haar het ondertekende slipje van de creditcard.

'Jij brengt het nog ver,' zei hij.

'Ik doe m'n best,' zei ze met een glimlach, 'maar het gekke is: ik twijfel er niet aan. Kom snel weer terug, Joop was 't toch, niet Job?'

'Joop,' herhaalde hij.

'Zal ik niet vergeten,' zei ze toen ze met een professionele lach wegliep en op de een of andere manier al rekening hield met de richting van zijn blik zodra ze haar rug naar hem keerde.

# | 6 |

'Mister Koepm'n? Debby Brown. Spijt me dat ik u heb laten wachten. Ik heb niet veel tijd, maar ik hoorde dat u me graag wilde spreken, dus maak ik even tijd. Komt u mee?'

Een blauwe zijden jurk met witte stippen, een ceintuur van dezelfde stof, halfhoge witte blokhakken. Het korte haar, bol en strak als een Duitse staalhelm, glansde van de haarlak – Mirjam zou haar proestend beschreven hebben. Debby liep met besliste stappen voor hem uit naar een kantoortje dat niet groter was dan een bezemkast. Ze was klein – *petite*, heette dat hier – met zwart haar en een lichtbruine huid, grote bruine ogen, Caribisch. In een wachtkamer die vooral door zwarte en Zuid-Amerikaanse mensen werd gebruikt had hij een halfuur door de ongelezen krantenkaternen gebladerd die de wachtenden onder hun stoelen hadden laten vallen: economie, autoadvertenties, de kunst- en filmpagina's. Nadat ze de deur achter hem had gesloten, moest ze vlak langs hem schuiven om haar draaistoel achter het bureau te bereiken.

'Gaat u zitten,' zei ze. Ze bleef met kaarsrechte rug op de rand van haar stoel zitten en keek op een beeldscherm dat alleen aan haar ogen zijn informatie prijsgaf.

'Ik zoek 't nog even op. Twee- op drieëntwintig, toch?'

'December,' zei hij, timide opeens, bang voor de details in haar computer. 'De nacht van twee- op drieëntwintig december, afgelopen jaar.'

'We hebben elkaar niet eerder ontmoet, toch?'

'Nee,' zei hij.

'Ik begeleid de nabestaanden die contact willen. Maar u had aangegeven dat u daarop geen prijs stelde.'

Hij zag dat haar ogen snel de regels op het beeldscherm volgden.

'Ja...' zei ze. 'Ik weet ook niet waarheen het orgaan gegaan is, dat staat niet in mijn computer, dat wordt allemaal centraal geregeld. We hebben het altijd over twee partijen, de gevers en de ontvangers, en beide partijen moeten akkoord zijn. Ik weet niet wat de andere partij heeft aangegeven. Bent u er toen ook op gewezen dat er uitstekende hulpgroepen zijn van familieleden van donoren?'

'Misschien wel,' zei hij, 'ik heb er toen niet op gelet.'

'Er zijn mensen die aanvankelijk helemaal niets willen want iedereen is overmand door verdriet, maar langzaam komt toch de behoefte om erover te praten. Het is namelijk niet niks wat er is gebeurd. U heeft wel alle folders ontvangen?'

'Ik geloof het wel, ja.'

'We kunnen ze nog een keer sturen, als u dat wilt.'

'Ik heb thuis alles nog.'

'Dus u wilt contact?'

'Ik zou willen weten wie het hart van mijn dochter heeft.'

'Dat begrijp ik,' zei ze met een knikje, haar hand onder haar kin, hem met warme belangstelling aankijkend. Had ze geleerd op de opleidingscursus.

Ze vroeg meelevend: 'U bent gescheiden, toch?'

'Lang geleden al.'

'Geen familie in de stad?'

'Nee.'

'Familie is altijd de eerste supportlijn. Als die er niet is, zie je toch vaak dat de nabestaanden op de een of andere manier hulp nodig hebben. Na verloop van tijd. Er is een therapeut in de stad die regelmatig bij dat soort gevallen wordt ingezet.'

'Ik zie mezelf niet als een geval,' zei Joop.

'Wie wel?' zei ze met een lege glimlach, elke vorm van confrontatie vermijdend. 'Ik wil u er alleen maar op wijzen.'

Met één middelvinger tikte ze op haar keyboard. Omdat haar nagels tweeënhalve centimeter lang waren, hield ze haar vingers gespreid, alsof de lak nog nat was, en legde ze de vinger bijna plat op de toets. In de cursus hadden ze blijkbaar niet over nagels gesproken.

'Heeft u de afgelopen tijd zelf nog een arts bezocht?' vroeg ze.

'Nee.'

'Droomt u erover?'

'Ja.'

'Vaak?'

'Regelmatig, ja.'

'U werkt?'

'Ik ben schrijver. Ik werk niet altijd.'

'Ik bedoel: bent u in een werkritme?'

'Wat wilt u van me weten?' vroeg hij korzelig.

'Ik wil alleen maar een indruk van u krijgen. Als de familie van de ontvanger of de ontvanger zelf het verzoek krijgt, dan willen we graag een beeld hebben van de gever. Het is soms erg aangrijpend, mister Koepm'n. Diepe emoties komen naar boven. Mensen die een dierbare verloren hebben komen in aanraking met iemand die vaak – niet altijd – een zielsgelukkige ontvanger is. Door het orgaan van de dierbare van anderen. Dat kan tot een ernstige terugslag leiden bij de gevers.'

'Ik ben me daarvan bewust,' zei Joop, 'het gaat me er juist

om die zielsgelukkige ontvanger te ontmoeten.'

Debby liet haar kin weer op haar hand steunen en zei: 'Als je daarvoor openstaat kan dat heel troostend zijn.'

'Wat kunt u voor me doen?' vroeg Joop.

'Ik kan het proces op gang brengen. Ik weet niet hoe lang dat gaat duren. De ontvangers willen vaak bedenktijd. Soms ook helemaal niet en dan kunnen we binnen een paar dagen het een en ander regelen.'

'Het hart is van mijn dochter,' legde Joop uit.

# 7

’s Avonds klaarde het op en daalde de temperatuur tot negen graden. Erroll had houtblokken gekocht en hij maakte de haard aan. Hij liet Joop plaatsnemen in een van de fauteuils bij het vuur en zette een pizzadoos op zijn schoot. Zijn zorg was aandoenlijk.

‘Met visbeestjes,’ zei Erroll, ‘precies zoals u ’t wilt. Denk ik.’ Hij verduisterde de rest van de kamer zodat alleen de gloed van het houtvuur hun gezichten verlichtte.

Joop opende de doos. ‘Dit is een pizza voor acht personen.’

‘Eet wat u kunt.’

Joop had geen trek in pizza. Maar hij wilde Erroll niet voor het hoofd stoten. ‘God, ik heb weinig trek, maar ik zal een paar happen nemen om jou een plezier te doen.’

Erroll pakte een tweede pizzadoos en liet zich naast de fauteuil op de vloer zakken.

‘Muziek?’

‘Nee, niks, ’t is goed zo.’

Erroll nam een *slice*. ‘Goeie pizzaboer. *Geheimtip*, noemen de Duitsers zo’n tent. Flinterdunne, knapperige bodem, mooi veel erop.’

'God...'

'Zegt u 't maar, sir.'

Joop twijfelde niet aan zijn intenties, maar dit tafereel kwam hem ongemakkelijk voor: de grote zwarte man in kleermakerszit op de vloer, de witte in de fauteuil, het flakkerende haardvuur in de donkere kamer. Niet alleen steunde hij Joop met zijn aanzienlijke aanwezigheid en schuldbewuste nederigheid, hij hield hem er ook mee gevangen.

Joop zei: 'Moet je niet weer aan je leven beginnen?'

'Dit is mijn leven.'

'Nee. Je offert jezelf op. Je wist jezelf uit. Het is genoeg geweest. Deze hele situatie is krankzinnig. Waarom doe je jezelf dit aan?'

'Dat hoef ik toch niet uit te leggen?'

Plompverloren, bijna agressief, stelde Joop de vraag die hem al sinds die dag had beziggehouden: 'Had je iets met haar?'

Erroll leek ineen te krimpen van pijn, wat een treurig aanzicht was bij de grote man. 'Nee, sir. In het begin vroeg ze een keer of ik ook wel eens klassieke muziek liet horen in de *gym*, ze werd zo gek van die beat. Ik zei dat ikzelf liever naar klassieke muziek luisterde, want dat bracht rust en concentratie. Zo kwamen we in gesprek. Of ik haar goed kende? Misschien wel, ja. Ze was de parel van de *gym*. Ze was atletisch, maar ze was vooral erg mooi. En erg intelligent. Kende ik haar? Ja, voor zover je iemand onder die omstandigheden kunt leren kennen.'

Joop kon het niet voor zich houden, een redeloze, retorische vraag, de klacht van een hystericus: 'Hoe kun je dat oliespoor niet gezien hebben?'

Erroll legde de aangebeten *slice* terug in de doos en zette met gebogen hoofd zijn handen naast zich op de vloer. Hij kneep zijn ogen dicht en keek naar de beelden op zijn netvlies.

'We waren in gesprek. Ik lette op de weg, ik lette absoluut op de weg, maar ik lette ook op haar woorden.'

'Als je op een motor zit hoor je je mond te houden. Dat is misdadige roekeloosheid!' wierp Joop hem verbeten toe.

'We hadden helmen met microfoons en ingebouwde koptelefoons. Het was niet roekeloos, meneer.'

De specificaties van de moderne helmen konden zijn woede niet verminderen. Hij vroeg bars: 'Waar ging het over?'

'Ze vertelde over school – dat ze eigenlijk veel harder zou moeten werken.'

'Ze werkte hard,' verdedigde Joop haar postuum.

'Ze zei dat ze eigenlijk veel tijd verkwistte en ze zei dat ze nog harder ging werken omdat ze wilde bijdragen aan de getallenleer. Ze vertelde over een wiskundige, een Hongaar... Paul...'

'Paul Erdös.'

'Precies. Ze zei dat hij zijn leven helemaal gewijd had aan zijn liefde voor wiskunde en ze zei dat ze dat eigenlijk ook moest doen. Ik luisterde altijd goed naar haar, het was duidelijk dat ze heel slim was. En toen – de olie die daar lag was vet en dik. En toen – m'n voorwiel schoof weg. Als je achterwiel wegschuift kun je je nog opvangen, gas terug, balans zoeken, maar een voorwiel is anders, een voorwiel is onmogelijk. Ik haalde direct m'n voeten van de steunen en probeerde ons op te vangen. Alles ging bliksemsnel. De motor vloog onder me vandaan. Ik hield me vast aan het stuur en gleed de berm in. Mirjam werd gecatapulteerd. Dat is er gebeurd. Zij had daar niet moeten zijn. Ik had haar die rit niet mogen aanbieden. Daarom doe ik dit.'

Hij zag hoe Erroll onder zijn schaamte bezweek. Ondanks zijn afkeer van het haardvuur en de kunstmatige geborgenheid die Erroll had willen creëren, betreurde Joop het dat hij naar die wanhopige dag had gevraagd. Maar misschien konden ze over niets anders dan die dag praten; het was de essentie van hun bizarre relatie.

Joop zei: 'Eet door, je pizza wordt koud.'

Erroll knikte, ging rechtop zitten en nam een hap.

'Ik ben iets aan het uitzoeken,' zei hij terwijl hij kauwde.

'Wat?'

'Ik wil het ongeluk begrijpen, echt begrijpen. Er moet iets te begrijpen zijn.'

Met onverholen ergernis zei Joop: 'De politie heeft het onderzoek afgesloten. Er valt niks te begrijpen.'

'Dat oliespoor, dat begrijp ik,' zei Erroll. 'Maar: waarom lekte die bestelwagen olie? Wat was er gebeurd? En die Explorer die daar net op dat moment passeerde? Een seconde later of eerder – ik wil meer weten en begrijpen.'

'Wat wil je me verdomme aanpraten?' riep Joop. 'Wat valt er te begrijpen?'

'Mister Koepm'n, het spijt me dat ik u van uw stuk breng. Ik wil u niet iets aanpraten. Met begrijpen bedoel ik vooral: inzicht. Dieper inzicht. Ik heb het gevoel dat ik nog iets moet doen. Daarna besluit u of ik nog nuttig voor u ben. Ik wil ervoor zorgen dat ik inzicht krijg. En dat u het begrijpt.'

'Doe geen moeite.'

'Het heeft veel mensen geraakt, mister Koepm'n. U het meest natuurlijk, het zou onzin zijn om dat anders voor te stellen. Maar de vrouw in die Explorer – die is thuis gebleven en is niet meer gaan werken. De bestuurder van de bestelwagen, wat denkt u? Zo veel mensen zijn erdoor aangeraakt. Dus ga ik op zoek naar... naar inzicht. En dan bekijkt u of u me nog nodig heeft. Vindt u dat een goed voorstel?'

'Nee. Ik vind 't extreem. Zoals we hier ook zitten, dat vuur in deze donkere kamer...'

'...Alleen maar omdat het koud is, dat is alles.'

'Erroll, ik geloof dat dit moet ophouden. Je bent een... een bijzonder mens. Maar het gaat te ver. Ik weet niet wat er gebeurd zou zijn als je me de afgelopen tijd geen gezelschap had gehouden, dat besef ik, maar het moet nu afgelopen zijn. Je moet gaan, geloof ik.'

Hij zag Erroll naar het vuur staren, op zijn onderlip bijten, hoorde hem snuiven door wijd geopende neusvleugels.

'Ik begrijp het, ik ben nogal aanwezig. Ik heb geprobeerd me een beetje op de achtergrond te houden, maar dat is met mijn postuur nogal lastig.'

Hij zette de doos naast zich en ging staan zonder zich met zijn handen af te zetten, alsof de zwaartekracht er niet toe deed.

'Mister Koepm'n...'

Hij strekte zijn arm en bood Joop een hand aan, een brede, onoverwinnelijke hand.

Joop greep de hand en keek in de betraande ogen.

'Ik heb iets slechts in uw leven teweeggebracht. Ik probeer het goed te maken.'

'God... je hoeft nu niet halsoverkop het huis uit.'

'Het lijkt me beter van wel...'

Opeens wist Joop niet meer waarom hij zich van deze man wilde bevrijden. Driehonderd pond tederheid.

'Blijf even om je pizza te eten.'

'Die eet ik thuis wel. Als u zich bedenkt, u weet me te vinden. Veel sterkte.'

'Dank je wel, God.'

Nog een paar seconden hielden ze elkaars hand vast, tot Erroll zich omdraaide, de pizzadoos pakte en de kamer verliet.

'Als je je inzicht hebt,' zei Joop tegen de omtrekken van Errolls massale rug in de donkere deuropening, 'als je denkt dat je iets gevonden hebt, kom dan even langs, goed?'

Errolls gezicht was nauwelijks zichtbaar in de verre reflectie van het haardvuur, maar Joop wist dat hij hem over zijn schouder een verdrietige blik toewierp.

'Graag.'

Erroll bleef staan, blijkbaar zoekend naar een geschikt afscheidswoord. Hij zei: 'Wat ik had willen zeggen – ik ben bij de *chabad* langs geweest.'

De *chabad* was de zending van Lubavitscher joden, die wereldwijd liberale joden op het orthodoxe pad wilde brengen.

'De *chabad*? In Santa Monica?'

'Ja. Ik wilde u zeggen: ik ga studeren om jood te worden.'

'Je wilt jood worden?'

Het was goed dat Erroll vertrok. Hij was lief, maar er kleefde iets pathologisch aan zijn offerbereidheid.

'God... waarom?'

'Omdat ik geloof in de komst van de Messias. De joodse Messias. Ik wil nu studeren, *lernen*.'

'Vonden ze het niet gek, een Afro-Amerikaan als jij – jouw broeders worden overwegend moslim, niet jood.'

'Bij de *chabad* vinden ze niet snel iets gek, meneer. Iedereen is welkom.'

'Mooi. Fijn, God, veel succes ermee. Hou me op de hoogte.'

'*You bet*... O ja. De sleutel ligt op de keukentafel.'

Erroll liep weg, de buitendeur viel in het slot; hij hoorde Errolls voetstappen op de tegels van het pad en daarna het starten van de Jeep, het wegstervende geluid van de rijdende auto.

Welke geluiden waren met Mirjam gestorven? Het klikje van het slot van de badkamerdeur, het gedreun van de popmuziek die zij in haar kamer beluisterde wanneer klassiek een tijdje in de ban was gedaan, het eindeloze gegiechel wanneer ze met een vriendin aan de lijn zat, het openen van de koelkastdeur en de doffe plof wanneer ze die te hard met een elleboog liet dichtklappen, het klakje wanneer ze een blikje opentrok.

Joop bleef zitten tot het vuur was gedoofd.

# | 8 |

Na een rusteloze nacht en een wandeling over het betonnen lint als deelnemer aan de processie van joggers, skaters, snelwandelaars en fietsers bereikte hij om halfelf de Santa Monica Pier. In de motregen liep hij naar het Carmel, het bescheiden toeristenhotel op Second Street. Bij de receptie noemde hij haar naam, wachtte tot de man haar kamer had gebeld en hem de hoorn aanreikte.

'Joop?' vroeg Linda slaperig.

'Maak ik je wakker?'

'Ik lag nog een beetje te doezelen,' zei ze om hem niet af te schrikken.

'Ik was in de buurt en ik dacht, ik ga even kijken of je er bent.'

'Goed idee,' zei ze.

'Koffie drinken?' vroeg hij. 'Of ontbijt. Je hebt nog niet ontbeten, neem ik aan.'

'Ja. Goed,' zei ze.

'Broadway Deli, op de hoek met de Promenade.'

'Oké. Geef me even een kwartier, goed?'

'Halfuur?'

'Ja, halfuur. Broadway Deli,' herhaalde ze met een stem vol slaap.

De Deli is een instituut in Santa Monica, een luidruchtige, rechthoekige hal met een open keuken waar tientallen Latino's voor fornuizen met hoge vuren heen en weer rennen om op enorme borden bergen voedsel te laden. De hal is voor de helft gevuld met strakke *booths* en tafels; de andere helft bestaat uit een winkel waar de plaatselijke elite met baar goud het kostbare ovenverse brood en de uit Europa geïmporteerde worsten en kazen aanschaft. In het winkelgedeelte is ook een cafetaria met een brede tafel op hoge poten. Joop wachtte zittend op een kruk en keek naar het grote tv-toestel boven de bar die de winkel van het restaurant scheidde. Alle tafels waren bezet, tientallen mensen bevonden zich in de winkel. Bij de *maître d'*, die naast de bar een eigen plek had vanwaar hij de toegang tot het restaurant beheerde, wachtte een kleine menigte jonge paren en gezinnen met kinderen. Bij binnenkomst had Joop gereserveerd. Wachttijd een klein halfuur, had de *maître d'* gewaarschuwd. De herinneringen lagen op de drempel van zijn bewustzijn, maar hij was in staat ze te weerstaan.

Plots hoorde hij Linda's stem. 'Goed idee, Joop.'

Ze verscheen naast hem. Onder de zonneklep van een baseballcap zag hij uitgeruste ogen, roodgelakte lippen. Ze kuste hem op de wang en drukte daarbij de klep tegen zijn oor. Misschien vond ze het vervelend wanneer ze om haar korte haar werd aangestaard.

'Ben ik te laat?'

'Nee. We staan op de lijst. Ik ga vragen hoe lang het nog duurt.'

'Wacht even,' zei ze, en streek even achteloos als vertrouwelijk met een duim over zijn wang.

Had ze haar lippen gestift om hem te behagen? De lipstick

benadrukte dat ze een mooie mond had. Ooit was hij bezeten geweest van haar tong. Hij stond op en trok de aandacht van de *maître d'*. Deze hief beide handen en toonde tien vingers. 'Tien minuten nog,' zei hij toen hij weer naast haar stond. 'Wil je iets drinken?'

'Dit is jouw koffie? Ik neem wel een slokje.'

Ze droeg een zwarte rok die tot op haar knieën viel, een donkergroene wollen trui met v-hals, een donkergrijs nylon sportjack en sportschoenen. Geen attributen of kledingstukken van leer. Vandaag geen rituele oranje lappen.

Ze zette de beker neer en greep zijn hand.

'Goed van je,' herhaalde ze verrukt.

'Ik was gaan wandelen, ik dacht...'

'...Dit is heerlijk weer om te wandelen. Ik loop graag als het regent zoals nu, in die fijne druppeltjes. Heb je vandaag veel te doen?'

'Niets,' zei hij.

'Ik ook niet.'

'Misschien kunnen we straks ergens naartoe,' stelde hij voor, en hij probeerde niet te opdringerig te klinken. 'Film of zo.'

'Altijd goed.'

'Vanavond gaan we naar Spago in Beverly Hills. *Star gazing*, tenminste als je daarvoor in de stemming bent. Overdadig, een tikkie vulgair, maar spannend.' Hij had gistermiddag gebeld en had tot zijn verrassing een tafel gekregen. 'En het eten is het beste in de stad.'

'Sterren en oesters,' zei ze, als een meisje opgewonden in zijn hand knijpend, 'klinkt als een hele foute film. Boterham met pindakaas is ook goed, Joop.'

'Weet ik, maar... we hebben elkaar zo lang niet gezien... iets feestelijks, dacht ik.'

Ze had hem een keer een komkommer laten gebruiken als

afkoop van de penetratie waar hij wekenlang om gesmeekt had. Zijn vader had gelijk gehad. Op school, op straat en in bed kon hij aan niets anders denken. Bij het avondeten lagen de schijfjes in de sla.

Ze kregen een *booth* voor het raam aan de straatkant. Broadway op zaterdag. De SUV's, stationwagons en cabrio's stonden in dubbele rijen te wachten voor de inrit van de parkeergarage. Ze hield de cap op haar hoofd, maar trok haar jack uit. De trui spande strak om haar borsten. De v-hals van haar trui liet een deel van haar sleutelbeenderen vrij, de huid van haar hals leek nog net zo glad als drie decennia geleden. Ze had zich kennelijk moeite getroost om haar lichaam jeugdig te houden.

Ze bestelden. Linda vertelde over de afspraken die ze gisteren had afgewerkt. Over het regelen van meditatiecursussen voor managers. Over haar inzet voor het klooster in Dharamsala. Het ontging hem waarom iemand die zo zinnelijk was haar leven had ingericht rond pogingen zichzelf op te heffen. Toen zij vroeg of ze hem een inleiding over meditatie moest geven, antwoordde hij dat hij er te oud voor was.

'Lijkt me zoiets als zwemmen,' zei hij, 'als je er niet op tijd mee begint komt het nooit goed.'

'Je weet er niets van.'

'Misschien niet,' gaf hij toe, 'maar ik weet niet of het de bedoeling is dat ik begrijp wat jou in het boeddhisme aantrekt. Ik heb niets met goden.'

'Joop, het boeddhisme kent geen god,' zei ze vergevingsgezind.

'Geen god? Wat heb je aan een religie zonder god?'

'Alles,' antwoordde ze bijna zingend.

Hij ontbeerde dat vertrouwen. Hij benijdde haar.

Hij vroeg: 'Er bestaat in het boeddhisme toch zoiets als reincarnatie?'

'Ja. Maar het doel is niet om terug te komen. Het uiteindelijke doel is om weg te blijven.'

'In het paradijs?'

'Het nirwana. Maar niet op de joods-christelijke manier. In feite is er geen leven na de dood.'

'Geen god en geen leven na de dood – en dat noem je een religie?' De spot kon hij niet verhullen.

'Dat heb ik al honderden keren gehoord. En gelezen. Toch is het zo. Maar zie het boeddhisme, zoals Walpola Rahula zegt – hij is een grote leermeester – meer als een therapie dan als een filosofie. Een therapie die de feiten van het leven voortdurend relativeert.'

'En voor jou werkt dat?'

'De laatste tijd wat minder. Toen ik ziek was, ja. Het boeddhisme heeft me genezen van mijn hartkwaal. Maar het laatste jaar was anders. Ik heb het gevoel dat ik niet ver genoeg ben. En daarmee bedoel ik: dat ik niet over de wijsheid beschik waarmee ik het laatste jaar had kunnen verdragen.'

'Jij denkt dus dat er wijsheid te vinden is buiten kennis?'

Mirjam zou hem schaterend hebben uitgelachen om zijn vraag.

'Wat leert het boeddhisme? Dat het leven synoniem is aan lijden. Geboren worden is lijden, sterven is lijden, alles is vervuld van lijden. En waarom? Omdat we begeren. Lichamelijk zowel als geestelijk. En daarvan kun je je bevrijden, leren de meesters. Hoe? Door het achtvoudige pad.'

Ze liet hem haar handen zien en haar vingers telden: 'Juist inzicht. Juist denken. Juist spreken. Juist handelen. Juiste vorm van levensonderhoud. Juiste inspanning. Juiste oplettendheid. Juiste meditatieve concentratie.' En ze hield de acht vingers voor hem omhoog.

Hij schudde afwijzend zijn hoofd, boog zich naar haar over en toonde haar op zijn beurt zijn handen. 'Maar we hebben tien vingers, niet acht. Linda, tien vingers! Waarom heb je het over acht paden? Waarom niet tien of zeven? Het klinkt allemaal zo willekeurig. En zo abstract en bangig. We hebben tien vingers. Het is niet anders.'

'De weg is achtvoudig, niet tien,' zei ze met schroom, in verwarring over de heftigheid van zijn verweer. 'Waarom heeft een watermolecuul twee waterstofatomen en één zuurstof?'

'Wat jij zegt heeft niets met scheikunde te maken.'

'Met de grondslagen van het leven,' zei ze.

'Ik zie dat anders,' zei hij in een poging om een escalatie te voorkomen. Ze was maf.

Ze boog haar hoofd en de klep van de cap verborg haar ogen. 'Ik ben niet zo sterk als jij.'

'Ik sterk?' hoonde hij. 'Nee. Maar blijkbaar werkt die meditatie voor jou. Ik mag daarover geen oordeel hebben. Dat is jouw leven.'

'Jij bent sterk,' beweerde ze opnieuw. Ze hief haar hoofd en keek hem vastbesloten aan. 'Zonder meditatie kan ik niet overleven.'

Aan hun tafel dook een Latino met hun borden op. '*Lox, right?*'

'*Right*,' zei Joop.

Grote borden met rijk voedsel. Vette plakken zalm. Dikke plakken geroosterd brood. Warme *scrambled eggs*.

'Met meditatie leer je om jezelf te observeren,' zei Linda nadat de jongen de borden op tafel had geschoven. 'En je probeert de onzuiverheden op te ruimen. Zoals haat, begeerte, twijfel, boosheid.'

'Dus alles wat het leven en de literatuur interessant maakt.'

'Er zijn talloze boeddhistische schrijvers!'

'Maar stel je voor: een verhaal zonder begeerte of haat of jaloezie!'

'Over het overwinnen van die zwakten, daar kan een verhaal over gaan.'

'Een sprookje.'

'De mensheid kan niet zonder sprookjes.'

'Omdat het leven hard en wreed is.'

'Nee, omdat ze *deep down* weten dat er een uitweg is,' zei ze beslist. Ze staarde naar haar bord: 'De Boeddha zegt in de Alagaddupama-sutra het volgende...'

'Zeg dat nog een keer: Alaga...'

'Allagaddupama. In deze sutra zegt de Boeddha: de theorie van de ziel zou acceptabel zijn wanneer daardoor geen smart of lijden of pijn zou ontstaan. Maar bestaat zo'n theorie? Zijn antwoord is: "Nee, ik ken geen theorie van de ziel die geen smart of lijden of pijn zou doen ontstaan." Maar ik heb dit jaar niets anders gedaan. Ik weet niet meer of er geen ziel bestaat. Het afgelopen jaar heb ik niets anders ervaren dan een wereld die tot de nok toe gevuld is met zielen.'

'En dat betekent?'

Ze keek weer in zijn ogen en hij zag dat ze onzeker werd. 'Dat betekent dat ik veel wakker heb gelegen – niet vannacht, hoor – me moeilijk kan concentreren – me te vaak met het verleden bezighoud.'

'Het verleden?'

Haar ouders waren bij een auto-ongeluk om het leven gekomen. Zij was zestien. Na een paar maanden in een tehuis ontfermden zijn ouders zich over haar. Zij was het enige familielid aan zijn moeders zijde. Linda's grootvader en Joops grootvader – beiden in Polen vermoord – waren broers. Op haar zestiende, onbeschermd, onvoorbereid, beleefde zij wat hij nu had beleefd.

Hij zei: 'Je ouders? Je bedoelt het ongeluk?'

'Het was zelfmoord,' zei ze nuchter.

'Ik heb altijd gehoord...' fluisterde hij onthutst.

'Hadden je ouders je wat anders moeten vertellen?' vroeg ze opeens fel. 'Mijn ouders hebben er een einde aan gemaakt. Ik ben gered omdat ik vlak ervoor gesnoept had. Me volgepropt met drop. Er was al een hoop opgenomen, maar het was net niet fataal. Mijn ouders hadden een lege maag. In de soep, echt waar. Gif in de soep.'

'Ze vertelden me, een auto-ongeluk,' zei hij. 'En je was in een tehuis...'

'Eerst soep. Toen het ziekenhuis. Drie weken. Toen een kindertehuis, onder toezicht van de kinderbescherming. En toen bij jullie.'

Hij voelde medelijden met haar en begreep nu ook waarom dertig jaar geleden zijn moeder ondanks de deconfiture Linda in huis had willen houden. Ze waren door zijn vader in bad gesnapt en beweerden dat ze niets hadden gedaan, maar de schande was grenzeloos. Nadat hij aanvankelijk de schuld op zich had genomen ('Het was mijn idee, Linda wilde eerst helemaal niet, we hebben echt niks gedaan!'), had Joop zich zwak bij het besluit van zijn vader neergelegd en vervolgens gaf zijn moeder haar verzet op. Achteraf gezien had zijn vader gelijk: als Linda bleef zou hij zijn middelbare school verkwanselen en daarmee zijn toekomst. Wat zou hij hebben gedaan als hij Mirjam in de badkamer met een jongen had betrapt?

Hij zei: 'Een ongeluk was al erg genoeg, maar – waarom hebben ze het gedaan?'

'Ik denk – mijn vader was de helft van een tweeling. Hij had een zusje. Ze is nooit teruggekomen. Hij heeft al die tijd naar haar gezocht. Maar toen, na al die jaren, kreeg hij duidelijkheid. Het Rode Kruis had toch informatie over haar gevonden. Ik denk dat hij er niet mee kon leven. Hij was al jaren erg depressief. En daarbij: het was '69, ze dachten echt dat de wereld elk moment door een atoomoorlog kon worden vernietigd. Ze spraken daar vaak over, ze waren pacifisten, lid van de PSP, over de dreiging, dat het in Vietnam uit de hand zou lopen tussen Amerika en China. Ze konden de wereld niet aan. Ze waren ervan overtuigd dat alles kapot zou gaan. En toen – toen kwam er nog iets bij, alsof het allemaal nog niet genoeg was: mijn moeder hoorde dat ze een tumor had. Ze gaven het gewoon op. Vorig jaar was ik net zo oud als mijn moeder toen ze het deden. Dingen kwamen terug. Het werd een verdrietig jaar. Ik heb jou nog geschreven, een paar maanden geleden.'

'Ik weet 't. Ik heb niet geantwoord. Sorry. Je brief lag klaar, nog steeds trouwens.'

'Je hebt me wel een kaartje gestuurd toen ik je over je dochter had geschreven. Maakt niet uit. Jij bent de enige familie die ik heb, weet je dat?'

'Heb je geen kinderen?'

'Nee. Kon niet. Ik bedoel, fysiek wel, maar – ik was er niet geschikt voor.'

'Nooit getrouwd geweest?'

'Een paar lange relaties. Maar geen huwelijk. Heb ik ook nooit gezocht, moet ik zeggen.'

'Ja, we zijn familie,' zei hij, verrast over de simpele constatering. Hij dacht dat hij alleen was, maar Linda beschikte over nabije genen.

'Weet je,' zei hij zacht, 'ik ben blij dat je me hebt opgezocht.'

Over de tafel greep hij haar hand en hij streelde haar vingers alsof ze minnaars waren. Hij wilde haar troosten.

Ze glimlachte.

'Waarom ben je alleen?' vroeg ze zonder omhaal.

Ze bewoog haar hand en hij dacht dat ze zich aan zijn greep wilde ontworstelen, maar ze strengelde haar vingers om de zijne.

Hij had geen ander antwoord dan een tegenvraag: 'Die vraag kan ik ook aan jou stellen.'

'Tot een jaar geleden was ik weinig alleen. Toen had ik geen zin meer.'

'Waarin?' vroeg hij.

'In mannen. Alles kwam tot stilstand. Tot eergisteren.'

'Wat gebeurde er toen?' vroeg hij zakelijk.

Ze tilde zijn hand op, boog zich naar voren en drukte er haar lippen op.

'Jij,' zei ze zacht.

O Mirjam, dacht hij, vergeef je me? Mag ik dit ervaren? Een moment je levende hart vergeten?

Ze kon hem niet lang aankijken, keek voortdurend weg naar zijn hand. 'Toen ik je zag... ik was er niet op voorbereid, was er niet mee bezig. Ik vond het... vanzelfsprekend om je op te zoeken. Zeker op dit moment, met de ellende van... van wat jou is overkomen.' Ze keek weg. 'Ik zeg dingen die ik niet moet zeggen. Let er niet te veel op, het is... ik ben net wakker, ik weet niet wat ik me in m'n hoofd haal.'

'Ik ook niet,' zei hij, en hij vroeg zich af of hij nu verliefd werd. 'Je zegt vreselijke dingen.'

'Ja, het is vreselijk, ik weet het.'

'Je hebt nog niks gegeten,' zei hij.

Ze knikte, liet zijn hand los en nam het bestek op. Ze keek hem even met een schuldige glimlach aan – of was het medelijden? – toen ze haar vork in de gerookte zalm prikte.

Ze vroeg waaraan hij op dit moment werkte. Het bracht hem in verlegenheid, zei dat er een paar dingen waren die hij onderzocht en dat het hem moeite kostte om zich te concentreren, maar maandag zou hij aan een klus voor Showcrime beginnen. Wat niet helemaal met de waarheid strookte. Hij wilde weten hoe ze aan zijn adres was gekomen. Van Ellen. Tijdens haar verblijf in Nederland had ze haar gesproken. Van een vriendin in Den Bosch had ze gehoord met wie hij getrouwd was geweest. Ze had Ellen gebeld en van haar zijn adres gekregen.

'Je hebt me nog steeds niet geantwoord,' zei ze. 'Waarom ben je alleen gebleven? Accepteerde Mirjam je vriendinnen niet?'

'Jawel, maar – ze bleven op afstand. Dat was niet mijn opzet, en die van Mirjam ook niet. Het gebeurde. Met ons tweeen konden we de wereld aan.'

'Was het niet lastig, toen de puberteit begon, een vader en een dochter?'

'Ja, het was vreemd toen ze in een vrouw begon te veranderen. Toen ze ongesteld was geworden had ze Ellen nodig. Ze belden in die tijd regelmatig met elkaar. Op een middag – ik had een afspraak in de stad – was Mirjam alleen thuis en ze belde me. "Pap, je moet iets voor me doen." "Wat?" vroeg ik. Ze zei dat ze haar vriendinnen gebeld had, maar niemand was thuis en nu was er een ramp gebeurd. Een ramp. "Welke ramp dan?" vroeg ik, botte man. "Papa, ik heb iets nodig en ik kan de straat niet op." De straat niet op? Toen begon het te dagen. "Zo erg?" vroeg ik. "Heel erg, pap," zei ze, "een stortvloed, Noach." Overdrijven deed ze graag. "Wat heb je nodig?" "Tampax, *heavy duty*," zei ze. Vanaf dat moment was het iets waarover ze stoer kon klagen, wat deel werd van haar en mijn leven en waarvoor ze zich niet geneerde. Niet dat ze me er in geuren en kleuren bij betrok, maar ze meldde het wanneer het zover was. "Wat je allemaal moet doormaken voor je eitjes," zei ze dan.'

Als een roofdier besprong de rouw hem. Hij liet zich verscheuren. Hij verborg zijn gezicht in zijn handen, perste zijn handpalmen tegen zijn ogen en ademde een paar keer diep in.

'Niets aan de hand,' klonk uit zijn dichte keel. 'Een seconde.'

Opeens voelde hij dat Linda naast hem op de bank schoof. Ze sloeg een arm om zijn hals, trok zijn hoofd naar zich toe en kuste hem op de mond, een paar keer achter elkaar alsof ze het terrein verkende, en opende toen haar lippen om hem haar tong te geven.

Door de regen haastten ze zich naar haar hotel, tweehonderd meter verder, elkaar angstvallig vasthoudend alsof ze bang waren dat ze zouden vallen als ze niet op elkaar steunden. Ze holden de trap op naar de derde verdieping. Het onderhoudskarretje van het kamermeisje stond een paar kamers verder voor een open deur. Met trillende vingers zocht Linda haar sleutel, trok hem de kamer in, die door de gesloten gordijnen nog in schemer was gehuld, trapte met haar voet de deur achter zich dicht en wierp haar cap in een hoek. Ze opende haar mond alsof ze dorst had. Terwijl ze hem kuste sjorde ze zijn gulp open.

Ze nam hem mee naar het onopgemaakte bed, dat twee stappen verwijderd was van de deur, en liet zich met hem op de lakens vallen. Ze schoof haar schoenen uit, sloeg haar rok op en trappelde zich uit haar slipje terwijl Joop zich op zijn rug draaide en zijn broek afstroopte. Ze kroop op hem en wonderlijk genoeg dacht hij niets. Net als vroeger verscheen er in haar omarming geen enkele gedachte.

# | 9 |

Terwijl Linda in de badkamer was, belde Joop met Philip. In de Broadway Deli had hij Linda verteld dat hij een film voor Showcrime zou schrijven. En dus moest hij Philip bellen als hij wilde voorkomen dat zijn opmerking over Showcrime een holle leugen bleef. Hij wilde sterk zijn; wie verliefd wordt op een vrouw als Linda kan ook de rest van het joodse volk dienen. En daarbij kwam dat hij niet alleen behoefte had aan een nieuw dagritme – Erroll had definitief zijn huis verlaten, Linda zou overdag met Usso op stap zijn – maar ook aan geld. De roes die hem een nacht lang gedragen had kon die waarheid niet wegvagen. Op zijn rekening stond nog een paar duizend dollar, waarmee hij, als hij zuinig was, twee maanden kon doorkomen. Maar niet als hij een paar weken met geld ging smijten. Bij Spago hadden ze voor meer dan tweehonderd dollar gegeten, vanavond zouden ze naar Il Cugini op Ocean Avenue gaan, en vermoedelijk zouden ze elke avond ergens gaan eten. Hij was een man van traditie die de rekening van het restaurantbezoek voldeed. Zonder het vooruitzicht van een opdracht zou hij door zijn toegenomen uitgaven over een paar weken aan de grond zitten. Het was ondenkbaar dat hij de sieraden van zijn moeder verkocht. Zijn huis was bijna afbetaald en hij kon de hypotheek verhogen, maar hij wilde voorkomen dat hij niets kon aflossen en het huis moest opgeven om in de dagelijkse kosten te voorzien. Na het ontbijt bij de Broadway Deli, na Linda's hotelkamer, de wandelingen in de regen op het strand, de zoektochten in de boekwinkels op de Promenade en het diner bij Spago, had hij de omtrekken van een ander, haast vergeten leven teruggezien. Ondanks de lege agenda in Mirjams kamer.

Hij vroeg aan Philip: 'Waar is dat kantoor ook alweer?'

'Sunset. Je doet het?'

'Ja.' Ook al waren er talloze steekhoudende redenen om het niet te doen. Waarover hij zweeg.

'Dank je wel,' zei Philip.

'Wacht daar nog even mee. Je zei dat Showcrime een contract zou sturen.'

'Krijg je morgen. Wanneer wil je beginnen?'

'Morgen.'

'Morgen? Het is bij jou hollen of stilstaan. Maar goed, morgen. Kunnen we elkaar vandaag nog even zien?'

'Ik ben de hele dag bezig, Philip.' Hij zou bij Linda blijven.

'Je moet de sleutel krijgen.'

'Laat Danny hem even langs brengen. Ik ben straks om vier uur even thuis. Weet je wat ze bieden?'

'Honderd.'

'Goed. Ik zie het morgen wel.'

's Middags liet hij Linda in het hotel achter, trok thuis schone kleren aan en schoor zich. Om vier uur precies belde Danny aan. Joop kreeg de sleutel van het kantoor, het precieze adres en aanwijzingen over het functioneren van de alarminstallatie. En een nieuwe mobiele telefoon, hetzelfde type Motorola dat hij gebruikte.

'Doe je simkaart hierin,' legde Danny uit. 'En leg de telefoon op tafel wanneer het zover is.'

'Wat zit erin?'

'Niks bijzonders. Als wij willen kunnen we meeluisteren, ook als je niet belt.'

'Hoe heet die uitvinder van de wapens en gadgets in James Bond-films ook alweer?'

'Cohen. Of Polak,' antwoordde Danny.

# 10

Op de Sunset Strip tussen Doheny en La Cienega wemelde het van kleine en grote kantoren van advocaten, agentschappen en filmproductiebedrijven. In de hotels en restaurants heerste continu de tintelende verwachting dat een ster kon binnenschrijden, of een *power agent* of de *casting director* die ieders nummer in zijn of haar agenda had staan. Wie een eenvoudige werkkamer op Superba Avenue in Venice verruilde voor een luxueuze kantoorsuite op de Strip was toe aan een Brioni-kostuum, de nieuwste Porsche Carrera, een Nokia met de laatste gadgets, een Mont Blanc Meisterstück, en een *gym* om de staalharde buikspieren op peil te houden. Joop kon zich dat alles niet veroorloven.

Zijn kleine kantoor keek uit op de flauwe bocht die Sunset halverwege de Strip naar het noordoosten maakte, op de drukke kruising met Holloway Drive waar de groene middenberm begon die de verkeersstromen op dit stukje Strip van elkaar scheidde. Als hij naar buiten keek, zag hij aan zijn linkerhand het zwarte pand van Tower Records en aan zijn rechter de grauwe vlakken van de oorspronkelijke postmoderne vestiging van Spago, die inmiddels in populariteit was overschaduwd door het nieuwe filiaal in Beverly Hills, waar hij met Linda aan een zijtafel had gegeten, de plek voor anoniemen en machtelozen. Aan de overkant van Sunset, achter Tower en Spago, glooiden de heuvels naar de toppen van de Santa Monica Mountains, zoals de bergrug heette waarvan de Hollywood Hills een onderdeel vormden. Elke beschikbare plek was bebouwd.

Zijn kersverse werkruimte mat drie bij drie meter, er stonden een tafel, twee bureaustoelen, een bank en een telefoon. Op het bureaublad lag het contract met Showcrime. Een briefje van Jeff Silberman erbij: '*Dear Joe Merchant*, we zijn blij dat je een aflevering wilt schrijven voor de reeks Showcrime van ons *network*.'

Een opdracht zonder tussenkomst van een agent kwam zelden voor. En het ondertekenen van een contract zonder tussenkomst van een advocaat kwam evenmin vaak voor. Maar het was wel normaal dat schrijvers een kantoor van hun opdrachtgever kregen aangeboden. De studio's huisvestten hun topschrijvers vaak op hun eigen studioterrein in een van hun kantoorcomplexen, of bekostigden de huur van een kantoor – in LA al snel *suite* genoemd – elders in de stad.

Onderbroken door een bezoek aan Primavera (tweehonderd meter door de stromende regen, maar hij trof Sandra noch Omar aan) bracht hij de eerste dag door met het lezen van het twee centimeter dikke contract, maakte aantekeningen en stuurde het terug naar Silberman. Het regende de hele dag en op de terugweg kwam hij terecht in een onwrikbare file op de Freeway tussen Robertson en de bocht aan de kust. Linda had de receptie gemeld dat Joop ook als ze er niet was haar kamer kon betreden, en liggend op haar bed wachtte hij tot zij binnenkwam en zich op hem liet vallen. 'Ik heb de hele dag aan je gedacht,' zei ze, 'en ik heb zo het gevoel dat jij de hele dag aan mij hebt gedacht.' Ze ging op bed staan, trok haar broek uit, zakte door haar benen en liet zich met ingehouden adem op hem zakken. Laat op de avond aten ze bij Il Fornaio tegenover de Pier.

De daaropvolgende dag, dinsdag zevenentwintig februari, verliet Joop 's ochtends het hotel, ging naar zijn huis in Venice, trok schone kleren aan en in de keuken dronk hij cappuccino en las hij de *Times* tot de file op de Freeway was opgelost.

Rond halftien ging hij op weg naar de Strip en hij parkeerde veertig minuten later zijn oude Jaguar in de parkeergarage onder in het gebouw. Bij de Book Soup, de boekwinkel naast zijn kantoor, kocht hij kranten en tijdschriften en tot het één uur was en hij van zichzelf het gebouw mocht verlaten staarde hij naar de heuvels. Bij Primavera werd hij door Sandra naar zijn tafel gebracht: '*Hi*, Joop, leuk dat je er weer bent. Zelfde tafeltje?'

Toen de kantoorgebouwen begonnen leeg te stromen, reed hij terug naar hotel Carmel in Santa Monica en wachtte tot Linda verscheen.

Woensdag achtentwintig februari verliep net zo. Het bleef fris, het motregende, een enkele keer scheurden de wolken open en warmde de zon de straten op.

# | 11 |

Op de stoel die Sandra hem de afgelopen dagen had gegeven, aan het tafeltje achter in de hoek, zat op donderdag één maart Omar van Lieshout. Over Sandra's schouder heen herkende Joop hem van de foto's die Philip had getoond. Een aristocratisch ogende Noord-Afrikaan met donkerbruin haar, opvallend blauwe, arrogante ogen, een vrouwelijke mond en hoekige kaak; iemand die zowel sterk en slim als met zichzelf ingenomen was. Uit de mouwen van zijn dure colbert staken hagelwitte manchetten met gouden knopen. Hij nipte van een glas water, een sterke, behaarde hand.

'*Hi*, Joop. Weer alleen?' vroeg Sandra.

'Ja.'

'Je plek is weg. Tafeltje ernaast is vrij. Oké?'

'Uitstekend.'

Hij volgde haar tussen de tafeltjes door, maar hij had opeens geen behoefte aan een lunch. Tot nu toe was Omar een naam geweest, een gezicht op foto's. Hij had, stelde hij nu vast, wel op een verstandelijke manier geweten wat hem te wachten stond, maar er zich nooit rekenschap van gegeven dat hij van de ene op de andere seconde bijna in paniek zou raken.

Bij zijn tafeltje aangekomen zei hij: 'Even naar de wc.'

'Moet ik je iets te drinken brengen?'

'Pellegrino.'

In de wc waste Joop krampachtig zijn handen. Je hoeft niets te doen, had Philip bezworen, je gaat daar elke dag lekker lunchen, je wacht af, je ziet wel en de rest van de dag werk je in je eigen kantoor aan een script. Het waren abstracties. Tot nu. Een levende man. Een ademende, etende man. En wat zou Joop moeten doen als Omar vragen ging stellen? Vertel de waarheid, altijd de waarheid vertellen, had Philip benadrukt, maar nooit de hele waarheid. Joop wist dat deze onderneming in een ramp zou uitmonden. Hierop was hij niet gebouwd.

Iemand rammelde aan de deur. Joop droogde zijn handen en liep het restaurant in. Hij liet er zich niet toe verleiden een blik op Omar te werpen, legde zijn mobiele telefoon – zijn oude, hij weigerde om met een James Bond-attribuut op stap te gaan – op het door Sandra aangewezen tafeltje en nam vervolgens plaats in de smalle ruimte tussen de tafelrand en zijn achterbuurman. Als hij zijn ogen zou opslaan kon hij Omar frontaal aankijken. Een flesje Pellegrino wachtte, naast de menukaart. Hij probeerde de namen van de gerechten te ontcijferen, maar gaf de interpretatie van de vlekken die letters moesten zijn op toen het tot hem doordrong dat hij de afgelopen dagen de kaart al uitvoerig had bestudeerd en inmiddels uit het hoofd kende.

Sandra vroeg: 'Behoefte aan de *special* vandaag?'

Ze stond naast hem en hij voelde – het was geen voelen: ergens aan de periferie van zijn blikveld zag hij het – dat de Nederlandse woorden Omar deden opkijken.

'Heb je vandaag *vongole*?'

'Nee. Wel een mooie saus van mosseltjes, rivierkreeftjes, ansjovis. Echt lekker.'

'Oké. En doe ook maar een glas Merlot.'

'Goeie keus,' zei ze voordat ze verdween.

Joop toonde haar een geforceerde glimlach en opende de *Hollywood Reporter*. Ze hadden bij de kiosk van de Book Soup vandaag ook *De Telegraaf* gehad, maar hij had besloten dat zoiets argwaan wekte. Doe niets wat je anders ook niet doet, had Philip aangeraden, dus had hij zojuist een van de twee dagelijks verschijnende vakbladen aangeschaft en *De Telegraaf* laten liggen, ook al was zijn belangstelling naar nieuws uit de polder nooit helemaal verdwenen en had hij – de laatste keer was inmiddels maanden geleden – de sites van Nederlandse kranten bijgehouden.

Nieuws over successen en megadeals vulden de pagina's van de vakbladen. Vijf keer hadden ze zijn naam bij een transactie genoemd; vermelding in de vakbladen was van belang in deze stad. Wanneer de *trades* over je schrijven ben je een *player*. Maar hij had geen agent, geen publiciteits- of zakelijk manager. In feite was hij uitgerangeerd. De maanden voor Mirjams ongeluk had hij zichzelf dagelijks de vraag gesteld hoe hij in de nabije toekomst in hun levensonderhoud kon voorzien wanneer de laatste buffer was opgedroogd. Zoals velen had hij het geld dat hij bezat in een IT-avontuur gestoken en zoals velen was hij te laat tot de ontdekking gekomen dat de resultaten niet strookten met de verwachtingen. Toch had hij, als Mirjam er nog was geweest, Philips aanbod naast zich neergelegd. Het was buiten elke orde dat hij zijn kind aan ook maar het geringste gevaar zou blootstellen. Nu leek het aanbod hem financieel te redden. Het aanbod van Erroll liet hij buiten beschouwing, omdat het tegen alle redelijkheid in ging. De duistere ironie van het lot.

De telefoon piepte de eerste maten van het Wilhelmus. Zijn

blik kruiste even die van Omar, die hem met een glimlach bekeek. Joop antwoordde met een kort knikje.

'Hallo?' zei hij.

'Mister Koepm'n?' Een vrouwenstem, maar niet Linda.

'Spreekt u mee.'

'Debby Brown. Kan ik u storen?'

De afgelopen dagen had hij niet één keer aan de vraag gedacht die hij haar had gesteld. Dit gebeurde er dus met trouw aan je kind wanneer je je tussen de dijen van een vrouw begaf. Nog geen tien weken geleden was Mirjam vertrokken en nu al was hij in staat om iets anders dan onversneden rouw in zich toe te laten.

Hij draaide zich naar de muur en boog zich zo ver mogelijk voorover, zich aan de oren van anderen onttrekkend.

'Ja, zegt u het maar,' zei hij beschaamd. Dit was een onhandig moment, maar hij wilde weten wat zij hem te vertellen had.

'We hebben de procedure in werking gesteld en de centrale heeft contact gelegd met de familie van de ontvanger van het orgaan van uw dochter. Maar ik moet u meedelen dat het antwoord negatief is.'

'Hoe bedoelt u, negatief?'

'Negatief is dat de ontvanger geen prijs stelt op directe communicatie.'

'We hoeven niet te communiceren,' antwoordde hij bars. 'Ik wil alleen maar dingen weten. Feiten. En misschien één keer een gesprek. Ik denk dat zoiets... dat dat louterend kan werken.'

'Mister Koepm'n, ik ben het geheel met u eens. Maar als de ontvanger niets wil dan is daar weinig aan te doen.'

'De ontvanger lijkt me niet in de positie om iets of niets te willen. Dat moet voorbehouden zijn aan de families van de donoren,' antwoordde hij verontwaardigd.

'Misschien heeft u gelijk, maar dit zijn de regels. Communicatie moet van twee kanten komen. U kunt weigeren, zij ook.'

'Hebben ze een reden opgegeven?'

'Dat hoeft niet. Er zijn ontvangers die graag contact willen, want ook zij weten dat zij hun leven te danken hebben aan de ramp die anderen heeft getroffen. Maar er zijn ook ontvangers die juist om die reden elke vorm van communicatie mijden. Het is te pijnlijk voor ze. U heeft pech.'

'Ik vind de term "pech" onder deze omstandigheden nogal stuitend.'

'Het spijt me.'

'Kan ik in beroep, of iets dergelijks?'

'Nee. Wat wel kan, en dat gebeurt in dergelijke gevallen vaak, is dat u het over een jaar nog een keer probeert.'

'Probéért? Het gaat niet om kaartjes voor een popconcert, mevrouw Brown.'

'Het spijt me dat het zo gaat, maar het komt nooit voort uit boosaardigheid, mister Koepm'n. De mensen zijn bang voor de emotie, voor de confrontatie met de oorsprong van het orgaan.'

'De oorsprong van het orgaan,' herhaalde hij. 'Hoe bent u aan deze job gekomen? Zijn er opleidingen voor?'

'Natuurlijk moet je een opleiding volgen.'

'En wat is u geleerd als u te maken krijgt met mensen zoals ik?'

Ze bleef even stil, op zoek naar een antwoord waarmee ze afstand behield zonder hem te krenken.

'Mister Koepm'n, wij denken niet in gevallen en in schema's. Wij denken in individuen. Wij proberen aan uw wens te voldoen omdat wij terdege beseffen hoe zwaar u 't heeft. Het probleem is natuurlijk...'

'...dat er ook een andere partij is,' vulde aan hij. 'Het is harteloos. Nogal op z'n plaats, deze term, vindt u niet?'

'Ik kan daar geen commentaar op geven, het spijt me. Maar als u wilt zal ik echt mijn best doen om de centrale ervan te overtuigen dat ze de ontvanger nog een keer benaderen.'

'Willen ze geld?'

'Geld speelt in deze dingen nooit een rol.'

'Ik vind dat ik het recht heb om te weten wat er gebeurd is, vindt u niet?'

'Emotioneel, zeker. Maar het systeem werkt zo niet.'

'Wanneer hoor ik weer van u?'

'Zo snel mogelijk, mister Koepm'n. Ik ga meteen bellen.'

'Graag.

'Sterkte, mister Koepm'n.'

Hij verbrak de verbinding. Deze nachtmerrie was alleen mogelijk doordat de wetenschappen de kennis en techniek ontwikkeld hadden. Een nieuw hart bood een levensverwachting van tien jaar. Het was bijna een routine-ingreep geworden. De leveranciers waren overwegend jonge mensen in autowrakken en die nacht was hij niet in staat geweest om te beoordelen wat de artsen hem vertelden. Ze was hersendood verklaard, de computers gaven geen activiteiten aan. Hoe kon hij weten of dat definitieve, onherroepelijke en onomkeerbare feiten waren? Misschien keerden mensen uit het niets terug en zouden ze een dag later de ogen openen. Hij had gelezen over comapatiënten die na vele jaren ontwaakten. Ze hadden hem uitgelegd dat er twee van elkaar gescheiden werkende teams waren, zodat er geen belangenverstrengeling kon ontstaan. Maar ook dat was slechts een verhaal – dat hij niet gecontroleerd had.

'*Pasta di mare*,' zei Sandra.

'Dank je wel,' zei hij.

'Wat parmezaan?'

'Graag,' zei hij werktuigelijk. Hij hoefde geen kaas. Geen

mosselen of rivierkreeftjes. Hij wilde vasten. Zich straffen voor het gebrek aan zorg om zijn kind.

Sandra zette een schaaltje met fijngemalen kaas voor hem neer. 'Smakelijk.'

'Dank je wel,' zei hij. 'En vergeet de Merlot niet.'

'Heb ik die niet gebracht? O sorry, komt eraan.'

Hij zette zijn vork op een beestje en walgde van zichzelf.

'Dagmenu. Is uitstekend,' hoorde hij.

Een Nederlandse stem met een licht noordelijk accent, hij was in Emmen opgegroeid. Joop sloeg zijn ogen op en keek in het gezicht van Omar.

Joop knikte.

Omar was van ondergeschikt belang. Omar had een Irakese beroepsterrorist ontmoet en was dus ook een terrorist. Of dief of bandiet – *big deal.* Een boef was veel minder angstaanjagend dan de vraag of je kind nog had geleefd als je je kop erbij had gehouden. Hij had de artsen vertrouwd. Niets had hem ertoe bewogen om de ontwikkelingen gedurende die nacht met argwaan gade te slaan, want ze waren oprecht bezorgd geweest. Een team van vijftien mensen had voor het leven van zijn dochter gestreden. Dat was de indruk die hij had gekregen, nee, de stellige overtuiging: daarmee had hij de nachtmerrie doorstaan. De stellige overtuiging dat ze alles hadden gedaan wat in hun vermogen lag. En dat was veel. De briljantste specialisten waren aan haar bed verschenen. Machteloos. Afwachten. De komende uren. De steekwoorden van die nacht.

Sandra zette het glas Merlot voor hem neer.

'Sorry, ik was 't vergeten,' zei ze.

'Dank je,' antwoordde hij.

Hij nam een grote slok. Een succesvolle schrijver drinkt bij de lunch geen alcohol, want er moet 's middags veel geschreven worden.

'Op bezoek hier?'

Hij keek weer op naar Omar. De man had verzorgde handen met gemanicuurde nagels. Intelligente ogen. Het dikke bruine haar in zwierige lagen geknipt; Joop had het ook een keer laten doen toen hij er nog zestig dollar aan kon besteden, de anorectische kapsters met siliconenborsten van de kapsalons in Beverly Hills deden dat met een scheermesje. Dikke gouden manchetknopen, en er glinsterde ook iets van goud onder de boord van zijn hemd, waarvan de bovenste twee knoopjes nonchalant openstonden en een indruk gaven van de haardichtheid van zijn lichaam. Omar oogde als een geslaagde filmproducent of muzikant, of als de eigenaar van een restaurantketen. In deze stad konden restaurateurs dezelfde reputatie krijgen als filmmensen, aangezien het beheer van een geslaagde eetgelegenheid als een bijzonder hoge vorm van entertainment werd beschouwd. Voor de barbaren waren ze te vergelijken met een regisseur als Spielberg of een dirigent als Zubin Mehta.

'Ik woon hier,' zei Joop.

'Zo... Al lang?'

'Sinds '82.'

'Bevalt nog steeds?'

'Dat vraag ik me nooit af,' zei Joop.

Omar grinnikte: 'Goeie houding.' En hij maakte een autoritair gebaar naar Joops pasta, alsof hij ervoor betaalde: 'Geniet ervan. Pasta koelt snel af.'

Joop knikte en nam een hap. Bekeek de *Reporter* zonder te lezen. Sloeg de bladzijden om en las, ook al bleek geen woord betekenis te hebben. Mechanisch at hij omdat hij door Omar geobserveerd werd. Bij de onroerendgoedadvertenties bleven zijn ogen langer hangen. Landgoederen in de Hills. Penthouses in Westwood.

Toen de afruimer langskwam en vroeg of hij klaar was, ook

al had hij nauwelijks een kwart ervan gegeten, liet hij de pasta meenemen. Ook dat behoorde tot de regels. In Los Angeles slikte je in noodtempo weg wat je wilde eten en wanneer je je vork neerlegde was dat het signaal voor de afruimer – per definitie een jonge Latino – om in te grijpen en de tafel te ontruimen. Het had Mirjam altijd geërgerd. '*I'll tell you when I'm finished, okay*?' luidde altijd haar reactie op de vraag: '*Finished*?' Nooit werd dat in een volzin gezegd. Uitsluitend: '*Finished*?'

'Woon je hier in de buurt?'

Omar wilde praten. Philip had gelijk. Omar was eenzaam.

'Venice. Aan de kust.'

'Ja, ik ken 't. Leuk daar op het strand, de *Boardwalk*.'

'En jij?' vroeg Joop. 'Woon jij in de buurt?'

'Ik woon hier niet. Paar maanden nu. Tijdelijk.'

'Voor zaken hier?' vroeg Joop.

'Zaken,' bevestigde Omar. 'Welke business zit jij?'

'Ik schrijf, schrijver.'

'Schrijver?'

Omar knikte met respect in zijn blik en had een paar tellen nodig om het gewicht van de mededeling te verwerken, alsof Joop hem had verteld dat hij Nobelprijswinnaar in de chemie was.

'Bijzonder vak, lijkt me. Ik heb bewondering voor mensen die dat kunnen. Waarover schrijf je?'

'Over... over wat me bezighoudt.'

'Is het niet zo dat je uitgever zegt waarover je moet schrijven?'

Een niet-lezer. Joop betwijfelde of Omar ooit een boek van dichtbij had gezien.

'Ik schrijf scripts. Films. En lang geleden heb ik een boek geschreven.'

'Films. Zo. Daar heb je natuurlijk ook schrijvers voor nodig. Stom dat je daar nooit stil bij staat, hè?'

En hij maakte een gebaar met een vinger: kort wees hij van zichzelf naar Joops tafel en vroeg: 'Bezwaar als ik even...?'

'...*Be my guest,*' nodigde Joop uit.

Omar schoof uit zijn krappe hoek, boog zich om iets op te rapen en kwam tegenover hem zitten. Hij legde *De Telegraaf* op tafel.

'Ik heb hem uit. Neem maar mee als je wilt.'

'Fijn. Dank je.'

Naast Sandra had Omar nog een reden om hier te komen. Aan de overkant kocht hij een Nederlandse krant. Omars nabijheid had niets bedreigends. Andere dingen waren bedreigend, niet deze man.

'Kan ik je iets aanbieden?' vroeg Omar. Hij had een levendige, ironische flonkering in zijn blik.

'Espressootje,' zei Joop.

'Sandra!'

Ze verscheen direct aan hun tafel.

'Espresso voor ons. Wil je er nog iets bij. Grappa of zo? Ik drink 't niet, maar ze schijnen hele mooie te hebben hier.'

'Nee dank je, ik moet nog werken.'

'Je hoort 't,' zei hij tegen haar. En weer tegen Joop: 'Schrijver, interessant vak. Heb je daarvoor gestudeerd?'

In deze stad leefden vele duizenden schrijvers, op een handvol sterren na verbeten werkende broodschrijvers die als mijnwerkers de grondstof van de industrie naar de oppervlakte brachten. Hun status was weinig hoger dan die van kameeldrijvers, maar op Omar had Joops professie indruk gemaakt.

'Nee. Niet echt.'

'Hoe begin je aan zoiets? Hoe oud was je?'

'Zestien, zeventien.'

'Op een dag ben je gaan zitten en je dacht: ik word schrijver?'

'Niet helemaal zo, maar het komt in de buurt.'

'Waar schrijf je over? Krijg je een opdracht of zoiets?'

Omar was onmiskenbaar geraakt door Joops beroep. Philip had Omars zwakke plek getroffen.

'Nee. Dingen die ik verzin.'

'Gewoon je fantasie dus?'

'Ja.'

Omar bood hem een hand aan: 'Omar van Lieshout.'

'Joop Koopman.'

Ze schudden elkaar de hand. De terrorist en de schrijver.

'Ik vind het fascinerend wat jullie doen, met je fantasie een verhaal opbouwen, daarvoor heb je lijkt me heel veel discipline nodig, en concentratie... Heb ik gelijk?'

'Je hebt gelijk.'

Sandra zette de twee espressokopjes op tafel: '*Biscotti*?'

Dat waren kleine, steenharde Italiaanse koekjes die in deze stad populair waren. Je doopte ze in de koffie om ze wat zachter te maken.

'Niet voor mij,' zei Omar. 'Jij?'

'Ik ben tevreden,' antwoordde Joop met een korte blik op haar bijna zwarte ogen.

Toen ze wegliep, zei Omar: 'Prachtige meid, vind je niet?'

'Ze is mooi, ja. En erg jong.'

'Leeftijdsverschillen tellen niet meer. Hoe oud ben jij als ik vragen mag?'

'Ik word dit jaar zevenenveertig.'

'Had ik je niet geschat. Je had haar vader kunnen zijn. Ik ben van '68. In december word ik drieëndertig. Jij zit dus in de filmindustrie?'

'Ik geloof 't wel, ja.' Die vraag gaf Joop de vrijheid om nieuwsgierig naar hem te zijn. 'En jij? Wat voor zaken doe jij?'

'IT.'

Philip had hem er al over ingelicht: Omar werkte aan het opzetten van een postorderbedrijf rond een website. Omar had eerlijk geantwoord.

'IT? Moet een lastige tijd voor je zijn.'

'Niet eenvoudig, nee. Ik had dit een paar jaar eerder moeten doen.'

'Zit je in de techniek, in de software?'

'Commercieel. Bieden dingen direct aan de consument aan via het net. Kom je hier vaak?'

Omar wilde er niet over uitweiden, wat begrijpelijk was. Als Joop een bedrijf ging opzetten zou hij er ook niet met een wildvreemde over praten.

'Sinds maandag pas,' antwoordde Joop. 'Ik ben hier nooit eerder geweest. Ik heb hier een kantoor gekregen, ik werk aan een opdracht.'

'Zie je wel – wel een opdracht!'

'Dat klopt, bij film en televisie krijg je opdrachten.'

'Heb ik 't toch goed begrepen ooit,' glimlachte Omar.

Het was duidelijk dat Omar belang hechtte aan respect en dus voortdurend in de weer was met de indruk die hij maakte. IJdelheid. Of een minderwaardigheidscomplex.

Omar zei: 'Ik kom hier regelmatig. Eten is goed, en het uitzicht op Sandra bevalt me.'

Beleefd glimlachte Joop met hem mee. Omar was geen indrukwekkende intellectueel. Wat niet wilde zeggen dat hij naïef was. Omar had een intuïtieve intelligentie. Misschien was dat soort intelligentie de krachtigste. Ze dronken allebei hun espresso in één teug leeg.

'Goeie koffie,' zei Omar.

'Maar niet zo goed als bij Mirafiori in Amsterdam,' antwoordde Joop.

'Ken je Mirafiori?' vroeg Omar verrast.

'Als ik in Amsterdam ben. Wat niet vaak gebeurt.'

'Is m'n favoriete Italiaan daar,' glimlachte Omar. 'Misschien zijn we er wel eens tegelijkertijd geweest.'

'Daar kun je donder op zeggen,' zei Joop.

'Ken je ook l'Angoletto op de Hemonylaan?' vroeg Omar met een brede lach.

'Ja. Ben ik geweest toen ik de laatste keer in Amsterdam was.' Ellen had Mirjam en hem meegenomen. 'Kleine buurt-Italiaan. Ook goed.'

'Mirafiori is afgelopen jaar gesloten,' vertelde Omar. 'Doodzonde.'

'Mirafiori gesloten? Waarom? Dat is een Amsterdams instituut.'

'Ik weet niet waarom. Misschien geen opvolgers of zo. Hadden heerlijke pesto.'

'En wat denk je van hun ingemaakte paprika en courgette?'

Ze keken elkaar grijnzend aan.

'Wanneer kom je hier weer?' wilde Omar weten.

'Morgen. Of maandag.'

'Moeten we de Amsterdamse restaurants toch eens op een rijtje zetten,' zei Omar. Hij wees naar Joops lege espressokopje. 'Nog één?'

'Waarom niet?'

'Ik zal 't even tegen Sandra zeggen.' Hij ging staan en gaf Joop een hand. 'Die koffie is voor mij. Joop, leuk je ontmoet te hebben. Maandag ben ik er weer. Ik hou een plaatsje voor je vrij als je er nog niet bent.'

Hij liep weg. Sympathieke terrorist.

Hij had met Philip afgesproken dat hij zich direct zou melden wanneer hij Omar gesproken had – communicatie was alles, had Philip voortdurend benadrukt – maar het leek hem onzinnig om nu meteen van het gekeutel verslag te doen. Aan het einde van de dag reed hij naar Santa Monica en 's avonds wandelde hij met Linda over de Promenade, een deel van Third Street dat in een voetgangersgebied veranderd was, en nam zich voor om Philip de volgende dag in te lichten. Ze slenterden te midden van honderden toeristen en avondwandelaars langs de winkels en restaurants, langs zangers, gitaristen, goochelaars, dansers en godsdienstwaanzinnigen, ze aten bij een Aziatisch restaurant tegenover Barnes & Noble en sliepen met elkaar in haar hotelkamer.

# | 12 |

Wanneer Joop thuis was, dreunde tussen de muren het gemis van Mirjam. Als dit zou voortduren zou hij tot maar één ding kunnen besluiten: verkoop van het huis. Nee. Nog niet. Later misschien. Over een paar maanden, of een jaar. Hij kon Mirjam hier ruiken. In dit huis was Mirjam opgegroeid. Lag haar agenda. Maar zodra het kon onttrok hij zich aan de meubels, het bestek, de bekers en pannen, en ging hij op de vlucht naar Linda of de Strip.

Om tien uur, vrijdag twee maart, toen hij net zijn kantoor op de Strip was binnengestapt, klonk het Wilhelmus.

'Joop?' Het was Linda.

'*Hi*,' zei hij.

'Ik ben vlak bij de Strip. Ik dacht, ik kom even langs.'

'Je bent welkom. Je weet waar 't is?'

'Kunnen we niet ergens naartoe? Of gewoon maar een eindje rijden? Ik moet even met je praten.'

'Waar ben je?'

'Ik sta voor een boekwinkel hier. Book Soup.'

Toen hij de Jaguar naar buiten reed, wachtte ze voor de ingang van de parkeergarage. Ze droeg een wijde zwarte broek, een wijde zwarte jas, een zwarte baret, een donkere variant van een Mao-pak. Maar ze droeg ook een verfijnd bruinleren aktetasje met een klein label waarop Marianelli stond. Het was de eerste keer dat hij haar met een leren product zag.

Hij liet het ruitje in de deur zakken en keek naar haar omhoog. 'Waar wil je naartoe?'

Voorovergebogen stond ze naast de auto, met een hand op het dak, en keek hem bedrukt aan. Hij moest er zich op voorbereiden dat ze hem zou vertellen dat ze een streep onder hun verhouding ging zetten. Misschien was dat ook beter.

'Is er iets?' vroeg hij.

'Jij en ik... dat is er,' zei ze ernstig.

'Wat bedoel je daarmee?'

'Ik bedoel... dit was niet de bedoeling. We moeten praten. Niet hier.'

'Laten we wat rondrijden.'

Ze liep om de auto heen en Joop boog zich over de passagiersstoel om de deur te openen. Ze stapte in. Hij stuurde de auto Holloway op, de straat die ten zuiden van Sunset liep en na een kilometer zou oplossen in Santa Monica Boulevard. Ze legde een hand op zijn arm, maar zweeg.

'Heb je een voorstel waar je naartoe wil?'

'Ik wil wel even lopen.'

'Lopen is een subversieve bezigheid in deze stad.'

'Is er een park in de buurt?

'Griffith Park. Hollywood. We gaan naar het Observatory. Goed?'

'Ja. Leuk.'

Hij hoefde nu alleen maar Santa Monica te volgen tot Alexandria. Een rit van vijftien minuten.

Hij wierp een blik opzij, ze staarde gespannen voor zich uit.

Hij vroeg: ‘Waarom kijk je zo?’

‘Zo – wat?’

‘Je weet wat ik bedoel,’ zei hij. ‘Wat vreet er aan je?’

‘Wat er aan me vreet?’

‘Je bent erg duidelijk. Helpt, zo’n houding.’

Verzoenend greep ze zijn arm. ‘Ik bedoel ’t zo niet.’

‘Je bent getrouwd,’ zei hij. ‘Ga bij hem weg, hij is een zak.’

Ze grinnikte. ‘Nee, ik ben niet getrouwd. Als dat wel zo was geweest zou ik voor jou bij hem weggaan.’

‘Verloofd?’

‘Joop, wie verlooft zich tegenwoordig nog?’

‘In deze stad? Iedereen.’

‘Nee. Daar gaat het niet over. Het gaat... het is zo moeilijk om ’t te zeggen.’

‘Begin bij ’t begin,’ stelde hij voor.

‘Oké. ’t Begin... dat was... vijf jaar geleden. In Dharamsala. Daar is ’t begonnen.’

‘Je hebt wat met Usso? Ik dacht dat die mannen in celibaat leefden!’

‘Nee! Dat is het niet! En ik wil er nu ook niet over praten. Ik wacht wel tot we uitgestapt zijn. Maar maak je geen zorgen, het is niet iets... wat tussen ons in hoeft te staan.’

‘...alleen: ik moet je met drie anderen delen’

‘Joop... het gaat over iets wat ik je meteen had moeten vertellen. Dat moet ik nu herstellen. Dat is alles. Maar in dit geval is alles... behoorlijk veel.’

‘Dat is de aard van alles,’ merkte Joop op.

‘Wees serieus,’ zei ze.

‘Ik ben bloedserieus. Ik ben niet dol op onthullingen – dit is toch een onthulling?’ Hij keek haar kort aan.

Ze staarde voor zich uit en knikte. ‘Ik geloof ’t wel ja.’

‘Onthullingen hebben gevolgen.’

‘Niet per se.’

'Zo blijven we bezig,' concludeerde hij.

'Ik heb iets nagelaten,' zei ze. 'Dat moet ik nu herstellen. Dat is alles.'

'Dat zei je net al, ja.'

'Joop, niet vijandig doen. Zoiets is 't niet.'

'Waarom doe je dan zo mysterieus?'

'Dat doe ik... omdat ik weet dat wat ik ga vertellen voorbij jouw grenzen ligt.'

'Voorbij mijn grenzen? Ik begin er lol in te krijgen. Zeg 't nou maar.'

'Ik wil 't ook zeggen, maar jij onderbreekt me de hele tijd!'

'Ik hou m'n mond. Ga je gang.'

'Goed.'

Maar ze zweeg. Hij remde af voor een stoplicht en keek opzij. Ze zat met tot vuisten gebalde handen rechtop in de lage zetel van de Jaguar. Ze merkte zijn bezorgde blik op en lachte hem even zenuwachtig toe.

Toen hij weer optrok, zei ze: 'Vijf jaar geleden lag ik helemaal in de kreukels. Ik had een relatie gehad met iemand. In New York. Hij was getrouwd. Het bekende recept, maar ik dacht: hij is anders, hij zal 't echt doen, voor mij. Maar hij bleef bij zijn vrouw, twee jonge kinderen. Zij wist 't niet en... op een dag stond ze opeens voor de deur. Ze had 't ontdekt. Het was vreselijk. Ze was... een goed, mooi mens. Ik had daar een situatie gecreëerd die onhoudbaar was geworden.'

'Hij had 't veroorzaakt, lijkt me,' zei Joop.

'Met mijn bereidwillige hulp. Nou, ja, ik ben toen weer naar Dharamsala gegaan. Ik moest vergeten, m'n hoofd en m'n hart leegmaken. En daar ontmoette ik iemand die me over Usso Apury vertelde. Ik kende hem al, vanaf het begin, maar op afstand. Hij is een grote leraar, gespecialiseerd in de begeleiding van stervenden. Als je dat kunt heb je een sterke ziel. Een oude ziel die veel heeft geleden, veel heeft meegemaakt. En daar hoorde ik over zijn dromen.'

'Dromen van wie?'

'De dromen van Usso. Specifieke dromen. Dromen die uit een andere tijd kwamen. Herinneringen van een vorig leven.'

'Van een vorig leven,' herhaalde Joop nadrukkelijk.

'Dat is precies de toon die ik van jou verwacht,' zei ze, 'daarom heb ik er zoveel moeite mee om dit te vertellen.'

'Sorry – dat was ongepast. Ik hou m'n mond verder. Ga door.'

'Goed. Maar geen commentaar meer, echt niet, oké?'

'Oké.'

'Goed. Dus, ik had net het boek van rabbijn Gershom gelezen, *Onmogelijke Herinneringen*, ken je dat?'

'Nee,' zei hij.

'Het gaat over mensen die herinneringen hebben die ze niet kunnen plaatsen. Herinneringen aan de kampen, de vreselijkste dingen. Gershom heeft ze onderzocht. Gershom is een soort chassied, een orthodoxe rabbijn, maar hij heeft zich ook in psychologie verdiept, in sociologie, en hij is een expert in joodse reïncarnatieverhalen. De joodse mystici waren aanhangers van het idee van reïncarnatie, wist je dat?'

'Nee,' zei hij opnieuw, niet toegevend aan zijn twijfels.

'Ik had ook dromen. Nachtmerries. Daarom las ik dat boek. M'n *shrinks* in New York zeiden dat dat kwam door overidentificatie met m'n ouders. Maar die dromen waren altijd zo... helder, dat ik vaak het gevoel had dat ze meer waren dan alleen dromen. Nou ja, in Dharamsala hoorde ik over Usso. En in de gesprekken met hem vertelde hij over zijn dromen. Die dromen – hoe moet ik 't zeggen? – die dromen waren meer dan alleen aberraties van de hersenen ontstaan uit elektrochemische reacties. Usso's dromen waren objectief identificeerbaar. En alles viel op z'n plek. Dat is een vreemde gewaarwording: dat je het gevoel hebt dat het leven dat je tot dan geleid hebt uit brokstukken heeft bestaan en opeens vormen die stukken een eenheid. Je ziet vorm, kleur, richting, zingeving. Orde, dat is misschien het woord. Het was... gruwelijk aangrijpend. Ik heb dagenlang gehuild. Alsof er een dam brak. Alsof ik werd schoongespoeld.'

Ze bleef even stil. Het werd hem duidelijk wat ze ging vertellen: dat ze Napoleon was geweest.

'Ik weet dat je het onzin vindt wat ik vertel,' zei ze, zijn blikken beoordelend, 'maar het is wat er gebeurde daar. Ik herinnerde me dingen. Van voor de oorlog. En Usso... en Usso heeft ook herinneringen. Dat zijn dromen ooit echt gebeurd waren, daar had hij geen enkele twijfel over, maar hij kon de context niet plaatsen. Ik wel. Het was onvermijdelijk dat we op een dag met elkaar in gesprek kwamen. Ik wist waar zijn dromen waren ontstaan. En nog een keer, Joop, ik begrijp 't wanneer dit als prietpraat overkomt. Maar ik heb meer aspecten van de werkelijkheid leren kennen dan je in dit deel van de wereld kunt zien. Daar moet je je voor openstellen. Jij doet dat niet, zoals de meeste mensen hier. Jij staat er niet bij stil dat je ervaringen begrensd worden door je zintuigen en dat je, als je over meer en andere sensoren zou beschikken, ook veel meer zou ervaren. Boeddhistische meditatie traint je in de verbreding en uitbreiding van je sensoren, zo werkt dat ongeveer, en je merkt daardoor dat er iets specifieks is, iets wat buiten het lichamelijke bestaat waardoor je gekenmerkt wordt. Je ziel, noem ik dat. Een bepaalde essentie. Elk mens heeft die. En ervaringen uit vroegere levens kunnen daardoor ook met je meegegaan zijn, want tijd bestaat voor die essentie niet. En m'n hartkwaal – die verdween toen ik in Dharamsala was en daar mediteerde, maar het werd me pas duidelijk toen ik Usso leerde kennen dat het te maken had met iets anders. Een vorig leven. Hoe maf het ook moge klinken. Ik heb m'n hele vroege jeugd gedroomd dat ik een jongetje van zes was, ergens in

Oost-Europa. Ik zit alleen onder een tafel en om me heen hoor ik gegil, er gebeurt buiten iets gruwelijks wat ik niet kan zien maar wel kan horen. Dan zie ik laarzen voor me, glanzende zwarte laarzen, en op de rand van de zool zie ik een streepje modder. En een hand die me onder de tafel uit sleurt en me aan m'n kraag vasthoudt en optilt. M'n kraag snoert m'n keel af, ik kan bijna niet ademen. En ik voel een steek door mijn hart trekken, een gillende pijn die me iedere keer wakker deed worden. Jaren later ontwikkelde ik een hartritmestoornis. En door meditatie bij Usso leerde ik het verband leggen. Het was psychosomatisch. Ontstaan uit vroegere ervaringen.'

Nu kon Joop zijn ongeloof niet voor zich houden.

'En wie zit er nu naast me? Hoeveel mensen ben je?'

'Ik wist vooraf dat je me niet zou geloven. Ik weet niet of 't zin heeft om verder te vertellen,' zei ze mat.

Maar hij wilde geen conflict met haar. 'Vertel verder. Ik wil 't weten,' zei hij. 'Als dit belangrijk voor je is, dan zal ik het moeten aanvaarden. Als onderdeel van jouw bestaan.'

'Reageer dan wat respectvoller, alsjeblieft.'

'Dat probeer ik. Sorry.'

Zonder opzij te kijken, het verkeer in het oog houdend, legde hij als vredesgebaar een moment zijn hand op haar schouder. Hij voelde dat ze er als antwoord vergevingsgezind haar wang op drukte.

'Ik weet niet waar mijn herinneringen vandaan komen. Ik weet de naam van het jongetje niet. Ik weet niet waar het zich afspeelde. Ik weet alleen dat de beelden meer zijn dan toevallige dromen. Maar Usso, hij wist aanvankelijk ook niks. Dromen die vermomde herinneringen zijn – dat wist hij natuurlijk – maar meer niet omdat hij niet op zoek was naar de werkelijkheid. Hij accepteerde wat hij moest accepteren. Verzet betekent verstoring, ziekte, lijden. Ik heb me verzet en werd ziek.

Maar Usso, ik hoorde over zijn dromen. En toen ik hem ontmoette durfde ik er niet over te beginnen. Dat heb ik pas later gedaan.'

Ze richtte zich weer op en ademde diep. 'Usso vertelde me over zijn herinneringen en ik wist over wie hij het had. Hij had namen gehoord. Namen die hem niets zeiden maar mij wel. En die niemand wat zouden hebben gezegd, behalve mij. Ik kende die namen. En jij. Jij kent ze ook. Hij herinnerde zich dingen die... die hij nooit zou hebben kunnen verzinnen! Namen en feiten die iemand onmogelijk uit z'n duim kan zuigen! Die iemand die in Dharamsala leeft nooit zou kunnen faken!'

Joop stuurde de auto van Los Feliz naar Fern Dell, de weg die door Griffith Park omhoog slingerde naar het Observatory. Het was nog geen weekend en het was fris en half bewolkt, maar er stonden in de berm veel auto's onder de platanen, onder de eucalyptus- en naaldbomen. De slingerweg vergde zijn aandacht en in stilte reden ze naar boven, de bergen in. In de bochten verscheen in de diepte het uitzicht op de verre vlakte van Los Angeles, de wolkenkrabbers van *downtown*, het netwerk van duizenden kaarsrechte straten en boulevards.

Na een paar minuten zei Linda: 'Usso herinnert zich dingen van jouw grootvader. Herman de Vries. Het is angstaanjagend, maar als je je niet verzet, als je je eraan overgeeft, dan is het zo troostrijk, Joop. Dan is het zo mooi en verzachtend. Begrijp je?'

Joop begreep niets, stuurde de auto naar boven en had geen idee waarom Usso zich aan zijn grootvader – vermoord in een Pools kamp – wilde vergrijpen. Of beter: waarom Linda meende dat Usso feiten van Hermans leven kende. Dit was het terrein van halfpsychopaten en new-agezwevers die weigerden te aanvaarden dat het leven voor altijd en absoluut begrensd was. De kosmos was het gevolg van een explosie, als de zon doofde was er in het hele universum geen stem meer die het woord ‘ziel’ zou kunnen uitspreken, en als een mens stierf loste elke identiteit, elke herinnering, elke vergeefse poging om de feiten te ontlopen op tijdens de ontbinding van het complexe weefsel van de hersenen. Het was waanzin waar de gelovigen aan leden, die desondanks bij Joop – door hun naïeve hoop – een zekere vertedering opriepen. Maar dit ging te ver. Usso was ooit Herman geweest.

‘Je moet ’t nog een keer uitleggen, geloof ik,’ zei hij.

‘Er is niet zo heel veel uit te leggen,’ zei Linda. ‘Usso heeft in dromen dingen gezien die je alleen kunt zien wanneer je je precies bepaalde omstandigheden kunt herinneren. Wanneer je dus iemand anders geweest bent. En geloof me, Joop, ik ben niet iemand die makkelijk in dat soort dingen meegaat. Maar het was zo... overdonderend, en wat er met mijn eigen dromen gebeurde, de manier waarop m’n kwaal verdween, dat zijn allemaal ervaringsfeiten. Rationeel beschouwd zijn ze onmogelijk, en dus is mijn conclusie dat de ratio slechts een bepaald deel van de totaliteit van de werkelijkheid kan overzien. Ratio is niet alles. Voor veel dingen wel, natuurlijk. Voor de constructie van deze auto, voor de sterrenwacht, maar niet voor de essentie van leven en dood.’

Joop wilde niet aan zijn kind denken, maar in zijn gedachten verscheen ze – ze was weg, zielloos opgelost in stof, en de enige plek waar ze zichtbaar bleef was zijn geheugen. Behalve wanneer je zoals Linda dacht.

Op het half gevulde parkeerterrein bij de sterrenwacht bracht hij de auto tot stilstand.

‘Eerst even wat drinken?’ vroeg hij.

‘Graag.’

Ze liepen naar de cafetaria aan de rand van het terrein, waarachter groot de letters van het Hollywood Sign oprezen.

Joop zei: ‘Dus als ik ’t goed begrijp – en word niet boos – dan is Usso familie van ons?’

Linda schudde haar hoofd en wilde afkeurend reageren, maar kon een lach niet onderdrukken.

'Ja,' zei ze. Maar ze herstelde snel: 'Wanneer kun je nou eens... normaal reageren op wat ik vertel?'

'Ik reageer normaal. Dit zijn normale reacties op zulke verhalen.'

'Niet in mijn wereld,' zei Linda. 'In mijn wereld vind ik herkenning. En voelen mensen zich bevrijd wanneer zoveel inzicht ontstaat.'

'Linda, als iemand mij komt vertellen dat Herman de Vries is opgevolgd door Usso... Hoe heet hij verder?'

'Apury.'

'Door Usso Apury, en dat ze in feite één en dezelfde ziel of zoiets hebben, dan lijkt het me begrijpelijk dat ik niet meteen ga staan springen van vreugde. Dan lijkt het me begrijpelijk dat de brenger van de boodschap op enige... argwaan stuit.'

'Er is geen enkele reden om iets wat ik vertel met argwaan te behandelen,' zei Linda scherp.

'Het gaat niet om jou. Het gaat om de... de denkwereld.'

'Mijn denkwereld.'

Joop bleef staan en greep haar hand. 'Linda, mijn grootvader, er is niets van hem over, we weten op welke dag hij in het kamp is aangekomen en dat hij vermoedelijk dezelfde dag nog... en dan houdt 't op. Door de dood houdt alles op. Wanneer het hart geen zuurstof meer door het lichaam pompt, houdt 't op.'

Ze pakte hem bij de schouders. 'Nee, Joop! Nee! Dat is niet waar! Onze... onze westerse cultuur heeft het menselijke leven gereduceerd tot alleen een lichamelijk leven, en dat is gewoon niet waar! Waarom zou deze wereld hier meer inzicht in de waarheid van het bestaan hebben dan de wereld daar? Er is méér! Voor Herman, voor jou, voor mij, voor Mirjam!'

Fel bekeek ze hem, met toewijding en rotsvaste zekerheid.

'Vertel me meer,' zei hij, eenzaam in zijn ongeloof, niet omdat hij benieuwd was naar meer maar om haar van haar verhaal te verlossen.

'Je hebt me iets te drinken beloofd,' zei ze.

Joop bestelde twee *diet cokes* en ging met haar aan een van de kunststof tafels zitten. Een buslading Japanse toeristen stelde zich aan de balustrade op, uitbundig lachend voor de foto met het Sign op de achtergrond.

'Wanneer heb je dat ontdekt?'

'Vijf jaar geleden.'

'Maar je hebt nooit gedacht: ik zal Joop eens verrassen?'

'O, jawel. Vaak. Maar tegelijkertijd was het te veel van het goede, ik weet hoe mensen op dit soort dingen reageren. Tot eind vorig jaar.'

'Toen je me schreef?' vroeg hij.

'Ja. Dat was meer dan alleen: hé-hoe-gaat-'t-lang-niet-gezien.'

'Usso is dus Herman. Wat dan, wat weet hij dat ik niet weet?'

'Usso weet wat er die laatste dag gebeurd is, Usso weet hoe Herman gestorven is, Usso weet honderden feiten uit Hermans leven. En Usso weet dingen van zijn broer, mijn grootvader. Joop, luister: tot in de details!'

Joop antwoordde: 'Er gebeuren soms vreemde dingen tussen hemel en aarde.'

Met afschuw wendde Linda haar gezicht van hem af, alsof het opeens tot haar doordrong hoe afzichtelijk hij was.

'Je neemt me niet serieus,' zei ze. 'Dat lijkt me het minste wat je kunt doen. Ook al ben je het niet met me eens, je... je kunt me op z'n minst aanhoren voordat je er met een bot mes op gaat inhakken!'

Wild stond ze op en de stoelpoten schuurden kermend over de vloertegels. 'Ik wil terug.'

Joop ging staan. 'Linda… laat dit niet uit de hand lopen!'

'Dat doe jij! Breng me terug naar de Strip alsjeblieft.' Ze keek naar de parkeerplaats en veranderde van plan. 'Laat maar, ik neem een taxi.'

'Ik breng je,' zei Joop.

Maar ze liep al de parkeerplaats op, naar een van de wachtende taxi's.

'Linda!'

Joop probeerde haar arm vast te pakken, maar ze schudde zich los.

'Linda, ik denk… die man probeert je te belazeren. Wat je vertelt, dat kan niet… Het moet een *scam* zijn, die dingen… Ze bestaan niet!'

Ze bleef opeens staan en keek hem met vurige ogen aan. 'Joop, *jij* bestaat niet! Jij bent een *scam*! Niet Usso Apury! Usso is een van de grootste, belangrijkste, diepzinnigste priesters van deze tijd! Usso is een heilige! Je vergist je heel erg, Joop.' Ze slikte en zei treurend zacht: 'Jammer genoeg vergis je je heel erg. Ik wist dat dit gesprek erg zou zijn, maar toch… niet dit.'

'Ik rij je wel terug, Lin. 't Is onzin wat je nu doet.'

'Joop, ik wil even alleen zijn. Laat me, oké? We bellen, goed?'

'Ja. We bellen.'

Ze kuste hem vluchtig op de wang en haastte zich naar de taxi.

# | 13 |

Hij reed naar Primavera, want hij wilde niet naar huis. Daar wachtten de onthutsende relikwieën van Mirjam. Evenmin wilde hij naar kantoor, waar een stapel wit papier en een doos geslepen potloden de bewijzen waren van een bedrieglijke schrijfopdracht.

Hij droeg een notitieboekje en een potlood bij zich. Na het indienen van een synopsis zou hij de eerste termijn betaald krijgen. Hij had geen synopsis. Hij moest een misdaadverhaal schrijven, maar misdaden interesseerden hem niet meer, behalve dan de misdaad van de big bang. Voor zichzelf kon hij een klucht schrijven over een Tibetaanse monnik die de reïncarnatie was van een in de shoah omgekomen jood. Hij voelde afkeer over de potsierlijkheid van de gedachte, over de minachting die uit de grap over de terugkeer van Herman de Vries sprak.

'Joop?'

Hij keek op en zag Omar naast het tafeltje staan.

'Bezwaar als ik erbij kom? Het is hartstikke druk vandaag.'

'Ga je gang.'

Joop legde de *Calender*, de entertainmentbijlage van de Times, onder zijn stoel en schoof zijn glas opzij. Alles wat hij zich over het contact met deze man had voorgesteld, de dreiging, de geheimzinnigheid, loste op in de ontspanning van de simpele werkelijkheid. Het was zelfs aangenaam dat Omar opeens verscheen. Een gesprek met een ander was te verkiezen boven het gesprek dat hij met zichzelf voerde.

'Toch maar gekomen?' vroeg Joop.

'Ik was in de buurt. Onzin om dan niet hier even te eten. Weet je wat ik mis? Gewone Hollandse dingen.'

'Er is een Nederlandse winkel in de Valley,' zei Joop. 'Hebben alles, stroopwafels, Calvé-pindakaas, wat elke kaaskop in het buitenland nodig heeft.'

'Moet ik het adres van hebben.'

Vandaag droeg Omar een strakke zwarte trui met wijde hals die zijn borsthaar zichtbaar maakte en een glimp onthulde van zijn gespierde borstkas. Er was geen zon, maar op zijn haar rustte een Ray-Ban-zonnebril. Zijn half opgestroopte mouwen toonden harige armen en een vette Rolex. Omar was het toonbeeld van de snelle filmjongen. Die hij niet was. Hij was volgens Philip een voormalige drugshandelaar die op een dag een ontmoeting had gehad met een Irakese terroristenchef. Maar Joop kon niet uitsluiten dat Omar de terrorist ervan wilde overtuigen dat een privé-investering in een virtueel postorderbedrijf een gouden toekomst had. Waarom zou een terroristenchef niet verstandig willen investeren? Bij de eerste ontmoeting gisteren had Omar niet vaag gedaan over zijn afkomst. Voor zover Joop zelf over de feiten beschikte, klopte alles. Hij had met Philip afgesproken dat hij zou bellen wanneer hij contact had gemaakt. Dat had hij niet gedaan omdat hij zich naar Linda's hotelkamer had gerept. Hij mocht niet de telefoon thuis gebruiken, noch de Motorola, maar een *pay phone* op de hoek van Venice en Lincoln, die blijkbaar door de

Israëli's tegen afluisteren was beveiligd. Hij had niet gebeld omdat er in feite niets te melden viel, behalve dat hij een paar woorden met Omar had gewisseld over Amsterdamse restaurants, en dat kon volgens hem wachten. Maar hij voelde ook een zekere weerstand tegen Philip, voor wie hij niet slaafs wilde buigen. Hij wilde eerst zelf vaststellen met welke plannen Omar de joden in Israël ging bedreigen voordat hij hem aan Tel Aviv uitleverde. Zou iemand die van de Italiaanse keuken hield een terrorist kunnen zijn? Ja, een maffioso.

'Vaak is 't hier op vrijdag druk,' zei Omar. 'Dan moeten de filmjongens nog even snel overleggen. Daar weet jij natuurlijk alles van.'

'Nee, niks. De geldjongens wel, niet de schrijvers. Wij zitten thuis eenzaam in een kamertje te zwoegen.'

'Lijkt me heerlijk, in je eentje thuis zwoegen,' zei Omar.

Sandra verscheen. 'Ik hoop dat je het niet erg vindt, hè Joop, dat Omar erbij komt?'

'Tuurlijk niet.'

Ze legde een servet en bestek voor Omar neer. 'De *special* vandaag is zwaardvis, Joop heeft 't ook besteld. Is goed, hè?'

'Is goed,' zei Joop bereidwillig.

'Doe maar,' zei Omar. 'En een Pellegrino.'

'Ik had niks anders verwacht,' flirtte Sandra.

En toen ze wegliep, legde ze kort een hand op Omars schouder, of eigenlijk, ze streek er kort met haar middelvinger over. Het was een vertrouwelijk, bijna intiem gebaar, die middelvinger op zijn schouder, met een sterke erotische lading. Ze deden het met elkaar, Joop was ervan overtuigd. En het lag voor de hand wat ze in elkaar zagen: twee aantrekkelijke jonge mensen uit hetzelfde land, in een vreemde stad, met ademloze verwachtingen en warme nachten in haar kamer zonder airco. Philip zou ervan opkijken wat hij na twee keer al ontdekt had. Om het meisje en de krantenkiosk aan de overkant bezocht Omar Primavera. Deze informatie zou Israël de komende jaren veel bescherming bieden.

'Hoe gaat 't schrijven vandaag?' vroeg Omar terwijl hij de witte servet tussen zijn knieën en het tafelblad frommelde. Als de tafeltjes aan de achterwand allemaal bezet waren, bleef er geen ruimte over om achteruit te leunen of een servet breed over je schoot te draperen.

'Niks,' antwoordde Joop. 'Gaat al een tijdje niet goed. Kan me niet concentreren.'

'Lijkt me lastig, ja. Moet natuurlijk helemaal uit jezelf komen, je kunt natuurlijk niet even in een lesboek opzoeken wat je moet doen, of vergis ik me?'

'Je vergist je niet.'

Omar steunde met zijn ellebogen op tafel. 'En mag je vertellen wat je nu aan het schrijven bent? Of is dat verboden?'

'De meeste schrijvers vertellen niet graag wat ze aan het doen zijn. Behalve natuurlijk aan je opdrachtgever, de producent, regisseur, agent, mensen met wie je samenwerkt.'

'Ik benijd je, Joop. Als je zo'n vak hebt, dat is fantastisch. Gewoon rustig thuis, veel nadenken, veel lezen. Maar ik moet zeker oppassen met wat ik je vertel? Voor ik 't weet zie ik mezelf terug in een film.'

'Je moet met me oppassen, ja,' zei Joop, doordrongen van de dubbelzinnigheid van zijn antwoord. Het gaf een dubieus genoegen om iemand uit te horen die geen vermoeden had van de intenties van zijn gesprekspartner. Hij kon zich voorstellen dat je er verslaafd aan raakte.

'Ik heb 't wel eens geprobeerd,' bekende Omar met een glimlach. 'Ik had toen een tijdje de behoefte om over m'n jeugd te schrijven, maar dat lukte me van geen kant. Ik ben geen schrijver, en daarbij...' Hij aarzelde en leek naar de juiste woorden te zoeken en zich af te vragen of zijn ontboezeming iets schadelijks bevatte. Omar maakte een wegslaand gebaar, alsof hij denkbeeldig een voorbehoud verwierp.

'Ik ben dyslectisch, kan moeilijk lezen. Gaat wel als ik me concentreer, de koppen in de kranten en zo, maar dichte stukken tekst lezen – dat blijft ingewikkeld. Toen ik klein was dachten ze dat ik gek was. Kostte me een eeuwigheid om een boek te lezen. Uiteindelijk heb ik mazzel gehad en op het moment is het geen probleem meer voor me, maar toen 't echt belangrijk was – toen was het echt klote.'

Joop wilde hem aan de praat houden. 'Waar kom je vandaan?'

'Emmen. En daarna Amsterdam natuurlijk. Maar sinds een paar jaar reis ik veel. Ik werk samen met een groep investeerders uit Saoedi-Arabië. Ik doe veel dingen voor ze.' Grijnzend wees hij op Joop. 'Misschien zijn ze wel geïnteresseerd in een film, je weet maar nooit.'

Joop glimlachte meegaand. 'En nu dus hier...'

'...in de Valley. Ook al kom ik liever aan deze kant van de Hills. Is me daar eigenlijk te braaf. Een paar van m'n partners wonen daar en eh... ik huur een appartement, Oakwood Appartments, ken je dat?'

'Van gehoord, ja.'

Door de drukte was de afruimer nu ook brenger. Ook al was het duidelijk dat Joop al een bord voor zich had staan en dat de bestelling voor Omar was, vroeg hij toch onnozel aan beiden: '*Special?*'

Omar wees voor zich op het tafelblad. '*I was here – for one hour – Pellegrino.*'

De brenger zei: '*Right away, sir.*'

Het Engels van Omar was weinig indrukwekkend. Maar hij kon er zijn wensen mee overbrengen. Taal was een obstakel in zijn leven.

Omar vroeg: 'Waar kom jij vandaan?' Hij nam een hap, een stukje vis met zijn vork losmakend van de filet, en liet het mes voorlopig liggen.

'Den Bosch. Brabant.'

Met volle mond zei Omar: 'En toen ben je hierheen gekomen?'

'Via Amsterdam. Heb ik negen jaar gewoond.'

'Waar je een vaste klant was van Mirafiori.'

Ze bespraken Amsterdamse restaurants die hun voorkeur hadden en regelmatig verloor Joop uit het oog dat hij in opdracht van Philip met deze gevaarlijke man in gesprek moest komen. Omar was een onschuldige eter die met genot zijn maaltijd verorberde, een schrokker als Joop zelf. Zijn overgave aan het voedsel was ontwapenend en kinderlijk, een spektakel van levenslust dat Joop ook bij Mirjam had mogen gadeslaan voordat ze de puberteit binnendreef en gewicht en vorm van kosmisch belang werden. Omar was een ontroerende eter. Philip had Joop ervoor moeten waarschuwen. Met zijn vork had Omar de zwaardvis tot hapklare brokjes bewerkt. Zijn rechterhand lag beschermend om het bord, hij boog zich met kwetsbare rug over zijn voedsel en terwijl hij at was hij zich van geen aards gevaar bewust. Hij wilde weten hoe Joop zijn weekends besteedde.

'Het strand, lezen, bioscoop... de dingen die je in deze stad doet.' Vroeger, met Mirjam, ondernam hij dat. Soms in gezelschap van haar vriendinnen, bekenden, mensen met wie hij aan scripts werkte, de in die periode aanbeden geliefde. 'En jij?'

Naar zijn bord kijkend, dooretend, zei Omar smakkend: 'Vaak sociale verplichtingen. Als je je in Arabische kringen ophoudt, dan word je vaak uitgenodigd. Veel eten, veel thee en koffie, veel zoetigheid. M'n weekends zitten helemaal vol. Is gezellig. Maar soms ook een beetje veel. Lekkere vis. Lijkt me heerlijk om uit te waaien op het strand. Als ik in de buurt ben, rij ik altijd even om. Sausje is ook lekker. Even de auto uit. Schoenen uit en een uurtje in het zand.'

'Maar je bent vaak in deze buurt?' Het was een voorbeeldige vraag, inhakend op zijn verhaal, precies zoals hij met Philip had geoefend.

'Als 't even kan.' De t en het inslikken van de e tussen de v en n klonken Drents. Meer zei hij niet. Met zijn rechterhand nam Omar het glas op en hij spoelde met een slok Pellegrino een hap weg, nam vervolgens gretig met zijn linkerhand een nieuwe. Hij was niet alleen een snelle eter, hij had ook haast. En hij wist dat Joop dat merkte.

'Ik had eigenlijk geen tijd hiervoor, maar ik dacht, ik ga toch even langs. Ik moet nu naar Four Oaks. Herdenkingsdienst voor de vader van een van m'n partners. Is net overleden. Jij gaat straks weer naar kantoor?'

'Ik denk dat ik naar huis ga.'

'Ik benijd je, Joop. Jouw vrijheid – ik klaag niet! – jij zit niet vast in een bepaald patroon, begrijp je? Ik zet ons postorderbedrijf op en dan kap ik ermee. Ga ik rentenieren. Heb ik altijd gewild, op m'n dertigste stoppen met werken en dan heb ik nog een leven voor me. Wordt dus niet m'n dertigste, maar vijf jaar later. Ook niet slecht. Dus als ik nou... vijfenzeventig word, dat is toch te doen, niet, dan heb ik toch het grootste deel van m'n leven kunnen genieten. En daarvoor heb je poen nodig. En aan die poen, daar werk ik aan. Simpel plan. Maar 't werkt.'

Hij trok het servet onder de tafelrand uit en depte zijn lippen.

'Spijt me dat ik er zo snel vandoor moet. Espressootje, Joop?'

'Lekker.'

'Ik zal 't even tegen Sandra zeggen. *My treat.* Mag ik je nummer? Misschien kunnen we een kop koffie drinken als m'n trip dit weekend opeens niet doorgaat.'

'Ga je de stad uit?' vroeg Joop plompverloren, alsof hij zelf ook vaak even een paar dagen in Aspen ging skiën.

'San Francisco. Even heen en weer.'

Joop scheurde een bladzijde uit zijn notitieboekje en schreef er het nummer van zijn mobiel op.

'Fijn,' zei Omar toen hij het papiertje aannam. 'Joop, ik zie je in ieder geval volgende week.'

Hij gaf Joop een hand, een hartelijk schouderklopje. 'Leuk dat ik je hier ontmoet heb.'

Omar liep tussen de tafels weg, verdween achter de tientallen gasten, zelfverzekerd hun blikken voelend, met de strakke trui en nauwe spijkerbroek de kracht en gezondheid van zijn lichaam etalerend, en toen hij de ruimte verliet en de hal betrad waar Sandra haar gasten begroette, schoof hij met een genotvol gebaar de zonnebril van zijn haar op zijn neus.

# 14

In de auto op weg naar huis klonk het Wilhelmus. Debby Brown.

'Ik heb contact opgenomen met de centrale, maar het spijt me dat ik u moet meedelen dat er eerst een bepaalde periode moet verstrijken voordat er weer een verzoek wordt neergelegd bij de ontvanger.'

'Deze relaties tussen gevers en ontvangers – ik zie geen balans, geen rechtvaardigheid,' antwoordde Joop ontdaan. 'Ik denk echt dat de familie van de donor een hoger recht heeft. Zij kampen met een verlies. De anderen met hoogstens schuldgevoelens. Er klopt iets niet in deze deal.'

'Ik begrijp uw emoties, maar ik kan er helaas niets aan doen,' zei Debby. 'Over een paar maanden kunt u het weer proberen.'

'Een paar maanden is een eeuwigheid voor mensen in mijn positie,' antwoordde Joop voordat hij het gesprek beëindigde.

Op een site had hij een interview gelezen met een hartchirurg die door zijn werk religieus was geworden; naar de mening van de chirurg bevond de kennis omtrent lichaam en geest zich nog in een embryonaal stadium en zou toenemend inzicht in quantummechanica misschien bijdragen aan de vaststelling dat specifieke menselijke energie ook na het afsterven van het lichaam op een bepaalde manier in stand bleef, ook al wist hij nu nog niet in welke mate, op welke manier, in welke vorm. De specialist sloot niet uit dat kennis van het leven ook op een andere manier dan via westerse methoden kon worden verworven. Op dezelfde site stonden verhalen over de gedragsveranderingen die sommige ontvangers na de transplantatie hadden ondergaan. Ontvangers die nooit bier hadden gedronken begonnen na de operatie bier te drinken – hun hart was afkomstig van een bierdrinker. Ontvangers die nooit hadden geschaakt begonnen schaak te spelen – zoals de hartdonor. In de wereld van harttransplantaties circuleerden verhalen over de wonderlijke wijze waarop ontvangers bepaalde karaktertrekken van hun hartdonor hadden overgenomen. Ook Joop geloofde dat Mirjams hart meer was dan een pomp, en dat was net zo irrationeel als dat Linda's ziel zich vorige levens herinnerde. En als het hart bepaalde karaktereigenschappen kon meenemen en overdragen, dan konden andere organen dat misschien ook wel. Had hij te bot op Linda's verhaal gereageerd? Misschien hoorde zijn onverbiddelijke geloof in de ratio tot de tragische vergissingen van de westerse cultuur; waarom kwelde hij zichzelf met zijn bijgeloof over de bijzondere plaats van het hart? Als hij al niet kon uitsluiten dat in het hart dat zijn kind had achtergelaten iets van haar geest school, dan mocht hij evenmin uitsluiten dat de monnik zijn grootvader was. Hoe ridicuul het ook klonk.

Het was duidelijk op welke manier hij zijn leven moest inrichten: ter nagedachtenis, want dat was hij Mirjam verschuldigd, dat was het offer dat hij moest brengen. Maar hij had zich aan Linda vastgegrepen als een drenkeling aan een zinkend vlot. Op dit soort momenten miste hij vreemd genoeg

Erroll, die hem dagelijks, eenvoudigweg dankzij zijn aanwezigheid, door deze aanvallen van twijfel had heen geholpen. Hij zou hem moeten bellen, even naar zijn beslommeringen vragen, maar hij liet de telefoon op de passagiersstoel liggen.

Wat hij aan Mirjams sterfbed had ervaren, kon hij niet met rationele middelen ontleden. Nimmer zou hij er met iemand over praten; in stilte kon hij het oproepen, kon hij er zich aan warmen of ervoor op de vlucht slaan, maar hij ontzegde zichzelf de mogelijkheid om er een theorie op te bouwen, welke dan ook. Het was voor hem volkomen duidelijk dat geloof en bijgeloof, het verlangen naar een bestaan los van het lichamelijke, de onvermijdelijke effecten waren van de dood van een geliefde. Want daarmee kon de hoop gekoesterd worden dat er op een dag een weerzien zou zijn. Weerzien, daar ging het om. De omarming. De omkering van het afscheid. Hij wist hoe die hoop voelde.

Deze nacht viel hij pas om twee uur in slaap. Bijna meteen bevond hij zich in een droom die zo helder en precies was dat hij, toen hij transpirerend ontwaakte, aan de ervaring in het ziekenhuis moest denken.

De droom was naadloos op het waken gevolgd: hij lag in bed, niet bij machte om de dag af te sluiten, te moe om de beelden in zijn hoofd los te laten. Linda. Omar. En opeens draaide de deur van zijn slaapkamer open en verscheen Mirjam op de drempel. Ze was naakt, haar handen beschermend voor haar borsten, haar buik welvend naar het verticale streepje schaamhaar.

'Ik heb 't zo koud, pap,' zei ze.

'Kom snel hier,' antwoordde hij.

Uitnodigend sloeg hij het dekbed opzij en zag hoe zij met snelle korte stapjes naar hem toe kwam. Rechts van hem liet zij zich op het matras zakken. Haar billen, de lijn van haar ruggengraat, haar loshangende haar. Hij schoof het dekbed over haar schouders en zij schurkte zich op haar zij tegen hem aan, met haar rug naar hem toe de warmte van zijn lichaam zoekend. Zij leefde nog. Eindelijk was hij uit de nachtmerrie ontwaakt. Het verdriet, de wanhoop, alles loste op in de verrukking die hij nu beleefde. Ze lag weer naast hem zoals ze vroeger tijdens warme zomernachten veilig en onschuldig als peuter naast hem had gelegen. Onder het dekbed legde hij een arm om haar heen. Zijn hand omvatte opeens een van haar borsten. Een volle vrouwenborst. Hij besefte dat hij een oerregel overtrad, maar hij wilde dat er geen enkele afstand tussen haar en hem bestond en dat elke porie van zijn lijf zich met haar nabijheid zou vullen. Maar hij wist: dit hoort niet, dit is niet goed.

Hij liet haar los en draaide zich af.

'Wat is er, pap?' hoorde hij haar fluisteren.

'Dit hoort niet, lieverd.'

'Waarom niet?'

'Daarom niet. De regels van de beschaving. Kinderen zijn onaanraakbaar. Heilig,' zei hij. 'Bij wat heilig is, hou je afstand.'

'Maar van mij mag 't.'

'Niet van mij.'

Ze sloeg het dekbed van zich af en zei: 'Kijk naar me, pap. Vind je me niet mooi?'

Hij steunde op zijn ellebogen en zag haar lichaam.

'Liefste, je bent oogverblindend.'

'Ik ben jouw vlees en bloed. Van jou, dus.'

'Niet meer. Sinds je... sinds je een vrouw bent. Ik heb geen rechten.'

'Hier,' zei ze. Ze pakte zijn hand en legde die tussen de welvingen van haar borsten.

'Voel je 't?'

Hij voelde haar hart snel kloppen.

Toen schoof ze zijn hand naar haar buik.

Hij ontwaakte. Ging met een ruk rechtop zitten en keek naar de plek waar zij gelegen had. Zijn hart bonkte in zijn keel. Hij had een erectie. En walgde van zichzelf. Van de smerigheid in zijn kop. Hij deed het licht aan, ging naar beneden en dronk een glas wijn. Volgde op tv de herhaling van een late nieuwsuitzending.

# 15

Het was halfvier 's nachts toen Joop naar buiten ging. Precies tien weken geleden werd zij hersendood verklaard. De straat werd verlicht door sierlampen die de bewoners langs hun tuinpaadjes hadden geplaatst. Hij liep langs de aandoenlijk verzorgde voortuinen, langs de donkere huizen die slapenden beschermden, langs hun vervoersmiddelen die trouw langs de trottoirs wachtten, en op het betonnen lint van het strand liep hij stil onder de zwarte wolken. In de branding lichtten schuimkoppen op. Van Catalina Island was niets te zien. Op het strand lagen daklozen, roerloos in een slaapzak of alleen in een dikke jas, soms naast een volgestapelde supermarktkar, meestal naast een schamele tas of een oude plastic zak met bezittingen. Na een uur bereikte hij de Santa Monica Pier, verliet het strand en overwoog een moment om naar Linda's hotel te gaan, maar hij wist dat hij nu geen gesprek over reïncarnatie kon verdragen en vervolgde zijn weg naar de Ocean Views, die aan het begin van Ocean Avenue stonden, twee torens met exclusieve appartementen, gelegen in de kromming van de baai die Santa Monica met Malibu verbond. Ingeklemd tussen de zee en Ocean Avenue, die op een twintig meter boven het strand gelegen plateau lag, liep de Pacific Coast Highway.

Om halfzes bereikte Joop de woontorens. Het verkeer beneden op de snelweg verspreidde een lauwe ruis, die binnen een halfuur zou toenemen tot een grauwe dreun.

De lobby van Ocean Views was een weidse marmeren hal met zithoeken en plantenbakken, centraal gelegen tussen de brede gangen naar de torens. Het rook er naar schoonmaakmiddelen. Achter de zwarte balie tegen de achterzijde van de lobby zaten twee nachtwakers die met een druk op de knop de gesloten glazen deur ontkoppelden en Joop in het oog hielden toen hij over de blinkend geboende vloer naar hen toekwam.

Een van hen, een lange blonde man van begin twintig, ging staan en begroette hem: 'Kunnen we u ergens mee helpen?'

'Erroll Washington.'

'Weet u 't appartementnummer?'

'Nee.'

'Hij verwacht u?'

'Ja.' Want hij ging ervan uit dat Erroll hem op elk moment verwachtte.

De andere nachtwaker vroeg: 'Meneer Erroll Washington, de karatekampioen?' Hij bleef zitten, een kleine, breedgebouwde Latino wiens strak gespannen overhemd verraadde dat hij aan bodybuilding deed.

'Ja.'

'Mister Washington is twee dagen geleden vertrokken.'

'Vertrokken? Weet u waarheen?'

'Ja. Een stukje terug. Op de parkeerplaats woont hij in zijn Jeep.'

'Hoe bedoelt u?'

'Hij zat in 't laatste appartement dat gerenoveerd moest worden. Het hele gebouw is het afgelopen jaar gedaan.'

'En hij overnacht in zijn auto?' vroeg Joop verbaasd.

'Ik heb hem de afgelopen nacht in zijn auto zien zitten. Als ie 't niet is, dan lijkt hij verdomd veel op hem.'

'Je meent 't,' zei de collega.

'Heb je 't nog niet gehoord?'

'Je maakt een grap,' zei de collega.

'Nee. Mister Washington zit 's nachts in zijn Jeep.'

'Waar precies?' vroeg Joop ongerust.

'Hier op Ocean, op de parkeerplaats honderdvijftig meter verder. Er slapen daar meer mensen in auto's.'

Joop liep terug door de lobby, wachtte op de zoemtoon voordat hij de deur opentrok en ging opnieuw de ochtendlucht in. Hij was net langs de parkeerplaats gekomen, maar had niet de moeite genomen de auto's te bekijken. Waarom zou hij? Er leefden in Los Angeles vele duizenden mensen in auto's, veelal rijdende wrakken die volgestouwd waren met de bezittingen van de bewoners, mensen die zich geen huurwoning konden veroorloven. Maar God had geld, de verkoop van zijn sportschool had zevenhonderdduizend dollar opgebracht. Beweerde hij.

Toen hij de parkeerplaats bereikte herkende hij direct de nieuwe Jeep, de enige nieuwe auto in een rij oude modellen Fords, Buicks, Chevrolets waarvan de lak onder de brandende zon was verbleekt en vergruisd. De ruiten waren geblindeerd met platen karton, zoals bij de andere auto's. Joop tikte op de achterruit.

'Laat dat!' klonk uit de auto.

Joop bewoog zijn gezicht tot vlak bij de ruit. 'God, ik ben 't, Joop.'

'Mister Koepm'n!'

Het stuk karton bewoog en Errolls breed grijnzende gezicht verscheen.

'Hoe weet u dat ik hier was?'

'Was je wakker?'

'Ja, net. Ik lag een beetje te denken.'

'Ik was op je oude adres.'

'Eén moment.'

De deur zwaaide open en Joop keek in de achterbak van de Jeep. De achterbank was platgelegd, net als de passagiersstoel, en Erroll zat op zijn knieën op een dun matras. Hij droeg een lichtblauwe pyjama van een glimmende stof. Tegen de zijkant stonden een weekendtas, een dikke plastic tas en een stapel boeken. De titel van het bovenste boek luidde: *Hyperspace, the amazing new theories about our origin.*

'Wat een verrassing,' zei Erroll.

'Overnacht je hier?'

'Ja, hier slaap ik. Past net, maar ik red 't wel. Ja, ik kan u alleen wat water aanbieden. Hoe laat is 't?'

'Kwart voor zes.'

'Starbucks is nog niet open. Maar ik weet een 24 uurs-*diner* op Wilshire, is niet zo ver. Kan ik u daar een kop koffie aanbieden?'

'Waarom heb je niks anders gehuurd tot je appartement klaar is?'

'Het appartement is van iemand anders. In Ocean Views zijn geen huurappartementen en... het is de afgelopen week anders gegaan dan ik verwacht had.'

'Wat had je verwacht?'

'Ik had niet verwacht... dat de IRS langs zou komen.'

De IRS, de Amerikaanse belastingdienst, een staat binnen de staat.

'En wat betekent dat, de IRS is langsgekomen?'

'Ik heb de afgelopen jaren de boekhouding niet echt goed bijgehouden. Er ging veel zwart geld bij mij om. Bij iedereen in de branche. Dat hebben ze nu ontdekt. Toen ik geld aan de verkoop overhield – 't is weg. Beslag gelegd.'

'En nu?'

'Wachten op betere tijden, geloof ik. Ik durfde 't niet te vertellen. 't Is in feite uw geld. Want mijn leven is van u.'

'Hou nou eens op met die onzin. Je hebt dus niks meer?'

'Een paar honderd dollar. Ik heb gisteren de bouwmeester betaald die aan haar mausoleum had gewerkt – het gaat niet door maar ik moest hem toch betalen – en ik bezit driehonderd zesentwintig dollar, om precies te zijn. Ik heb 't nog geteld voordat ik ging slapen. Maar ik heb een advocaat en ik ben in beroep gegaan.'

'Is 't hier wel veilig?'

'Bij mij is alles veilig, mister Koepm'n. Goh, wat fijn dat u gekomen bent.'

'Laten we maar bij die *diner* langsgaan. Kunnen we lopen?'

'We rijden wel even.'

Hij kroop uit de auto en liep op blote voeten om de auto heen naar de passagiersdeur. 'Even die stoel rechtop en dan gaan we.'

'Moet je je niet aankleden?'

'Ik doe wel een jas aan.'

'En schoenen,' zei Joop. Erroll was de weg kwijt.

'Natuurlijk, schoenen,' zei Erroll.

'Je mocht je auto dus houden?'

'Is geleased. Tot het einde van de maand.'

'En dan?'

''t Maakt niet uit. Ik kan overal slapen. Hier op de boulevard slapen elke nacht minstens vijfhonderd mensen buiten, misschien wel meer.'

Joop nam plaats op het zwarte leer, wachtte tot Erroll zijn schoenen had aangetrokken en naast hem kwam zitten.

'Een onverwacht genoegen,' zei Erroll.

'Dat is het minste wat je kunt zeggen. En het is wederzijds.'

Erroll reed de wagen uit de parkeerhaven. Boven het

oosten van de stad verscheen het eerste daglicht.

Hij zei: 'U bent vroeg op.'

'Nauwelijks geslapen vannacht.'

'Ik ook niet echt,' gaf Erroll toe.

'Ik had een... vervelende droom,' bekende Joop.

Erroll wierp hem even een blik toe: 'Over...?'

'Ja,' zei Joop. 'Die droom, ik denk, we hebben haar nog niet helemaal begraven.'

'Dat kan een leven duren.'

'Dat bedoel ik niet. Iets anders wat ik je niet verteld heb. Over Mirjam.'

'Ik begrijp, denk ik, niet wat u bedoelt.'

'Ik heb toen toestemming gegeven voor een transplantatie. Een orgaan is weggehaald.'

Erroll schoof ongemakkelijk heen en weer achter het stuur. 'Orgaan? Nier en zo?'

'Haar hart.'

'Haar hart? O, sir, haar hart... haar hart klopt dus nog?'

'Ja.'

'O... dat is... dat is erg vreemd, sir. Dat haar hart nog klopt, dat is...'

Erroll slikte, zijn ogen liepen vol.

'Maar ik weet niet bij wie.'

'U weet niet wie haar hart heeft gekregen?'

'Nee. Ik heb er spijt van. Alsof haar onrecht is aangedaan. Het is niet in orde.'

'Dus als ik 't goed begrijp – ze heeft haar hart aan iemand geschonken.'

'Ik heb het weggegeven. Ik wist niet wat zij wilde.'

Met de rug van een hand droogde Erroll zijn ogen. 'Mensen die gestorven zijn, ik weet niet precies wat de rabbijnen daarover zeggen. Wanneer iemand gestorven is moet het lichaam zo snel mogelijk begraven worden. Crematie hoort ook eigenlijk niet, maar ja, dat wisten we nog niet. Het lichaam staat weer op, zeggen de rabbijnen.'

'Wanneer de Messias gekomen is, maar daar reken ik voorlopig niet op.'

'Ik wel. Ik lees er veel over. Dat kan ik u aanraden.'

'M'n hoofd staat er niet naar.'

'Haar hart,' herhaalde Erroll.

'De mensen die het gekregen hebben, ze willen niet dat ik hun naam weet, dat ik weet wat het effect van Mirjams hart is.'

'Effect?'

'Ik weet 't niet,' zei Joop kortaf, doordrongen van de ongerijmdheid van de opmerking. 'Er zijn verhalen over mensen die een ander hart krijgen – en daardoor veranderen. Iets overnemen van degene van wie het hart was. Het klinkt absurd, en dat is het ook. Ik weet ook niet waarom die gedachte zo blijft hangen. Het is onzin, maar ik kom er niet van af.'

'Ik begrijp nu wat u bedoelt. Er is iets van haar nog in leven, op een bepaalde manier dan. En een hart, dat is niet zomaar een ding. Een hart is zoiets als de plek van de ziel.'

'Ik weet geen zak van zielen. Ik raaskal. Het is die droom... daardoor draai ik door.'

'Nee, nee, het is belangrijk wat u zegt. Wat gaat u eraan doen?'

'Ik kan niets doen. Waar een hart naartoe gaat, dat wordt helemaal afgeschermd.'

'En u dacht... kan ik helpen? Wat kan ik voor u doen?'

'Ik dacht niets. Ik wilde het huis uit, m'n hoofd laten leegwaaien.'

'Mister Koepm'n, ik doe alles wat u van me wilt – soms helpt 't als die mensen weten wie ik ben. Als ik met u meega naar die organisatie, mensen zijn opeens heel anders wanneer ze me zien.'

'Nee,' zei Joop. Hij wilde niet dat mensen zich bedreigd voelden.

'Wat kan ik dan doen?'

'Niks. Koffie met me drinken.'

'Ik moet wel de tijd in de gaten houden. Ik moet straks naar sjoel.'

'Sjoel? De synagoge?'

'Ja. Ik ben alleen een toehoorder daar, ik kan nog niet meedoen, want het is een lange studie. Gaat drie jaar duren, minstens. M'n leraar is een Nederlander, rabbijn Mayer, kent u hem?'

'Nee.'

'Rabbijn Mayer was eerst een *reform*-rabbi in New York. Toen in Suriname. Is orthodox geworden.'

'Doet me echt plezier voor hem,' zei Joop.

Erroll bracht de auto langs het trottoir tot stilstand, achter een politiewagen.

'Je mag niet autorijden op zaterdag.'

'Dat weet ik. Maar ik ben nog in opleiding.'

Erroll draaide zich om en trok een sportjack uit zijn bezittingen.

De *diner* was de zoveelste klassieke Amerikaanse eettent met skaileren *booths*, kunststof lambriseringen en tafelbladen met nagemaakte houtnerven. Onder de tl-buizen keken twee agenten van hun koffie op toen Erroll, wiens jack niet kon verhullen dat hij een pyjama droeg, de zaak betrad.

Bij een naar de ochtendploeg verlangende serveerster bestelden ze koffie en gebakken eieren, met bacon voor Joop.

'Ik eet geen varkensvlees meer,' verklaarde Erroll. 'Ik ben me aan het voorbereiden. Was 't bij u thuis kosjer?'

'Nee. We aten geen varkensvlees, maar kosjer was 't niet.'

'U heeft wel bar mitswa gedaan?'

'Ja. M'n moeder wilde daaraan vasthouden. Uit sentiment.

Uit het gevoel dat ze dingen die ze zelf in haar jeugd had meegemaakt moest voortzetten.'

'Leeft uw moeder nog?'

'Nee. Ze is zes jaar geleden gestorven.'

'Sorry.'

'Ze was al flink op leeftijd.'

En het drong nu pas tot hem door dat dit haar bespaard gebleven was. Ze had elke week gebeld, altijd Mirjam aan de lijn gevraagd en meer aandacht voor haar ontwikkeling getoond dan Ellen.

'Wat gaat u aan het hart doen?' vroeg Erroll.

'Je kunt niks doen. Ik heb toen papieren ondertekend voor ik goed kon nadenken. Of misschien ook wel. Zo'n hart, dat kan maar vier uur buiten het lichaam in leven blijven. Binnen die tijd moet het in een ander lichaam worden geplaatst.'

'Kunt u uitzoeken wie er in die organisatie zit? Ik heb door m'n werk mensen leren kennen die me bewonderen. Ik ken mensen in 't hele land. Als u één naam kunt vinden – en ik ken natuurlijk ook nog jongens uit de *hood*.'

'De *hood*. De buurt?'

'South Central. Waar ik vandaan kom. Ik was vijftien toen ik voor 't eerst joden ontmoette.'

'In South Central?'

'Nee. Misschien wonen er wel joden, maar ik heb ze daar niet ontmoet. Kent u de buurt?'

'Nee.'

'Een van de gewelddadigste wijken van 't land, een *war zone*.'

Joop nam een besluit: hij had zijn lage hypotheek bijna afbetaald, maar hij ging die nu verhogen. Met het geld dat hij daarmee verkreeg kon hij zichzelf bedruipen en een goed detectivekantoor inhuren voor het zoeken naar Mirjams hart. De betalingen door Showcrime konden de hypotheek weer omlaag brengen.

'Ik kan je geld lenen.'

'Uitgesloten,' zei Erroll hoofdschuddend.

'Ik leen 't je. Zo kun je niet bestaan. Ik zal... ik zal een regeling treffen met de bank. Dan heb je een buffer om iets nieuws op te bouwen.'

Erroll was vastbesloten. 'Mister Koepm'n, dit is niet goed. Ik ben er voor u, niet omgekeerd.'

'God, die kreten kan ik niet meer verdragen. Het is de laatste keer dat je zoiets zegt. Het was een ongeluk, maar je was er voor mij op... op een moment dat ik je nodig had. Ik leen je 't geld.'

'Maar wat als ik 't niet kan terugbetalen?'

'Dan zien we wel.'

Erroll glimlachte. 'Als 't niet kan. Mirjam vertelde me over *The Merchant of Venice*. Koepm'n betekent Merchant, toch?'

Joop knikte.

'Ik heb 't gelezen, dat toneelstuk. Is niet aardig over joden. Maar... ik geef u een pond van mijn vlees als ik 't niet kan terugbetalen.'

'Ben je niet goed bij je hoofd?'

'U krijgt een pond van mijn vlees. Ik heb genoeg pondjes.'

Erroll grijnsde. En Joop kon een glimlach evenmin onderdrukken.

'Nee. Beste God, néé.'

'Dan gaat 't niet door,' zei Erroll.

'Kom straks naar m'n huis. Je kunt bij mij logeren tot je iets anders hebt.'

'Weet u 't zeker?'

'Neem 't aan voor ik me bedenk.'

# | 16 |

De maximumtemperatuur op deze dag, zaterdag drie maart, zou iets meer dan zeventien graden Celsius bedragen en het zou droog blijven, op een enkele regenbui met ragfijne druppeltjes na.

In Joops huis in Venice nam Erroll een douche, hij trok een kostuum aan en vertrok naar de synagoge. De rest van de dag zou hij met de Lubavitscher doorbrengen en pas na zonsondergang terugkeren, het einde van de sabbat. Joop gaf hem de sleutel van de voordeur.

Met de ongelezen *Times* op schoot viel Joop in slaap, half onderuitgezakt op de bank – kin op de borst, zijn geopende handen naast zich op de kussens alsof hij iets moest opvangen wat elk moment uit de lucht zou kunnen vallen – en droomde dromen die geen echo's veroorzaakten, transparante beelden en stemmingen die even bleven hangen en oplosten in oceanen en landschappen.

Het Wilhelmus wekte hem. Hij richtte zich op, waarbij de katernen van de krant op de vloer gleden, en schoof de telefoon uit zijn broekzak. Hij zat voorovergebogen, hand onder kin, elleboog op knie, als de Denker van Rodin na een zenuwinstorting.

'Hallo,' zei hij met droge mond.

'Philip,' hoorde hij.

'Hallo...'

Joop wist niet wat hij moest zeggen. Hij had Philip moeten informeren, naar de telefooncel op de hoek van Venice en Lincoln moeten rijden om verslag te doen van zijn avonturen met Omar.

Hij zei: 'Eh, ik was van plan je te bellen. Ik heb 'm een paar keer ontmoet.'

Over elk contact moest direct gerapporteerd worden. Philip had het erin gehamerd.

Philip vroeg: 'Kunnen we elkaar even zien?'

'Tuurlijk.'

'Je fiets staat hier nog in de opslag. Kun je hierheen komen? Ik heb dezelfde kamer.'

'Ja, ja... maar ik kan de fiets niet terugnemen in de achterbak van de Jag. Eh...'

'Neem een taxi. Vraag een bonnetje, betaal ik je terug.'

'Oké... Goed... eh, een halfuur, oké?'

Zijn toon was die van een betrapte, onbeholpen schooljongen; hij was tekortgeschoten.

Philip vroeg: 'Weet je nog waar het is?'

'Helaas wel, ja. Tot zo.'

Twintig minuten later zat hij in een Yellow Cab. Precieze regels hadden ze afgesproken over de manier waarop Philip geïnformeerd zou worden: na de eerste ontmoeting met Omar meteen bellen en het belangrijkste bericht doorgeven, daarna een rapport schrijven en vervolgens wachten op instructies voor de volgende ontmoeting. Urenlang hadden ze gesprekstechnieken geoefend. Welke vragen wel, welke niet, hoe stel je iemand gerust, hoe bouw je op naar persoonlijke ontboezemingen? Hij was er zich niet van bewust dat hij de technieken had toegepast en betwijfelde of hij er baat bij had. Communicatie, had Philip meerdere malen benadrukt, contact tussen jou en ons, daar draait het bij dit soort operaties om. Maar toen Joop eenmaal oog in oog had gestaan met Omar, had hij het er meteen bij laten zitten.

Het grensde aan roekeloosheid om hem voor dit werk te vragen. Omar had een foute Irakees ontmoet en het vermoeden bestond dat hij in contact stond met bommenleggers. Philip moest zelf buiten beeld blijven omdat Omar mogelijk verbonden was met groepen die Philips achtergronden konden natrekken. Hij had uitgelegd dat de halve wereld dacht dat het Instituut, zoals de Mossad in Israël werd genoemd, over vele duizenden krachten beschikte, maar het totale personeelsbestand, inclusief de gehele logisticke staf, bestond uit vijftienhonderd mensen. En daarvan was slechts een kleine vijftig *katsa*, een *case officer* die leiding gaf aan operaties. Philip was de enige Nederlandstalige. En dus was hij in dit geval aangewezen op de hulp van een Nederlandse *sayan*, een jood die bereid was hand- en spandiensten te verlenen ter ondersteuning van de belegerde joodse staat. Liever een amateur dan helemaal niemand. De held Joop.

*Katsa, sayan* – het waren termen die Joop nooit eerder had gehoord. Philip had verteld dat zij in de meeste landen een beroep konden doen op de hulp van een paar lokale joden met lef. Meestal ging het om niet meer dan de huur van een auto voor een *katsa* of de terbeschikkingstelling van een woning voor een paar dagen – kleine dingen die geen gevaar meebrachten en die ook bij een latere complicatie geen gevolgen voor de helper konden veroorzaken. Het was duidelijk wat het motief van de helpers was, en dat was ook waarop ze werden aangesproken: hun loyaliteit ten opzichte van Israël. Voor veel joden was Israël een land waar naaste of verre familie woonde en waarvan de stichting, ongeacht de mening over de actuele politiek, als een wonder werd beschouwd. Joop had er geen familie wonen, nergens had hij familie. Op Linda na, en niet te vergeten een gereïncarneerde monnik die beweerde zijn grootvader te zijn. Toch had ook Joop een sentimentele band met dat land. Maar dat was niet de reden waarom hij aan Philips gekte meedeed. Geld. Het was tekenend voor Philips macht dat een Amerikaans bedrijf als Showcrime op het aangewezen moment de door Philip aangewezen schrijver inhuurde. Hij had daar natuurlijk toegang tot een executive die aan de touwtjes kon trekken. 'Stel geen vragen, maar huur Joe Merchant in.' 'Joe wie?' 'Een schrijver.' 'Nooit van gehoord.' 'Goed. Zorg ervoor dat hij voor jullie gaat werken.' 'Waarom?' 'Geen vragen, zei ik toch?' Zo was dat gesprek verlopen. Beschamend. Hij kreeg geld om iemand uit te horen. Zonder de druk van de geldnood had hij het nooit gedaan. Of misschien ook weer wel, want het was bizar, en als het achter de rug was kon hij erover schrijven.

De chauffeur gaf hem een bonnetje en Joop liep de buitentrap op naar de bovengalerij van het motel. Blijkbaar had Philip hem zien aankomen, want de deur ging open en Philip wachtte hem voor zijn kamer op.

'Hé, jongen, hoe gaat 't?'

Philip drukte hem even tegen zich aan en klopte op zijn schouder.

'Laten we binnen gaan zitten.'

Het bed, de stoel, de dure koffer, alsof het nog steeds die dag in december was.

'Neem de stoel,' zei Philip.

Joop ging zitten.

'Ben je al aan het schrijven?'

'Wat notities,' loog Joop, 'niks bijzonders.'

'Maar je hebt al wel een idee?'

'Het begin van een idee.'

'Mooi,' zei Philip. Hij bood Joop een sigaret aan, vuur, en ging op de hoek van het bed zitten. Enkele trekken lang bleven ze zwijgen.

Zonder hem aan te kijken zei Philip: 'We maken ons zorgen. We hebben dit soort jongens vaker meegemaakt en het feit dat hij hier zit, met geld dat hij blijkbaar in grote hoeveelheden uitgeeft, betekent iets, maar we hebben geen idee wat.' Het was een omtrekkende beweging. Hij verkeerde niet in een positie om Joop uit te schelden.

'Hij vertelde wat jij me ook al vertelde. Een virtueel postorderbedrijf.'

'Financiers?'

'Hij zegt Saoedi's.'

'Namen genoemd?'

'Nee.'

Philip boog zich naar hem toe. 'Waarom heb je je niet meteen gemeld?'

Dit was de vraag die Joop niet had willen horen. Philip was in staat zijn ergernis te beheersen en gedroeg zich nu als de bezorgde oom.

'Niet aan gedacht. Vergeten.'

'Joop, ik weet dat je je best doet. Maar het is lastig om met iemand te werken die zich niet aan de regels houdt.' Nog steeds vol begrip.

'Het drong niet tot me door hoe belangrijk dat rapporteren voor je is,' probeerde Joop.

'Onzin!' onderbrak Philip hem. Hij gaf de zachte benadering op. Hij wist perfect hoe dit alles moest worden gespeeld. 'We hebben het er uitgebreid over gehad! Je bent een klein radartje in deze operatie, maar op het moment een verdomd belangrijke! Je bent onze link met het subject, zonder jou komen we niet bij hem in buurt!' En hij tikte verzoenend op Joops knie.

'Ik weet 't,' zei Joop, elk conflict vermijdend.

Hij moest zich in bochten draaien om zijn baan als verklikker te houden. Als hij Mirjams hart wilde zoeken, had hij geld nodig. Hij wilde een goede privé-detective inhuren en hem een budget ter beschikking stellen. Maar om de een of andere reden had hij zichzelf niet toegestaan meteen te verklappen wat Omar hem had verteld, alsof hij de situatie toch niet serieus nam of om te bewijzen dat hij zelf wel uitmaakte wanneer en waarover hij Philip zou inlichten. Zijn laksheid had een kinderachtig randje, puberaal verzet tegen de man van wie hij financieel afhankelijk was.

'Ik denk dat je 't juist niet weet,' antwoordde Philip. 'Ik ben bang dat ik een vergissing heb gemaakt.'

'Je hebt je niet vergist. Maar laten we duidelijk zijn, dit is m'n werk niet. Ik ben schrijver. Geen spion.'

'Je moet hem gezellig uithoren wanneer je daar gaat eten.'

'Uithoren is een vreemde bezigheid voor iemand die daar niet op is afgestudeerd,' verdedigde Joop zich. En verzweeg de indruk die hij van Omar had gekregen.

'Je had kunnen weigeren.'

'Je wist dat ik geld nodig heb. Daarom nam ik 't aan.'

'Geld lijkt me een sterk motief.'

'Altijd. Maar... ik moet eraan wennen. Je hebt er een bepaalde houding voor nodig. Je moet vastbesloten zijn. Zelfverzekerd. Ervaren.'

Philip liet de kans niet lopen. 'Als je 't niet meer zeker weet, stop er dan mee.' Hij knikte Joop bemoedigend toe. '*No hard feelings*. We hebben het geprobeerd, maar het lukt niet. Jammer. Andere keer graag. Als het niet kan moeten we het niet forceren.'

'En Showcrime?' vroeg Joop verloren.

'Ja, hoe dat moet... ik ben bang dat dat dan wordt teruggedraaid.'

'Je vraagt ook te veel van me!' riep Joop geërgerd, opeens vol weerzin over Philips gemanipuleer. 'Je vraagt iets aan een buitenstaander die geen moer weet van… van jouw trucs en regeltjes! Het is voor iemand als ik behoorlijk krankzinnig om hierbij betrokken te raken! Ik heb dit niet gezocht, *jij* hebt me hierbij betrokken! Je hebt misschien gedacht dat je een topsporter binnenhaalde, maar je hebt een man met een lam been in huis gekregen!' Hij kalmeerde wat, probeerde alsnog een escalatie te voorkomen. Hij had nog andere belangen. 'Je stelt eisen waaraan ik niet kan voldoen. Of misschien ook wel, maar ik moet eraan wennen. Ik heb nooit stilgestaan bij de dingen die jij doet. Jouw wereld is me vreemd. Die vraagt om iemand met stalen zenuwen. Wat momenteel een moeizame affaire voor me is.'

'Dat weet ik,' zei Philip met ogen die alles leken te begrijpen.

'Meer heb ik niet.'

'Toen ik bij je kwam… ik wist dat ik te veel vroeg. We hebben het er intern lang over gehad – kunnen we dit doen, een man zonder training, een vader? – en we besloten dat we het moesten proberen, want de Irakees bij wie we het subject hebben aangetroffen is een man die direct leiding geeft aan acties. We namen een gok met jou. Bij ons volle verstand. Ik kende je, er was een band. Met een onbekende hadden we dit nooit aangedurfd. Maar het is beter om te stoppen wanneer het nog kan.'

'Je hebt niemand anders.'

'Ik moet er zelf maar in.'

'Je zei zelf dat dat gevaarlijk was!' reageerde Joop met Philips eigen argument. 'Dat via hem anderen te weten kunnen komen dat jij… jij bent!'

'Als ik rust had gewild had ik tandarts moeten worden.'

'Laatst heeft een tandarts bij mij in de buurt zelfmoord gepleegd.'

'Geen enkel beroep is volmaakt,' antwoordde Philip.

Joops sigaret was tot aan de filter opgebrand. Hij stond op en reikte naar het doosje dat naast Philip op bed lag. Philip gaf het hem aan.

'We stoppen,' besloot Joop terwijl hij bleef staan en de sigaret aanstak. Geen Showcrime. Hij zat aan de grond. De privédetective zou hij op een andere manier moeten bekostigen. Hij moest iets verzinnen. Maar alles was beter dan deze kermis. Het leidde hem te veel van zijn taak af: het vinden van haar hart. Hij ging zijn huis verkopen.

Philip knikte. 'Ja.' Maar Joop had de indruk dat hij dit niet had verwacht.

'Jouw gevecht is het mijne niet,' zei Joop.

'Als jij denkt dat jij je aan gevaren kunt onttrekken die die mensen voor ons vormen, dan vergis je je.' Het was een poging om weer met elkaar in gesprek te komen.

'Iedereen heeft recht op zijn eigen zwakten.'

'Duw nou geen wig tussen ons.'

'Het is *drijf.* Die wig is er al, Philip. Een lange weg heb jij afgelegd, zeg. Er moet een hoop in jouw leven zijn voorgevallen.'

'Elke voorstelling die je daarvan hebt schiet tekort.'

'Dat begin ik te begrijpen. Oké, Philip, ik ga.'

'Ja.'

'Je had me niet moeten bellen,' zei Joop. 'Die dag begon verkeerd met jou.'

Philip ging ook staan: 'Dat is een onzinnige gedachte.'

'Sinds dat moment is er veel verkeerd gegaan.'

Philip verzette zich niet meer. 'Ik had niet moeten bellen. Je hebt gelijk.'

Ze stonden zwijgend tegenover elkaar, de lijnen in hun gezicht bekijkend, de groeven, de rimpels.

Met droeve ogen zei Philip: 'Misschien had ik geen contact

met je moeten opnemen. Geef me een hand.'

Hij liet Joop zijn sterke vingers zien, de brede getaande handpalm waarop de zware kolf van wapens had gelegen. En waarmee hij ook het zweet van zijn hoofd had geveegd en zijn kinderen snoep had aangeboden. Had Philip wel kinderen?

Joop fietste als een bezetene. Terug naar huis. Het leek drie maart, maar het was eigenlijk tweeëntwintig december. Er was niets gebeurd. Een flits in het eindeloze tijd-ruimtecontinuüm van de kosmos. Een paar uur geleden was hij naar het motel gefietst en nu keerde hij terug. Als hij zich concentreerde, als hij zich met elke zenuw in zijn lijf inspande en de onverdraaglijke beelden in zijn hoofd kon verbrijzelen, dan was alles niets meer dan een pijnlijke fantasie geweest, een oefening in masochisme, een zelfopgelegde test om te ervaren hoe ver zijn verbeelding reikte. Mirjam zat naast Caroline in de Porsche. Dat had hij verboden, maar hij had er weinig vertrouwen in dat ze nog naar hem luisterde. Maar alles was beter dan de duozit van een motor. Hij trapte de longen uit zijn borstkas en het leek even of zijn bewustzijn zichzelf ophief en hij niets meer was dan een furieuze spier, een brandend lijf dat samenviel met de wentelingen van de trappers, de adem door zijn keel, het ritme waarin zijn hoofd boven het stuur bewoog, het schuim op zijn lippen. Hij vloog langs de lange rijen auto's voor de stoplichten, liet zich als een baksteen in de afdaling naar het strand vallen en schoot over het lint langs skaters en runners. Even had hij geen herinneringen, geen gedachten, geen verleden.

# | 17 |

Om één uur belde Omar.

'Wat aardig dat je belt,' zei Joop.

Omar zei: 'Ik ben in Santa Monica, dus ik dacht, ik bel je ev'n.'

'Goed idee.'

Was het wel een goed idee? Hij had zich op verzoek van Philip met Omar uit Drenthe ingelaten en sinds vanochtend was er geen enkele reden meer om met de dyslectische internetondernemer in gesprek te komen.

'Zin in een kop koffie?' vroeg Omar.

'Koffie?'

'Ik wil iets met je besprek'n. Ik heb 'n voorstel.'

Niet alleen de Philippen maar ook de Omars in deze wereld deden hem voorstellen. Ze spraken af bij een Starbucks op Main Street.

Toen Joop op de fiets zat vroeg hij zich af of de afspraak met Omar tot een hernieuwd contact met Philip kon leiden. Joop had besloten dat hij niets meer met Philip te maken wilde hebben, maar hij gaf toe dat hij in staat was om naar hem terug te gaan en zich opnieuw voor de opdracht te melden. Hij ging weer voor hem werken, ook al wist Philip dat zelf nog niet. Andere dingen waren belangrijker dan het verlies van Philips respect. Hij had geld nodig als hij Mirjams hart wilde terugvinden.

Kennelijk had Omar een uitgebreide garderobe. Vandaag droeg hij een crèmekleurige broek, een donkerblauwe trui met v-hals, en hij had zijn voeten, zonder sokken, in dure kalfsleren loafers gestoken. Opnieuw zorgvuldig gekleed naar het beeld van de geslaagde *entertainment executive*. Hij zat aan een tafeltje achter een hoge Starbucks-beker.

'Hé, Joop.' Hij stond op om Joop een hand te geven. 'Wat wil je?'

'Een grote cappuccino. En een muffin of zo.'

Omar sloot zich bij de lange zaterdagse rij voor de koffiemachines aan. De meeste klanten, in precies gekozen nonchalante vrijetijdskleding, wachtten beschaafd op de rituele beker Starbucks-koffie. Joop greep een van de krantenkaternen die op tafel lagen, het eerste nieuwsdeel van de *Times*. Een aankondiging op de voorpagina: 'Glasvezel Avontuur Strandt'. En daaronder het begin van het verhaal, groot voortgezet op een van de binnenpagina's. Het artikel beschreef de ondergang van GlobSol. Het bedrijf had gisteren om uitstel van betaling gevraagd, de eerste stap naar een bankroet, nadat het jaren populair was geweest bij grote individuele investeerders, onder wie politici, wat ooit een stormloop op de aandelen veroorzaakt had. Joop was een van de hijgerige kleine investeerders geweest en had zijn geld in het bedrijf gestoken. Toen Joop kocht, op zestien maart 2000, stond de koers op drieënzestig dollar. Gisteren op elf cent. Hij was alles kwijt. Voordat de koersen instortten, had de voorzitter van de raad van bestuur dankzij aandelenverkopen persoonlijk bijna vierhonderd miljoen dollar kunnen incasseren; als GlobSol definitief ten onder zou gaan, hoefde de man geen beroep te doen op een uitkering.

In het artikel werd een aandeelhouder geciteerd die er zijn verbazing over uitsprak dat de top van het bedrijf de zakken had kunnen vullen terwijl de gewone investeerder alles kwijt was. GlobSol had miljarden geïnvesteerd in de aanleg van kabelnetwerken en in de overname van bestaande netwerken, uitgaande van de verwachting dat er een enorme vraag naar breedbandoverdracht zou ontstaan. Maar die bleef uit. GlobSol was met enkele banken in onderhandeling om de schulden te saneren, wat alleen mogelijk was wanneer de netwerken verkocht zouden worden. De aandeelhouders zouden pas na de banken aan de beurt zijn, en het was duidelijk dat dan de pot leeg zou zijn.

De erfenis van zijn moeder, ruim tweehonderdvijftigduizend gulden, had hij jarenlang voorzichtig belegd en in de hoogtijdagen van de markt had hij jaarlijks twintig procent rendement gehaald. Daarmee kon hij hun lage vaste kosten betalen. Vervolgens had hij alles verkocht en tegen een koers van drieënzestig dollar precies 2222 aandelen van GlobSol aangeschaft. Hij rekende het snel uit: de 2222 aandelen waren nu tweehonderdvierenveertig dollar en tweeënveertig cent waard. Een diner voor twee bij Spago's. Dat was over van het vermogentje waarvoor zijn ouders hun leven lang gespaard hadden. Hebzucht, tomeloos versterkt door de furie die door de aandelenmarkten joeg, had hem tot de aankoop verleid. Net als vele anderen had hij gedacht dat het mogelijk was om binnen een paar maanden de waarde van zijn belegging te verdubbelen. Zonder te werken rijk worden. Dat beloofde de beurs. Tweehonderdveertig dollar.

Zijn huis was vijfenhalf tot zes ton in dollars waard, misschien wel meer, en de hypotheek bedroeg nog slechts zestigduizend. Hij zou het moeten verkopen. Een half miljoen dollar zou hij aan de verkoop overhouden en daarmee kon hij een legioen detectives inhuren. Mirjams kamer zou door een ander gezin als een andere meisjeskamer worden ingericht. Met ander bloemetjesbehang, een andere sprookjessprei, andere knuffels, andere spitzen voor balletles. De gedachte was onverdraaglijk.

Omar plaatste de koffiebeker en de muffin op tafel.

'*Lowfat, sugar free*,' meldde hij over de muffin. 'Ik dacht wel dat jij er zo eentje bent.'

'Helemaal,' zei Joop machteloos. 'Dank je wel.' Hij legde de krant weg.

'Fiets je veel?' vroeg Omar.

'Weinig. Niet, eigenlijk. Toevallig vandaag.' Hij dacht: mijn fiets stond vanochtend in het motel, waar de man verblijft die achter jou aan jaagt. Philip had hem over het gevaar van deze mentale opwellingen onderwezen; ga nooit in gedachten in gesprek met ons, onthoud je van denkbeeldig commentaar, blijf bij het subject, dat is de werkelijkheid van het moment.

'Ik heb er eigenlijk altijd de pest aan gehad,' zei Omar. 'Heb me als kind wezenloos door de regen getrapt.'

'Vandaag is het perfect fietsweer,' zei Joop.

'Vandaag is het oké. Wist je dat LA en Casablanca op dezelfde breedtegraad liggen?'

'Je meent 't,' zei Joop terwijl hij de muffin van het cellofaan bevrijdde.

'Beetje zelfde klimaat ook. Aan de kust, veel westenwinden. Maar veel meer irrigatie hier. Dus groener. Ben je ooit in Marokko geweest?'

'Nee.' Joop plukte het dekseltje van de beker en roerde met een houten staafje door de dikke schuimkraag.

'Mooi land. Veel armoe. Als je in Holland bent opgegroeid dan kun je daar nooit meer aarden.'

Joop kon niet weten dat hij een Marokkaanse vader had en hij moest dus vissen naar de reden van zijn opmerkingen over Marokko: 'Heb je daar familie?'

'M'n vader was gastarbeider. Marokkaan.'

'Maar je heet Van Lieshout.'

'De naam van m'n moeder. Ze zijn gescheiden.'

Nog een vraag die van geen enkele achtergrondkennis getuigde: 'Ga je hem vaak opzoeken?'

'Hij is dood. Maar ik heb er halfzusjes. Die zoek ik wel 'ns op. Ga jij vaak terug?'

'Weinig. Een paar jaar geleden voor 't laatst.' Philip had hem geleerd: lieg niet over de feiten.

'Jij zit anders in elkaar dan ik. Ik ben hier een paar maanden, maar ik heb nu al heimwee. Ook al heb ik de schurft aan Holland. Joop, wees blij dat je daar weg bent. Holland is een hypocriet, corrupt landje. En tegelijk een heilig domineeslandje. Ze weten 't altijd beter daar.' Omar liet zijn wijsvinger zien en zwaaide ermee. 'Altijd 't opgeheven wijsvingertje. Maar de dingen die ik weet, de corruptie met drugs, Nederland narcostaat, dat heb je toch wel eens gehoord?'

'Ik hou de Nederlandse kranten bij, ja.'

'Jongens met wie ik gewerkt heb zitten voor moord. Een paar anderen zijn dood, liquidatie, en een stuk of tien zitten er voor drugs. Coke. Maar de meesten lopen vrij rond.'

Nu werd het serieus. Omar ging hem in vertrouwen nemen. Of deed alsof. Joop vroeg: 'En dat was jouw... milieu?'

'Mijn milieu, ja... crimineel milieu.'

'Maar jij hebt 't gered.'

Je zult merken, had Philip voorspeld, als het goed gaat dan hoef je bijna niets te doen. Blijf voeden, en het subject blijft gewoon doorpraten.

'Ik heb 't gered, ja.'

'Omar... waarom vertel je me dit?'

'Waarom denk je?' Hij glimlachte.

'Ik weet 't niet,' antwoordde Joop, ook glimlachend, ofschoon hij voelde hoe de adrenaline zich door zijn lichaam verspreidde. Hij streek de kruimels van de muffin uit zijn mondhoeken.

Omar zei: 'Voor jou – een verhaal.'

'Voor mij?' Hij kon de biograaf van Omar worden.

'Omar, welk verhaal dan?'

'Het verhaal van wat ik heb meegemaakt.'

'Waarom wil je dat vertellen?'

'Om... om zeg maar de waarheid. Dat iedereen de hypocrieten leert kennen. Want dat is Holland.' Hij glimlachte. 'Nou wat denk je?'

Joop wilde niet zeggen wat hij dacht. Hij zou Philip om een bonus vragen. Alsof hij hevig twijfelde vroeg hij: 'Jij wilt dat jouw verhaal bekend wordt?'

'Ja. Ik wil dat 't duidelijk wordt, ja, dat de mensen te weten komen wat er aan de hand is geweest. En nog steeds aan de hand is.'

'Wat wil je dat ik doe?'

'Een film schrijven. Hoe lang denk je dat we daarmee bezig zijn? Een paar weken, een maand?'

'Eerst moeten we uitgebreid praten. Ik wil weten wat jij weet. Voordat we dat allemaal hebben doorgenomen zijn we maanden verder. En het schrijven zelf – ook nog eens maanden. Reken op minstens een halfjaar. Vermoedelijk langer.'

'Zo lang?'

'En dan heb je de financiering. Kan jaren duren. Tenzij het echt explosief is...'

'Dat is 't.'

'Blijft altijd een probleem dat je niet kunt inschatten, financiering.'

'Ik ken mensen met geld. Soms willen ze er zelfs van af. Op een bepaalde manier dan.'

'Heb je ook aan een boek gedacht?'

'Wat jij wilt,' zei Omar bereidwillig.

'Een halfjaar werk, daar moet ik ruimte voor maken, andere dingen opzijzetten,' probeerde Joop. 'Vind je 't gek als ik zeg dat ik erover na moet denken?'

'Ja, dat vind ik gek,' zei Omar glimlachend. 'Maar ik begrijp dat dat moet.'

Joop nam een slok van de lauwe cappuccino. Hij kon nu naar Philip teruggaan en voor Showcrime het verhaal van Omar schrijven en daarmee de verkoop van het huis voorkomen. Het Wilhelmus klonk.

'Je moet me vertellen waar ik die tune kan vinden,' zei Omar.

Joop drukte op de antwoordtoets. 'Hallo?'

'Linda,' hoorde hij.

'Hé, Linda,' zei hij verrast, benieuwd naar de reden van haar telefoontje.

Hij gebaarde naar Omar dat het gesprek niet lang zou duren. Omar knikte geduldig.

Linda zei: 'Ik ga zo meteen naar San Francisco, en ik dacht, ik vind het echt naar wat er tussen ons is gebeurd.'

'Het begin of het einde?'

'Het einde natuurlijk.'

Ze wilde de kou uit de lucht halen. Nog steeds ergerde hij zich wanneer hij aan haar opmerkingen over zijn grootvader dacht, maar de afgelopen week had hij als een hoopvolle reu achter haar aan getrippeld.

'Ik vind 't ook niet echt aangenaam,' antwoordde hij.

'Ik dacht, waarom kom je niet mee? Of morgen? We kunnen het er niet zo bij laten zitten, Joop.'

'Nee,' zei hij.

'Ik moet daar een paar dagen zijn – kunnen we praten. En er is... ik wil dat je met Usso praat, en met nog iemand die in San Francisco is.'

'Wie?'

'Dat vertel ik je als je daar bent.'

Hij had geen trek in Usso of andere gereïncarneerden. Maar hij verlangde naar haar.

'Wanneer wil je dat ik kom?'

'Kom vanavond. Of morgen. Wanneer 't je uitkomt. Ik logeer in het Fairmont Hotel.'

Joop kende het. In dat hotel was zijn huwelijk gestrand. 'Chique plek.'

'Krijgen we aangeboden van de organisatie.'

'Wie is de organisatie?'

'Dat zijn mensen die zich het lot van de Tibetanen hebben aangetrokken. Ik zal vragen of ze voor jou ook een kamer betalen. Als je alleen wilt slapen.'

Hij zorgde ervoor dat ze de ironie in zijn stem hoorde. 'Ik slaap graag alleen. Kan ik je zo meteen nog even bellen?'

'Ik hang zo meteen in de lucht. Maar je kunt me aan het einde van de middag in het hotel bellen. Nummer heb ik niet bij de hand.'

'Zoek ik wel op.'

'Ik mis je,' zei ze, en ze verbrak de verbinding.

'Sorry,' zei hij tegen Omar toen hij de telefoon opborg. Een reis naar San Francisco. Een paar nachten in het Fairmont. Het was wonderlijk dat hij zich ergens op verheugde.

'Een goed bericht?' vroeg Omar.

'Ik ga straks naar San Francisco.'

Een dag voor vertrek boeken betekende meestal het hoogste tarief. Een paar honderd dollar. Meer dan zijn aandelen waard waren.

'Denk erover na,' herhaalde Omar. 'Als je om een verhaal verlegen zit – dat zul je wel vaker horen – maar toch, als je een verhaal wilt horen dan moeten we 'ns gaan zitten. Ik ben jonger dan jij maar ik heb ongelooflijk veel meegemaakt. Niet allemaal dingen waar ik trots op ben. Dingen die gebeurd zijn en waar ik mee moet leven, het is zo. Maar het is misschien wel iets waar een schrijver wat aan heeft.'

'Ik ben altijd op zoek naar materiaal. Zo heet dat hier: materiaal, zoals een aannemer stenen nodig heeft.'

'Als je stenen nodig hebt, ik weet er wel een paar te liggen,' zei Omar.

'Zijn het memoires of heeft 't een plot?'

'Je bedoelt allerlei verrassingen en zo?'

Joop knikte.

Omar bekeek hem spottend. 'Ik heb een plot. De beste plot: die van de werkelijkheid.'

'Die verslaat elke fantasie,' beaamde Joop.

Ze keken elkaar een moment aan, met wederzijdse sympathie maar niet verstoken van wederzijdse argwaan. Op een ongewone manier waren ze aan elkaar gewaagd.

Omar leek een knoop door te hakken. Hij zei: 'Ik moet straks ook naar San Francisco. Met de auto. Ik had gehoopt dat 't niet door zou gaan, maar als jij mee wilt rijden, dan kunnen we een beetje praten. Is een stuk gezelliger dan in je eentje rijden.'

# 18

Nadat hij een weekendtas had gepakt wachtte Joop voor het raam. Weliswaar had hij Omar zijn adres gegeven, maar hij wilde hem niet binnenlaten. Er moest distantie blijven. Omar kleedde zich als een eigengereide miljonair en gedroeg zich als een bereisde vrijdenker; het gezicht daarachter bleef onbekend. Hij beweerde dat hij een succesvolle criminele ondernemer was geweest, en Joop had weinig fantasie nodig om zich de meedogenloosheid voor te stellen waarmee zo'n ondernemer zaken deed. Het was onverstandig om aan te nemen dat Omar een ander mens was geworden. Toch had Joop zich niet één keer in Omars aanwezigheid bedreigd gevoeld, integendeel, hij was bij hem minder gespannen dan in het gezelschap van Philip, wiens machinaties hij niet kon doorzien. Omar wekte de indruk dat hij geen behoefte had aan geheime agenda's, hij leek een slimme en tegelijk simpele man te zijn die eerlijk was zolang hij met eerlijkheid werd bejegend. Een *gentleman gangster*. Maar ondanks Omars weinig bedreigende optreden wilde Joop niet het gevaar uitsluiten dat hij met open ogen ergens instonk. Het beste was om alles wat Omar hem vertelde met een korrel zout te nemen. Luisteren zonder scepsis te tonen. Joop ging nu minstens zeven uur met hem in een auto zitten en hij moest ervan uitgaan dat hij zeven uur lang leugens zou horen. Moest hij Philip inlichten? Het lag voor de hand dat te doen, maar hij besloot om Philips nummer pas te draaien wanneer hij over een opzienbarend bericht beschikte. Nu Philip hem niet meer serieus nam, wilde hij hem verrassen, ook al hield dat misschien een risico in.

Op de keukentafel liet hij een brief voor Erroll achter. Legde uit dat hij onverwacht naar San Francisco was vertrokken en op zijn mobiel te bereiken viel. Onder het briefje schoof hij drie briefjes van twintig dollar, voldoende voor een paar dagen boodschappen. Nadat hij het nummer van het Fairmont Hotel had opgezocht belde hij het hotel en gaf een bericht voor Linda door. 'Ik kom vanavond laat aan.'

Joop wist niet wat hij wel had verwacht, maar in ieder geval niet dat Omar uit een GMC-bestelbus van U-Haul zou stappen, de grote Amerikaanse truckverhuurder bij wie iedere particuliere verhuizer zijn transport regelde. Nog voor Omar het tuinpad bereikt had, sloot Joop de deur achter zich en liep naar de GMC.

Omar was bij het hek blijven staan toen hij Joop zag.

'Rijbewijs bij je?' vroeg Omar.

'Ja.'

'Zal ik 't eerste stuk nemen?' stelde Omar voor.

'Wat je wilt.'

'Je woont hier leuk.'

Joop opende de passagiersdeur van de GMC, een grote witte bus met een bliksemachtige rode sierstreep die over de volle lengte van de bus liep. Het ruime interieur had onder intensief gebruik geleden – versleten zittingen, beschadigd dashboard – maar was schoon en rook naar een gearomatiseerd schoonmaakmiddel. De twee brede voorstoelen, van elkaar gescheiden door een middenconsole, werden door een wand afgeschermd van de diepe achterzijde. Een opening in het midden van de wand bood een doorkijk voor de achteruitkijkspiegel.

'Ik zal je tas even achterin zetten,' zei Omar.

Joop gaf hem de tas aan, stapte op de trede en ging zitten. De bus, hoger dan een SUV zoals Errolls Jeep, was zwaar en breed als een truck, maar ook snel en comfortabel. Hij wierp een blik over zijn schouder toen Omar de achterdeur opende en zijn tas in de laadruimte zette. Er stonden kartonnen dozen zonder opschrift.

Op het dashboard ontdekte Joop een plat doosje van zwart plastic, met zuignappen vastgezet, via een kabel verbonden met de aansteker. Een radardetector.

Omar opende de bestuurdersdeur en nam achter het stuur plaats.

Met een blik op de radar zei Joop: 'Die is verboden hier.'

'Deze is onzichtbaar. Allernieuwste techniek.'

Omar startte de stille motor en zette de auto met de stuurversnelling in beweging.

'Zullen we een stukje de PCH nemen?'

Joop was er nog steeds niet geweest en wilde de weg mijden. 'Zaterdagmiddag – altijd druk daar. Laten we maar de 405 nemen, die is nu rustig.'

'Je hebt gelijk.'

Omar stuurde de auto de straat uit en sloeg links af in de richting van Venice Boulevard, de brede slagader die Venice met de rest van Los Angeles verbond. Hij vroeg: 'Weet je al wanneer je weer teruggaat?'

'Geen idee. Ik denk dat ik een dag of drie blijf. En jij?'

'Ik denk ook zoiets. Als we contact houden rij je weer mee terug.'

'Graag.'

Omar vroeg of hij San Francisco goed kende en Joop vertelde dat hij er tien jaar geleden regelmatig kwam. Drie jaar lang had hij met een producent die daar woonde aan een script over Joseph Strauss gewerkt, de hoofdontwerper van de Golden Gate Bridge. Omar was er vorige maand voor het eerst geweest.

'Leuke stad. Heel anders dan LA. Een echte stad, geen groot gebied zonder hart, zoals LA toch een beetje is.'

*Zonder hart* – Joop kon niet anders dan aan zijn kind denken. En alsof hij haar moest verdedigen, ook al spraken ze over LA, zei hij: 'Toch woon ik liever hier.'

'Ja, dat heb ik ook,' zei Omar. 'Is 't een vrouw?'

'Hoe bedoel je?'

'Nou – dat telefoontje dat je kreeg.'

'Is een vrouw, ja.'

'Je vriendin?'

Joop had de betrekkingen met Linda nog geen naam gegeven.

'M'n vriendin, ik geloof 't wel, ja.'

'Dat zeg je wel heel voorzichtig.'

'Het is nog maar heel jong.'

'Is ze jong?'

'Nee, ik bedoel: wat we hebben is jong. Ik ken haar nog van vroeger. Uit m'n jeugd. We hadden samen wat. En opeens zie ik haar hier weer terug. En... en we vallen weer op elkaar.'

Op elkaar vallen. Een simpele, rauwe, lichamelijke reactie. Maar hij deelde meer met haar. Een ver verleden. Een stemming.

'Jij bent een romanticus,' wierp Omar hem met een glimlach toe.

'Nou, ik betwijfel dat.'

'Nooit getrouwd geweest?'

'Gescheiden. Jij?' vroeg Joop.

'Nee. Ik wil eerst nog een tijdje... vrij zijn, je weet wat ik bedoel. Trouwen kan altijd nog.'

De 405 was een achtbaanssnelweg die dwars door het westen van Los Angeles sneed. Ten noorden van de stad zou de 405 oplossen in de 5, de verkeersader die van de Mexicaanse tot aan de Canadese grens liep. Urenlang zouden ze over een kaarsrechte weg rijden die in het midden van de San Joaquin Valley liep, de langgerekte, vruchtbare vlakte met wijngaarden, sinaasappelplantages, uitgestrekte landbouwgronden. Aan de linkerhand de bergketens die de kust van de vallei scheidden en bij helder weer rechts de besneeuwde toppen van de Sierra Nevada.

Gedurende het eerste deel van de rit wisselden ze korte opmerkingen uit over het verkeer, het landschap, de huizen. Ze reden door de San Fernando Valley, het vlakke, *suburban* deel van LA dat aan de noordkant van de Santa Monica Mountains lag en door steile bergwanden werd omgeven. Zonder vertraging waren ze over de bergpas gereden die West-Los Angeles met de Valley verbond, een drukke snelweg die op werkdagen in een dik lint brandend blik veranderde maar in het weekend gewoonlijk geen opstoppingen vertoonde. Het bleef bewolkt, geen dag voor een massale trek naar het strand.

Bij het verlaten van de Valley vroeg Omar: 'Heb je al nagedacht?'

'Ja,' zei Joop. 'Natuurlijk ben ik nieuwsgierig naar wat je te vertellen hebt. Maar ik kan nu nog niet beoordelen wat we ermee kunnen doen. Daarvoor moet ik eerst meer weten.'

'Begrijp ik,' knikte Omar. 'Denk je dat we wat op papier moeten zetten?'

'Een contract, bedoel je?'

'Ja, zoiets,' zei Omar.

'Kan geen kwaad.' Maar Joop besefte dat een contract juridische gevolgen kon hebben. Als hij zwijgplicht kreeg en toch

Philip inlichtte, dan pleegde hij formeel contractbreuk. 'Ik kan wel een stukje papier maken met afspraken.' Hij moest ze zodanig formuleren dat hij geen problemen veroorzaakte wanneer hij Philip informeerde.

'Graag, ja,' zei Omar.

'Ik doe 't wel als ik weer thuis ben.'

'Mooi. Maar belangrijker is dat we elkaar vertrouwen.'

'Natuurlijk,' zei Joop. Hij belazerde hem.

Omars rechterhand verliet het stuur en zweefde opeens boven de middenconsole.

'Hand erop,' zei Omar.

Joop draaide zich half naar hem toe en schudde ter bezegeling van hun afspraak Omars hand. Hij ging deze man aan de Mossad uitleveren. Hij bad dat Philip geen vergissing had begaan.

'Een man een man,' zei Omar. Hij ging rechtop zitten en keek tevreden voor zich uit. 'Ik begin bij 't begin, is dat goed?'

Hij vertelde wat Joop eerder van Philip had gehoord: de gastarbeider die zijn verwekker was, zijn moeder, de dochter van een Beverwijkse visser, de culturele verschillen, de vlucht van zijn moeder en het ongeluk en de terugkeer naar Marokko van zijn vader.

Joop vroeg zich af wat Omars intenties waren, want het was onzin dat hij de wijde wereld wilde laten zien dat de Nederlandse rechtsstaat op een fundament van drugs en corruptie gebouwd was. Ook Philip zou zich deze vraag stellen. Het was ondenkbaar dat Omar wist dat hij door Philip was gestuurd, maar hij moest niets uitsluiten en de sympathie die hij voor Omar voelde proberen uit te schakelen. Als een robot. Hoe deden die *katsa's* dat? Vermoedelijk haatten of minachtten die hun subjecten. Joop kon dat niet.

'Ik was tuig, Joop. Verknipt. Dat is het woord. Verknipt. Dat is eigenlijk pas weggegaan toen ik in God begon te geloven. God heeft me daarvan genezen. Maar tot m'n tweeëntwintigste was ik een beest. 'k Heb er geen ander woord voor. Altijd met een mes onder iemands neus. Vechtpartijen. Overvallen. Maar... toen ik voor het eerst echt naar de moskee ging... ik werd toen pas geboren, zwéér ik je. Maar 't is moeilijk uit te leggen wanneer je 't niet zelf hebt meegemaakt.'

'Wanneer ben je gelovig geworden?'

'Eigenlijk toen ik in Marokko was geweest. M'n leven bestaat uit – drie delen eigenlijk. Eerst: gewoon m'n jeugd. Toen: na Marokko. En daarna: toen ik met de import en de handel ben gestopt.'

'En met import en handel bedoel je...?'

'...Precies wat jij denkt.'

'Wat heb je zoal gedaan toen je nog tuig was?' Een vraag in de vorm die Philip hem had onderwezen.

'Straatroof. Inbraken. Gewapende overvallen. Ik was vijftien, zestien. Op m'n zeventiende was ik een grote dealer. In Emmen, een plaatsje van niks, maar ik wás er iemand. Toen ik naar Groningen ging had ik genoeg poen om een zaak te kopen. Winkel plus de woning erboven. Een shoarmatent. Ideale witwaszaak. We kochten wit in en maakten ongelooflijke omzetten. Meer dan negentig procent was fake, een klein nikswinkeltje dat op papier een goudmijn was. Zogenaamd elke week duizenden porties shoarma. We flikkerden gewoon het vlees en de pita's weg als 't lang in de koeling had gelegen. Ik liet er m'n drugsopbrengsten instromen, droeg netjes belasting af en hield wit geld over. Joop, er gaat niks boven wit geld. Daar heb je graag zestig procent belasting voor over. Toen ik twintig was baadde ik in 't geld. Kocht kleren – alleen maar *designer's stuff* – de duurste laarzen, zijden hemden, en ik reed in een dikke BMW. Op m'n eenentwintigste had ik een half miljoen cash. Op de bank. Hartstikke wit. Ik! Een kut-Marokkaantje!'

Omar schudde zijn hoofd, verbaasd, verwonderd, maar ook trots.

'En je ouders?'

'M'n vader was teruggegaan naar Marokko. Had ik geen contact mee. M'n moeder gaf ik geld voor een bijouteriewinkeltje in Emmen. Wilde ze altijd al doen. Was een poging om het een beetje goed te maken. Ze heeft weinig lol aan me beleefd toen ik klein was.'

'Leeft ze nog?'

'Ja. In Emmen nog steeds. Met 'r winkeltje. Draait een klein winstje. Ik stop haar elke maand wat toe.'

'En wanneer is je vader gestorven?'

'Vlak na m'n eerste reis naar Marokko. Ik was gegaan omdat ik hoorde dat 't slecht met 'm ging. Ik wilde 'm nog zien voor ie zou sterven. Eigenlijk ging ik om 'm stijf te schelden. Om 't hem betaald te zetten wat hij m'n moeder had aangedaan. Hij was een traditionele Marokkaanse man. Vrouw moet gehoorzaam zijn. Ze is moslim geworden, maar niet in haar hart. Dus toen ik naar Marokko ging – toen was ik behoorlijk opgefokt. Ik was tweeëntwintig, ik had poen, en ik reed in m'n glanzende BMW naar Marokko. Die wilde ik aan m'n ouwe laten zien, dat ik 't helemaal voor elkaar had en dat ik hem daarbij niet gemist had en dat ie wat mij betreft meteen kon creperen. Harde woorden zijn dat, en zo was ik toen ook. Dus ik kom daar, een gat in het Rifgebergte, helemaal de Middeleeuwen, je hebt geen idee, Joop, hoe 't daar eruitziet, tot op de dag van vandaag is daar sinds veertienhonderd niks veranderd. Dus ik kom daar en ontmoet een lieve oude man en ik wéét dat hij net zo is als ik ben, dat ik verdomme zijn bloed heb en ik wéét dat ik me net zo zou hebben gedragen als hij. Want ik deed eigenlijk hetzelfde, ik was net zo agressief, net zo... net zo wreed en... en bitter als hij was. Maar ik had m'n woede omgezet in harde actie en hij had zichzelf lopen opvreten in een ijzersmelterij. Ik had m'n woede in poen weten om te zetten, en hij... had ie eigenlijk nog mazzel gehad ook met dat ongeluk...'

Hij zweeg en Joop vroeg: 'En toen?'

Speel in op de stemming, had Philip gezegd, toon empathie wanneer het subject in zijn schulp dreigt te kruipen (hij had 'schuilen' gezegd, en Joop had gecorrigeerd), en als het goed gaat hoef je alleen maar met de golven mee te deinen, als een surfer.

'En toen, in het dorp, ik kwam daar aan in het dorp, over stoffige zandwegen, m'n auto glansde dus helemaal niet meer, en ik zag daar m'n ooms en tantes, en iedereen was echt hartelijk. En m'n vader was ziek. Dat wist ik wel, maar hij was zichtbaar ziek, een skelet, en ik wist dat ik geen tijd meer had om hem te leren kennen, echt te leren kennen. Ik had me voorgenomen om hem de waarheid te zeggen over wat ie mijn moeder had aangedaan, maar mensen veranderen. Dat was de eerste les van dat bezoek. Mensen die kwaad gedaan hebben kunnen ook iets goeds doen. Dat had ie. In het dorp. Met z'n uitkerinkje – voor ons een fooi maar voor hen daar een vermogen – had ie families geholpen die 't echt nodig hadden. En ik ontmoette daar z'n nieuwe vrouw, m'n vijf halfzusjes, en ik bleek z'n enige zoon te zijn. Wat er ook gebeurd is, mensen moeten altijd een kans krijgen want ze kunnen tot inzicht komen – dat maakte ik mee. Ik kwam thuis, op een plek die ik niet kende. Het was duidelijk dat m'n vader niet lang meer had. Ik heb met 'm gepraat. Opeens zag ik... dat heet toch *the big picture*? Alles wat er met hem en m'n moeder gebeurd was, was 't gevolg van armoe, onrecht, onbegrip. Het werd opeens allemaal minder het gevolg van 't noodlot of zoiets. Het viel te *begrijpen*. Slachtoffer van de omstandigheden. Maar omstandigheden die ergens vandaan kwamen. En die je kon veranderen.'

Omar zweeg een moment. Begon opeens te grijnzen. 'Onthou je 't eigenlijk allemaal wel?'

'Ik zou wel notities willen maken,' zei Joop.

'Ga je gang.'

'Pen en papier zitten in m'n tas. Heb jij iets te schrijven hier?'

'Nee,' zei Omar. 'Ik stop wel ergens.'

Bij een afslag stuurde Omar de wagen de 5 af, naar een langs de weg gelegen *mall* in een ogenschijnlijk ongerept groen landschap dat geen enkele bewoning liet zien. Voordat de auto op de parkeerplaats geheel tot stilstand was gekomen, opende Joop zijn portier.

Hij liep naar de achterkant van de bus, opende de deur en schoof zijn weekendtas naar zich toe. Hij ritste haar open en zocht tussen zijn kleren naar het notitieboekje dat hij voor dit doel had meegenomen. Tussen de vierkante kartonnen dozen – het waren er vijf – lag een plastic tas van Barnes & Noble, de boekhandelketen. Door het rijden waren de boeken half uit de tas gegleden. Drie boeken, alledrie over de Golden Gate Bridge. Bovenop lag *The Gate* van Brian van der Molen met de roestbruine brug op de cover. Joop kende het boek. Hij had het gelezen toen hij met Robbie Fray, de producent, aan het script over Joseph Strauss werkte, en het was vreemd dat Omar niets over de aanschaf van de boeken had opgemerkt. Kennelijk had Omar iets met de brug, maar wilde hij niet dat Joop dat wist. Was dit een van Philips 'significante' details?

'Deur goed dicht?' vroeg Omar toen Joop weer naast hem was komen zitten.

'Ja.'

In gedachten liep Joop nog een keer het gesprek door, noteerde steekwoorden, en zocht vergeefs naar het antwoord op Omars behoefte om zijn levensverhaal met hem te delen. In stilte suisde de wagen over de snelweg, die na de Valley door steeds minder verkeer gebruikt werd. Een rustige zaterdag in de eerste week van maart. De weg voerde hier door een onafzienbaar groot natuurgebied, een populaire vakantiebestemming. Borden langs de weg wezen op de meren, de campings, de rustplaatsen. Het landschap lag schaamteloos machtig onder dikke witte stapelwolken, die op verschillende plekken ruimte lieten voor de zon en het eenzame drama van de groene en grijze bergen met grote schaduwvlekken versterkten. Als Joop het vliegtuig had genomen was hij al in San Francisco geweest, maar deze rit, langs bergen, valleien, rivieren, bood glorieuze vergezichten.

Met Mirjam was hij een keer naar Big Bear geweest, een hoog in de bergen gelegen vakantieoord in een van de uitlopers van dit gigantische natuurpark, ten oosten van LA. Het was een paar maanden nadat ze voor de eerste keer ongesteld was geworden, een dag in het voorjaar na het smelten van de laatste sneeuw. De natuur begon te ontwaken zoals het vrouwelijke in zijn dochter aan het ontwaken was. Ze stelde de vraag die haar kennelijk al een tijdje kwelde: 'Pap, wanneer had jij voor 't eerst seks?'

Ze zaten op de achterplecht van de half gevulde toeristenboot die over Big Bear Lake voer, een stuwmeer tussen dichtbegroeide hellingen vol hoge naaldbomen. Aan de waterkant stonden dure landhuizen, verscholen achter bomen en struiken. Een gids verklaarde de oorsprong van het meer.

'Wanneer ik...? Dat is een eh... serieuze vraag.'

'Vind je dan dat ik dat niet mag weten?'

'Ben je er niet te jong voor?'

'Over een tijdje doet 't er niet meer toe.'

'Waarom niet?'

'Nou ja, ik bedoel, over een paar jaar ben ik er zelf toch wel aan toe?'

'Welke leeftijd had je in gedachten?'

'Nou, ik dacht zestien, wanneer je een rijbewijs hebt.'
'Liefje, seks is iets anders dan het rijden in een auto.'
'De meeste mensen hebben hun eerste seks in een auto, papa. Daarom zeg ik dat.'
'Hoe weet je dat?'
'Op school.'
'Ik wil niet dat je op je zestiende gaat rijden.'
'Wát?'
'Je hoort me – geen rijbewijs op je zestiende.'
'Waarom niet?'
'Ik vind het niet juist dat ze in dit land zulke jonge mensen de mogelijkheid geven om op hun zestiende een grote machine als een auto te besturen. Je zintuigen zijn op je zestiende nog niet genoeg ontwikkeld. Je hebt te weinig ervaring. Waarom denk je dat juist jonge mensen vlak na het halen van hun rijbewijs bij ongelukken betrokken zijn?'
'Wanneer dan wel?'
'Je achttiende. Eerder niet.'
'Pap, je maakt een paria van me.'
'Nee. Ik wil dat je geen risico's neemt met zulke dingen. En ook niet met seks.'
'Wil je dat ik maagd blijf tot m'n huwelijk?'
'Dat moet je zelf beslissen. Maar het lijkt me op het moment verstandig om je eerste kennismaking een paar jaar uit te stellen.'
'Tot wanneer?'
'Tot je achttiende. Lijkt me een goed idee om het rijbewijs aan een seksbrevet te koppelen.'
'Lulkoek,' zei ze. 'Net zei je het omgekeerde. Je draait er omheen, pap. Hoe oud was jij?'
'Ik ben een jongen. Dat is anders.'
'Pap, je zwetst. Het maakt niet uit of je een meisje of jongen bent.'

'Bij seks maakt dat een groot verschil,' zei hij.

'Ik bedoel: de leeftijd maakt geen verschil.'

'Achttien,' zei hij, wat een leugen was. Maar een leugen uit liefde. 'Ik was achttien.'

'Met wie?'

'Een meisje.'

'Paaap –' Een half gezongen vermaning om hem tot duidelijkheid te bewegen.

'Ze was een jaar ouder.'

'Vond je 't eng?'

'Ja, 't was eng.' En na de leugen wilde hij eerlijk zijn: 'Maar het was ook mooi.'

'Wat vond je van haar? Vond je haar een vieze slet?'

'Nee, waarom zou ik?'

'Nou, omdat ze 't zomaar met je deed.'

'Ze deed 't niet zomaar.'

'Hoe heette ze?'

'Linda,' zei hij.

'Heb je haar later nog wel eens gezien?'

'Nee. Nooit meer.'

'Was je verliefd op haar?'

'Ja. Ik was hevig verliefd.'

'En zij ook op jou?'

'Ik denk 't wel, ja.'

Ze legde haar hoofd tegen zijn schouder en hij sloeg een arm om haar heen. Hij voelde haar haren tegen zijn wang. Op een dag zou ze iemand beminnen. Zou ze op deze manier met een ander zitten. Onafwendbaar. Onomkeerbaar.

'Achttien… jezus…'

'Dat lijkt lang, hè?'

'Ontzettend.'

'Maar het is morgen al zover.'

'Morgen?'

'Morgen, wacht maar af.'

'Ik wil altijd zo blijven zitten, pap, zo naast jou.'

Hij drukte haar even tegen zich aan; een kleine, tedere beweging van zijn arm was voldoende om haar te vertellen wat hij ervoer. De zon reflecteerde op het water en de heuvels gleden langzaam voorbij. Het was zijn opdracht om deze momenten te bewaren, hij besefte dat toen ook al.

'Ik was zestien,' zei hij.

Een kleine beweging van haar hoofd, een verstrakking van de spieren in haar lijf. Hij hoefde niet te kijken om te weten dat ze haar ogen had geopend en nadenkend naar de oevers staarde.

'Zestien,' herhaalde ze.

'Ik was te jong. Ik wilde het niet vertellen. Spijt me.'

Aan de manier waarop ze ademhaalde voelde hij dat ze naar een antwoord zocht. Toen ontspande ze zich en gaf ze zich weer zonder weerstand aan zijn arm over.

'Achttien,' zei ze.

# | 1 9 |

Joop opende zijn ogen. Buiten schemerde het, Omar had de koplampen ontstoken.

'Lekker geslap'n?' vroeg Omar op zijn Drents.

'Ja.'

Joop keek op zijn horloge. Een uur was verstreken. In zijn hand hield hij zijn notitieboekje. Hij ging rechtop zitten en zei: 'Zeg maar wanneer ik 't moet overnemen.'

'Ik red 't nog wel,' zei Omar.

'Waar zijn we?'

'We zijn Bakersfield al voorbij.'

'Hoe hard rij je wel niet?'

'Tachtig, negentig.'

'Als ze je grijpen, krijg je een dreun van duizend dollar.'

'Deze detector kunnen ze nog niet zien. Ik wil er op tijd zijn.'

'Ga je voor zaken?'

'Ik moet daar een paar mensen spreken voor m'n project.'

Joop wilde namen horen. Misschien had Philip er wat aan.

'Investeerders?'

'Ja. Dat soort mensen. En mensen die websites ontwerpen. Internetfreaks. Ik begrijp geen hol van die techniek, maar ik weet wel wat ik wil. Ik ken de smaak van moslims.'

'Dus je hebt financiers, mensen die eraan werken?'

'We hebben alles voorbereid. Maar eenvoudig is 't niet. We zijn nu bezig met een programma dat begrepen kan worden door analfabete vrouwen, een groot deel van onze klanten kan niet lezen. Simpele icoontjes, alles toegesneden op mensen die geen ervaring hebben met computers. En hier in Amerika heb ik de juiste computertjes gevonden voor ons doel. Apparaten die maar één ding kunnen: het net op gaan. Alles is er dus, het is nu een kwestie van tijd. Rustig opbouwen. Onze sites moeten veel meer goud en glitter hebben dan sites voor Hollandse calvinisten.'

'En die twee smaken, de islamitische en de Hollandse, vechten in je ziel?' Ziel. Hij had geen beter woord tot zijn beschikking.

'Niet meer. Dat is voorbij. Ik ben een moslim. Met een Hollandse buitenkant.'

Omar vertelde hoe hij op een dag van straat werd geplukt door de politie. In het noordoosten van Nederland was Omar een criminele beroemdheid. Vier agenten brachten hem in een bestelbusje naar het politiebureau in Emmen. Ze waren op zoek naar een informant die het Marokkaanse milieu kende. Iemand met zo'n verleden dat niemand op de gedachte zou komen dat hij voor de politie werkte.

'Waren van een speciaal team. Brachten me naar een kamertje in de kelder daar. Was de eerste keer dat ik mijn man zag.'

'Wie is "mijn man"?'

'Ik zal 'm A. noemen, oké? A. leidt een onderzoek naar de invoer van zware spullen. Het soort spullen waar ik m'n geld mee maakte. Hij had een lang verhaal over mijn eh... activiteiten, maar het was duidelijk dat ze niks hadden. Dit moest indruk maken, maar ze hadden me niet officieel gearresteerd, ze konden me niks maken. A. ging eerst een uurtje tekeer, maar ik wist dat ie me straks moest laten gaan. En toen kwam hij met een voorstel. Als ik meewerkte zouden ze een deal met me maken: geen aanklacht, ook niet in de toekomst, als ik ze namen zou geven. Dus ik maakte een deal.'

Philip had gezegd: wij hebben ook altijd een volkomen gelogen achtergrondverhaal paraat en waarom zou een subject dat niet hebben? Het grootste gevaar is onderschatting. Ga er altijd van uit dat het subject minstens zo intelligent is als jij.

'Omar, je gaat te hard – 't is een beetje veel wat je vertelt.'

Nooit direct kritisch zijn, nooit de integriteit van de woorden van het subject in twijfel trekken. Doe het indirect. Zeg dat je het niet begrijpt, of dat het te veel of moeilijk te volgen is, of dat je even tijd nodig hebt om zijn verhaal te verwerken. Blijf aan zijn kant staan. Laat geen verwijdering ontstaan.

'Het is veel, ja,' grinnikte Omar.

Philip zou zich zonder twijfel verzetten tegen openbaarmaking van Omars verhaal want hij had er geen belang bij dat Joop de aandacht op Omar vestigde. Als hij een script of boek wilde schrijven was het verstandiger om Philip niet meer in te lichten over zijn omgang met Omar. In Nederland moest hij een uitgever zien te vinden en een researcher aan het werk zetten die de feiten controleerde. Tegelijkertijd moest hij niet uit het oog verliezen dat Omars verhaal geheel uit de duim kon komen. Want Joop kon nog steeds niet bevatten waarom Omar zijn ervaringen aan de grote klok wilde hangen. Omar had meer te verliezen dan te winnen. Misschien was de openbaringswens een symptoom en was elk woord verzonnen en het product van een pathologische leugenaar. Nee, het was onzinnig om te ontkennen wat hij hier in deze bus deed: hij was hier om Philips nieuwsgierigheid te bevredigen, om de

Showcrime-opdracht te rechtvaardigen en zijn solidariteit met Israël te demonstreren. En opeens vroeg hij zich ook af of ze niet gevolgd werden. Philip had gezegd dat ze Omar in de gaten hielden en misschien hadden ze Omar geschaduwd toen hij een U-Haul-bus huurde en naar Superba Avenue in Venice reed.

Omars biecht hield aan. Hij vertelde – verzonnen of naar waarheid – dat hij met A. en een officier van justitie, die hij B. noemde, tot overeenstemming kwam. Hij ging onder politietoezicht drugs importeren. Dat gaf A. en B. de mogelijkheid om de trajecten in kaart te brengen en mogelijk de groepen op te sporen die de bulkpartijen het land binnensmokkelden.

'Op een gegeven moment ben ik m'n gesprekken met A. en B. gaan opnemen met een zakrecordertje. Ik dacht: ik moet iets in onderpand hebben. Iets waardoor ze me met geen vinger durven aanraken mocht 't ooit zover komen. Joop – een schoenendoos vol met cassettebandjes! Bij drie verschillende notarissen heb ik drie sets achtergelaten. Heb me suf gekopieerd. Als er iets met me gebeurt dan sturen ze die tapes naar de kranten. Vijf kranten en vier weekbladen. Ik blaas de halve justitie in Holland op.'

Joop staarde naar hem. Een aantrekkelijke man. Prachtig van lijf. Met een mooie huid, haast vrouwelijke lippen, zachte blik, sierlijke pianovingers. Waarom wilde hij zijn bestaan, de opbouw van een bedrijf in Californië, zijn bij de Armani Xchange aangeschafte garderobe en de kans om jonge vrouwen als Sandra te neuken op het spel zetten met de openbaarmaking van zijn criminele verleden? Omar was een leugenaar; zijn verhaal kon niet waar zijn.

'Ik moet dit noteren,' zei Joop.

Hij had de hulp van een expert nodig. Als ze een stop gingen maken zou hij direct in een wc Philip bellen en hem om advies vragen. Omar manipuleerde hem, ook al kon Joop zich geen beeld vormen van zijn motieven. Misschien had Omar ontdekt dat hij door Philip was gestuurd en werd Joop nu door hem ter misleiding volgepompt met valse informatie. Of ontleende Omar een curieuze vorm van bevrediging aan zijn leugens. Of vertelde hij de waarheid. Philip kende de feiten en Joop wilde weten wat Philip hem had onthouden. Hij moest bellen. Als dit waar was kregen ze een chantagewapen in handen waarmee Omar onder druk gezet kon worden.

En misschien stuitte Joop nu op een motief: wilde hij de mannen die hij A. en B. noemde te grazen nemen? Vertelde hij zijn verhaal omdat hij op wraak uit was?

'Je blaast justitie op,' vatte Joop samen, zoals Philip hem had geleerd. In het halfduister noteerde hij Omars woorden.

'Bij wijze van spreken. De reputatie. Het aanzien. Trouwens, we hebben een keer ook echt iets opgeblazen.'

'Je hebt echt iets opgeblazen?'

Philip had er niets over gezegd en wist het kennelijk niet. Maar als het feitelijk gebeurd was, viel het te controleren. Als Omar iets of iemand had opgeblazen dan had de pers er waarschijnlijk over bericht. Joop kon het op het net opzoeken, of Philip kon het op hun computers natrekken. Het zou kunnen betekenen dat Omar met explosieven kon omgaan. Wie had hem dat geleerd? Joop wilde het te weten komen: 'Wil je het vertellen?'

Omar knikte. Ging verzitten. Schoof zo ver mogelijk naar de achterkant van zijn stoel. 'Was onvoorzichtig – kortzichtig – is iemand bij gestorven die er niks mee te maken had. Leverde wel het effect op dat we wilden hebben.'

'Welk effect?'

'B. – de man die ik B. noem, de officier van justitie – werd op een gegeven moment zelf verdacht, door een collega, C. Deze C. ging vragen stellen, ging roeren. C. had de reputatie dat ie nooit voor geld door de knieën zou gaan. Vlekkeloze vent. Dat is te prijzen. Maar een gevaar was hij wel. Met A. en B. hebben we toen besloten dat C. z'n mond moest gaan houden. Banden van z'n auto lek gestoken. Dat was het begin. Daarna een brandje bij 'm thuis. Toen vonden we dat hij echt moest zwijgen. De spullen kreeg ik van A.'

'De politieman?

'Ja. Hij leerde me om de bom in elkaar te zetten. Ik ben toen zelf naar C. gereden. Hij had een tweede huisje in Zuid-Frankrijk. In een stadje waar ze boodschappen deden en waar ze ook wel 'ns gingen eten heb ik toen de bom onder de auto gelegd. Was één uur 's middags. Ze zaten in een restaurant. Komt er een vent aanrijden. Gaat eerst dat restaurant van hen in, blijft een paar minuten binnen en komt dan weer naar buiten. Maar de zak loopt niet terug naar zijn eigen auto, nee, hij gaat naar de auto van C. Ik denk: wat doet die lul? Hij heeft de sleuteltjes! Hij gaat in die auto zitten – en *boem*! Blaast zichzelf op! Shit! Halve straat onder het puin, ruiten gesprongen. Was niks meer van die vent terug te vinden. A., de gek, had me een veel te zware bom laten maken, alsof we een bunker moesten opblazen. En toen hadden we nog mazzel ook.'

'Even wachten... wie was die man?'

'Garagehouder. Kwam de auto van C. ophalen omdat de koppeling slipte. Was met een ruilauto naar ze toe gereden zodat ze die dag niet zonder vervoer zouden zitten. Verkeerde timing. Kuttiming.'

'En je had mazzel?'

'Het onderzoek hebben ze niet kunnen afsluiten. Politie daar dacht dat 't met de ETA te maken had. Weet je waarom?'

'Nou?'

'Die garageman was een Spanjaard. Een Bask. Was daar ooit zelf een bommenlegger geweest maar was ervoor op de vlucht gegaan. Wilde ermee kappen. Dus de politie dacht dat 't een afrekening was. Ze vonden 't vreemd dat ie in de auto van een Hollander was opgeblazen. Maar ze hebben nooit wat kunnen vinden.'

'En C.?'

'C. was niet gek. Een paar maanden later heb ik een briefje op het stuur van z'n nieuwe auto geplakt, zo'n geel Post-it-blaadje, met het dringende verzoek de auto niet te starten. C. is met vervroegd pensioen gegaan.'

'En wanneer was dat allemaal?'

'Tien jaar geleden. Dit jaar... precies tien jaar geleden.'

'Hoe oud was je toen?'

'Tweeëntwintig.'

'En hoe oud was je toen je... je wortels terugvond?'

'Ik vond m'n wortels niet terug. Ik vond God. Was in hetzelfde jaar. Die bom was – een paar maanden na m'n reis naar Marokko.'

'En hoe kun je dat – die moord en je geloof – naast elkaar laten bestaan?'

'Joop, dat is een interessante vraag. Daar moeten we 'ns op doorgaan.' Een flonkering in zijn ogen. Sarcasme in zijn stem. Alsof hij even liet doorschemeren hoeveel lol hij erin had om Joop een loer te draaien.

'Ik begrijp er... geen zak van,' zei Joop.

'Als je mij bent, dan wel. God geeft je de kans om jezelf te beschermen.'

'Laat God toe dat zo'n man doodgaat?'

'Die man was een moordenaar! Een ETA-man! Dat is de hand van God geweest. Kan niet anders. Ik heb een moordenaar opgeblazen! Toen wist ik dat God echt bestond. Zelfs op zo'n moment, in zo'n situatie – als je denkt dat je een onschuldige gedood hebt en je ontdekt dat je een bommenlegger gebombardeerd hebt, dan weet je dat toeval niet bestaat. Joop, alles heeft een betekenis! Ook dat jij in Primavera ging eten! Dat wij nu samen in deze auto zitten! We kennen de betekenis nog niet! Maar op een dag wordt alles duidelijk. Misschien gebeurt dat pas laat, op het moment dat je doodgaat, of wanneer je je moet verantwoorden voor God. Maar op een dag wordt alles duidelijk. Dat weet ik zeker. *Absoluut-heilig-zeker* – en jij?'

'Ik weet niks zeker,' mompelde Joop. 'Helemaal niks.'

'Misschien heb je daarom mij ontmoet… om zekerheid te krijgen,' antwoordde Omar. 'En ik heb dorst en lust wel wat. Jij ook?'

# | 20 |

Bij de eerste afslag stuurde Omar de wagen de snelweg af. De avond was gevallen. Gekleurde neonreclame lichtte fel op in het donkere landschap. Twee benzinestations, een paar fastfoodrestaurants en een videowinkel langs een langgerekte parkeerplaats, vol auto's van zaterdagavondgasten uit de omgeving. Ze kozen voor een Mexicaanse hap. Joops telefoon liet drie piepjes horen ten teken dat er een bericht was. Kennelijk had iemand gebeld toen ze door een gebied reden waar de ontvangst zwak was. In de drukbezette *diner* sloten ze zich aan bij de rij voor de bestelbalie en Joop toetste het nummer van zijn berichtenbox in. Het was Erroll. Hij had het briefje gevonden en wenste hem een goede reis. Geen bericht van Linda.

Beiden bestelden vegetarische enchilada's die door Omar werden betaald, hij stond erop. Ze wachtten in het restaurant totdat een tafeltje vrijkwam en aten in tien minuten de kartonnen bordjes leeg. 'Best lekker,' vond Omar. Hij zat weer als een kind over zijn eten gebogen, vol genoegen en onschuld.

Toen Joop opstond om naar de wc te gaan, zei Omar dat

hij met hem meeging. Van elkaar gescheiden door een kunststof wandje ritsten ze naast elkaar hun gulp open, hoorden hun urine in de urinoirs spatten. Omar stond nog steeds voor het urinoir toen Joop zijn handen ging wassen.

'Ik moest al uren,' verklaarde Omar toen hij grijnzend naar de wasbak liep.

Ze ruilden van plaats. Joop nam het stuur over en Omar schoof onderuit en leunde loom achterover. Over een onverlichte weg stuurde Joop de wagen terug naar de 5. Hij had niet de kans gekregen om Philip te bellen. Was het allemaal waar? Of een keten van leugens? Omar kon geen weet hebben van zijn banden met Philip en werd dus niet gedreven door motieven die daarmee samenhingen – of wist hij wel van Philip? Waarom vertelde hij dit allemaal? Overmoed, onnozelheid? Of een kolossale haat waarvan Joop nauwelijks de contouren kon ontwaren? Had A. hem belazerd en haatte hij hem nu zo diep dat hij A. aan het kruis ging nagelen? Voor Joops oren leek hij niets verborgen te houden. Misschien was de simpele sleutel tot Omars behoefte om zijn ervaringen met hem te delen het verlangen naar een biechtvader. Omar was katholieker dan hij zelf wist. Eindelijk eens de kans om zijn misstappen en overwinningen onder de aandacht van een toehoorder te brengen. Van een onbekende. Het kon niet waar zijn.

'Dus je kent die vrouw al lang?' vroeg Omar.

'Welke vrouw?'

'Naar wie je toe gaat.'

Joop wilde evenmin namen noemen. 'Ja. Ik was zestien. Ik had haar dertig jaar niet gezien.'

'Huwelijksplannen?'

'Nee. Dat hoeft niet meer.'

Dat was een onhandig antwoord, want het gaf Omar de kans om hem op zijn beurt te 'voeden'. Vertel de waarheid. Zo veel mogelijk. Maar *nooit* de hele waarheid.

'Ben je lang getrouwd geweest?'

'Anderhalf jaar.

'Kinderen?'

'Nee,' zei Joop.

Beschamend. Hij ontkende het bestaan van zijn dochter. Hij had wel degelijk een kind. Ze was gestorven, maar nog steeds zijn kind.

'Anderhalf jaar – kort,' voedde Omar.

'We zijn samen naar Amerika gegaan, maar... ze is teruggegaan naar Nederland.'

'Jij hebt nooit over teruggaan gedacht?'

'Nee. Ik vond mijn plek. Mijn vrouw niet.'

'Daarom trouw ik niet,' zei Omar. 'Ik heb de pest aan vergissingen.'

Joop vroeg: 'Heb je 't druk de komende dagen?' Weg van Ellen. Van vragen die hij niet wilde beantwoorden.

'Jij gaat voor je plezier, ik voor m'n project. 't Is niet eerlijk verdeeld in de wereld.'

'Heb je veel afspraken?'

'Valt wel mee. Het schijnen wilde jongens te zijn die ik ga zien.'

'Wilde jongens?'

'Hackers.'

'Hackers – wat moet je met hackers?'

Omar ging rechtop zitten: 'Ik wil 't je wel vertellen, maar dit mag niet in 't boek. En nergens. Vertrouwelijk, oké?'

'Gaat 't over iets wat... wat niet volgens de regels is?'

'Ik ben geen nette meneer, ik heb je gewaarschuwd.'

Joop had geen flauwe notie wat Omar bij hackers zocht, maar legaal kon het niet zijn. Hij zei: 'Dat weet ik inmiddels.'

'Is 't veilig bij je?'

'Alles is veilig bij me,' loog Joop. Het was smerig, maar hij kon niet meer terug.

'Een woord een woord,' zei Omar opnieuw.

'Kom maar op met je geheim,' zei Joop.

'Als dit bekend raakt ben ik m'n zaak kwijt, en de gevolgen... Joop, ik vind je echt een toffe goser, maar je moet wel weten wat je overhoop haalt als dit naar buiten gaat.'

'Ik zwijg,' zei Joop. En vroeg zich af of hij medeplichtig werd wanneer hij van een nog te plegen misdaad op de hoogte was.

'Die hackers,' zei Omar, weer onderuitzakkend, 'die gaan bestanden voor me ophalen. Ze proberen 't in ieder geval. Misschien lukt 't niet. Die bestanden zijn goud waard. Namen van moslims die al op het net zitten. Mensen met een internetaansluiting. Hebben we nodig voor ons project. Geeft ons een basis om meteen goed te kunnen draaien. Er is een bedrijf dat die bestanden heeft, ze zitten erbovenop. Willen ze niet verkopen. Dus kom ik er op een andere manier aan. Als die bestanden in handen van moslims zouden zijn zou ik er afblijven. Maar het zijn Amerikanen. Joden. Daar heb ik geen medelijden mee. Trouwens, in die filmwereld, daar barst het toch van de joden? Heb je last van ze?'

'Is nooit aan de orde geweest,' antwoordde Joop.

Eindelijk duidelijkheid over Omar. Een fanaat. Joop wilde de auto aan de kant zetten en de wagen ontvluchten. Ondenkbaar. Zodra hij straks alleen was zou hij Philip bellen en alles rapporteren. Niet toegeven aan de paniek. Hoofd koel houden. Niets van zijn onrust verraden. Hij ging verzitten en greep zich vast aan het stuur. En daar, in de chaos in zijn hoofd, verscheen opeens een gedachte die Omars woorden onschadelijk maakte – nee, een gedachte die het gevaar uit Omars woorden haalde en zijn voornemen om Philip zo snel mogelijk te bellen van tafel veegde.

Hij moest een keuze maken. Nu. Bij vol bewustzijn zou hij een afspraak met Omar maken en dat betekende dat hij vertrouwen zou schenken en vertrouwen zou ontvangen. Het boek interesseerde hem niet meer. En de joden in Israël beschikten over atoombommen en konden zichzelf wel redden. Hij mocht geen contact meer met Philip opnemen. Als het verhaal over de hackers waar was. Hij moest Omar, een domme jodenhater uit Emmen, in vertrouwen nemen over zijn dochter. Over haar hart. En hij moest hem vragen of de hackers hem konden helpen.

Vijf minuten later keek Joop opzij. Omar sliep. De wagen schoot door een van de vruchtbaarste gebieden van Noord-Amerika. In de duisternis was niets te zien, maar Joop kende het landschap. Zestien jaar geleden had hij hier met Mirjam gereden.

# 21

De eerste drie maanden na de bevalling was Ellen thuisgebleven en had ze borstvoeding gegeven, daarna had Joop, die thuis een werkkamer had ingericht, de verzorging overgenomen en Mirjam met de prut uit potjes en blikjes gevoed. Ellen wilde weer aan het werk. Maar dat bleek niet meer voorhanden, alsof haar opdrachtgevers in de veronderstelling verkeerden dat haar zwangerschap haar talent had weggenomen. Opeens leek Ellens carrière als artdirector te zijn gestrand, een ongrijpbaar, fataal verschijnsel dat in de stad vaker voorkwam en vooral crewleden trof die zo succesvol waren dat opdrachtgevers dachten dat ze te duur of overbezet waren, ook al zaten ze in werkelijkheid thuis nerveus naast de telefoon.

Noodgedwongen deed Ellen weer kleding. Ze begon te klagen over het gebrek aan kansen en waardering en over de fout dat ze in totaal bijna een halfjaar thuis was gebleven. Achteraf werd het duidelijk dat ze aan een postnatale depressie leed, maar op dat moment betrok ze haar zorgen vooral op haar carrière. Ze voelde zich gedegradeerd.

Als Ellen op een locatie of in een studio met kleren rondliep en Joop thuis in zijn werkkamer schreef, lag Mirjam in haar wiegje naast zijn bureau, zelden huilend, vaak brabbelend en kirrend, meestal slapend, en haar aanwezigheid, ook als ze door de kamer en onder zijn tafel kroop, deed geen afbreuk aan zijn vermogen om zich te concentreren en zijn werkschema te volgen.

Het duurde een halfjaar voordat Ellen weer als artdirector aan de slag kon. Precies in de week van haar verjaardag kon ze aan drie Nederlandse commercials gaan werken die in San Francisco werden geproduceerd. Ze wilde Mirjam meenemen – de productie zou een oppas betalen – maar drie dagen voor haar vertrek had de kinderarts vastgesteld dat het onophoudelijke gehuil van Mirjam veroorzaakt werd door een oorontsteking.

Ellen overwoog om haar klus in San Francisco af te zeggen, maar Joop drong erop aan dat ze ging; het was belangrijk dat ze met deze spotjes nieuwe *credits* als artdirector opbouwde en de stad kon vertellen dat ze beschikbaar was. Zonder problemen kon ze twee weken worden gemist. Ze ging.

De antibiotica sloegen aan. Na een paar dagen gaf de arts toestemming en om zeven uur 's ochtends reden ze weg om Ellen met hun komst te verrassen. Een volle dag zouden ze over de rit doen. Mirjam, tien maanden oud, zat in een kinderzitje op de smalle achterbank van de fonkelnieuwe donkerblauwe Jaguar XJS, het zichtbare bewijs van zijn succes. Zijn vroegere makker Bert Hulscher regisseerde de commercials en Joop kon niet verhelen dat hij er zich op verheugde om de elegante auto voor te rijden. Het grootste deel van de rit sliep Mirjam. Hij stopte een paar keer om haar te verschonen, haar potjesvoeding te geven, en hij genoot van de eerste lange tocht met de auto. Aan het einde van de middag bereikten ze San Francisco en hij stuurde de auto naar Nob Hill. Voor de ingang van het Fairmont doken twee *valets* naast zijn auto op. Ze tilden zijn koffer en Mirjams uitklapwiegje uit de achterbak en met Mirjam op zijn arm betrad hij tussen de pilaren de weidse lobby van het hotel. Aan de bruinmarmeren balie legde hij uit dat hij de man van Ellen Koopman was, dat dit een verrassing was, en welwillend lieten ze hen tot haar kamer toe. Zware, klassieke meubels, hoogpolig tapijt, nachtkastjes met zalmkleurige lampenkappen op koperen voeten, spiegels in vergulde lijsten, marmeren badkamer. Terwijl Mirjam kirrend de kamer verkende zette hij haar wieg op. Om acht uur was Ellen nog niet verschenen, wat niet ongewoon was; crews maakten vaak lange dagen. Hij legde Mirjam in bed en wachtte televisiekijkend, met weggedraaid geluid, op Ellens komst.

Om middernacht was ze er nog niet. Een uur later belde hij het nummer van het productiekantoor, maar daar werd de telefoon niet meer opgenomen. Om twee uur belde hij de receptie en informeerde fluisterend of er Nederlanders in het hotel verbleven. Daarop kon de receptionist geen antwoord geven. Hij spelde Berts naam. Die was wel in het hotel. Was hij in zijn kamer? Zijn sleutel was weg, dus aangenomen mocht worden dat hij in zijn kamer was. Moest hij doorverbinden? Nee, zei Joop, maar hij wilde het kamernummer hebben. Eén verdieping lager, zes deuren verder. Ze hadden geen *night shoot* – hij had het draaischema gezien, en een vorm van waanzin nam bezit van hem. Hij kon niet blijven zitten, liep zenuwachtig heen en weer door de kamer, koortsachtig proberend de nachtmerrie in zijn verbeelding te bedwingen, staarde soms minutenlang naar zijn slapende dochter en bad (Tot wie? Joop had geen idee.) dat de afwezigheid van zijn vrouw op een simpele manier kon worden verklaard. Nadat hij uitvoerig met verdraaide stem een paar zinnen geoefend had pakte hij om halfvier de telefoon, drapeerde het hoekje van een handdoek om het mondstuk en toetste het nummer van Berts kamer in. De telefoon ging vijf keer over.

'Ja?' Bert. Geërgerde stem.

Joop werd overvallen door weerzin over zijn eigen gekte, maar hij zette nu door. Met een hoge stem zei hij: '*Reception. We have an urgent message for mrs. Koepm'n. She's not in her room, and since you are part of her group, we thought, maybe you might know how to reach her.*'

Bert was even stil om de betekenis van het bericht tot zich door te laten dringen. '*Yes – okay – wait a moment.*'

Joop hoorde hem met iemand praten, maar het was niet duidelijk wie die ander was. Twee seconden later wel.

'*Hello?*'

Hij moest nu zijn rol uitspelen. Concentreerde zich op de piepstem en zijn accent. En vreemd genoeg was hij opeens volkomen rustig. Hij had zich niets ingebeeld.

'*Sorry to disturb you. Urgent message. Mr. Koepm'n called. Everything okay with Mirjam. Please call tomorrow.*'

Ze vroeg: '*That's all?*'

'*Yes, ma'm.*'

'*You're waking me up because of this?*'

'*It's marked urgent, ma'm.*'

'*Ridiculous. Okay – thanks.*'

'*Sorry, ma'm. Good night.*'

Meteen hing hij op. Had ze zijn stem herkend? Nee, dan was ze niet met hem in discussie gegaan. Nu besprak ze met Bert de mafheid van de receptie. En Bert zou haar strelen en het telefonische voorval voor iets anders aangrijpen. Terwijl ze zijn hand tussen haar dijen klemde zou ze lachen en haar tong in zijn keel proppen. Hij walgde. Waarom speelde hij dit uit? Waarom had hij haar niet meteen voor verraadster uitgemaakt? Omdat hij nu macht had? De domme macht van de bedrogene?

Gelaten pakte hij zijn spullen en vertrok een halfuur later uit het hotel. Omzichtig had hij Mirjam in het kinderzitje geplaatst zonder haar te wekken. Zeven uur later bereikte hij Venice. Hij kon haar gedrag niet verklaren. Hij dacht dat ze gelukkig was. Hij was gelukkig geweest – Ellen kennelijk niet. Hij had iets fataals over het hoofd gezien, maar ook na zeven uur contemplatieve stilte achter het notenhouten dashboard, in het met geurend leer overtrokken interieur van de Jaguar, zijn kind slapend of brabbelend achter zijn rechterarm, kon hij geen aanleiding vinden. Zo was ze. Ellen was een onbekende. Iemand die nooit vertrouwd kon worden.

's Avonds belde ze. Halfnegen. In het wiegje naast zijn werktafel sliep Mirjam.

'Hoi! Hoe gaat 't?' Spontaan. Hartelijk.

'Alles is goed,' zei hij.

'Ik hoorde net pas dat je gisteren gebeld had. Ik was vroeg naar bed gegaan en had de telefoon uitgezet.'

'Waar was je vannacht?' vroeg hij.

'Hoe bedoel je?'

'Spreek ik in raadsels? Een simpele vraag: waar was je?'

'In m'n kamer zei ik toch!'

'Daar was je niet.'

'Joop, ik had de stekker eruit getrokken!'

'Ik geloof je niet.'

'Joop, doe normaal. We hebben tot tien uur gewerkt en ik was zo moe dat ik meteen naar bed ben gegaan. Wat haal je in je hoofd?'

Alles kon een misverstand zijn, schoot even door zijn hoofd. Nee, belachelijk, hij had in haar kamer gewacht, in het holst van de nacht had hij haar stem gehoord, na die van Hulscher.

'Waarom lieg je, Ellen?'

'Joop... ik lieg niet.'

'Je liegt.'

'Zal ik straks maar terugbellen? Je bent niet voor rede vatbaar.'

'Ik was in je kamer. We zijn gisteren naar... naar je hotel gereden. Vanaf een uur of zes hebben we op je gewacht. In je kamer. En... en halverwege de nacht belde ik de kamer van je minnaar. Met een berichtje.'

Ellen bleef een paar seconden stil.

'Je bent naar San Francisco gereden?'

'Ja.'

'Met Mirjam?'

'Ja.'

'Ze is ziek!'

'De dokter was akkoord.'

'Je bent niet goed bij je hoofd om haar uren in een auto te zetten!'

Hij vroeg: 'Waarom doe je dit?'

Ze ging niet op zijn vraag in. 'Hoe kun je Mirjam dit aandoen?' Ze ging zelf in de aanval in een poging de zijne te verzwakken. Hij was schuldig, niet zij.

'Met haar is alles goed! Ze blaakt van gezondheid! Maar jij! Waarom... waarom iemand anders!'

'Waarom wil je dat horen?' vroeg ze zacht.

'Omdat ik je man ben.'

Opnieuw bleef ze stil. Toen zei ze iets wat hij niet verstond.

'Wat?' vroeg hij.

'Ik ben verliefd geworden,' hoorde hij nu.

'Waarom!!' brulde hij.

'Waarom? Omdat... omdat ik hier weer bijzonder ben! Jij geeft me geen ruimte! Daarom! Omdat alles om jou is gaan draaien! Jouw successen, jouw bespottelijke auto! Weet je nog waarom we hiernaartoe zijn gegaan? Dat kwam door mij! Maar ik ben een dom, passief moedertje geworden – *en ik kan daar niet tegen*! De afgelopen dagen heb ik me... ik heb mezelf weer gevonden!'

Met kracht wierp Joop de telefoon op de haak. Mirjam

schrok van de klap en begon te huilen. Maar hij mocht haar nu niet troostend uit het wiegje tillen, want hij moest haar beschermen tegen de haat in zijn handen. Hij liep naar buiten, dwaalde verdwaasd door de tuin, cirkelde om het huis terwijl binnen Mirjam op een snerpende toon gilde. Onafgebroken rinkelde de telefoon. Het was een warme avond in oktober. De krekels dreunden. In de nacht fonkelden de sterren.

Na een halfuur ging hij naar binnen. Mirjam was in slaap gevallen, een meter verwijderd van de telefoon die zonder haperen bleef rinkelen. Hij nam op.

'Ik wil Mirjam,' hoorde hij haar zeggen.

'Nooit,' antwoordde hij, en verbrak de verbinding.

Zestien jaar geleden. Als hun kind aan haar was toegewezen, was Mirjam in Nederland opgegroeid. En had ze vermoedelijk nog geleefd. Maar hij had Ellens claims bestreden en twee jaar later voor de rechtbank als bedrogene gelijk gekregen. Ellen liet soms maanden niets van zich horen, dan braken er perioden aan waarin ze elke dag belde, en pas toen Mirjam ongesteld werd en de stem van een vrouw nodig had, ontdooiden de betrekkingen enigszins. Had Mirjam in Nederland overleefd?

In de stilte van de voortrazende GMC-bus, naast een diep slapende Omar, die soms minutenlang met open mond lag te snurken, liet hij dergelijke doelloze gedachten en herinneringen tot zich toe.

# | 22 |

Zijn bericht had Linda bereikt, want hij kreeg zonder problemen de sleutel van haar kamer. Toen hij de kamerdeur opende, riep ze vanuit de badkamer: 'Ik stel het op prijs wanneer in dit hotel het personeel op de deur klopt voordat de gast in z'n privacy gestoord wordt!'

Gekleed in een dikke badjas, die ze met een hand dichthield alsof ze het koud had, kwam Linda driftig uit de badkamer om de hotelmedewerker op zijn nummer te zetten – en toen ze hem zag begon ze breed te glimlachen. Ze liet de badjas los en sloeg haar armen om hem heen. Ze was naakt, haar huid was nog warm van de douche. Zich aan zijn nek vasthoudend sprong ze atletisch met gespreide benen tegen hem aan en hij ving haar bij haar billen op, droeg haar naar het bed terwijl ze haar dijen om zijn heupen klemde.

Hij belde roomservice. De serveerwagen werd ter plekke door twee obers met een paar grepen tot een ronde tafel uitgebouwd.

Linda zei: 'Zou je een keer met Usso willen praten?'

'Nee. Mijn grootvader is al heel lang dood.'

'In zekere zin, ja.'

'Nee, niet in zekere zin. In welke zin dan ook. Moet ik hem op z'n bek slaan of moet ik hem uitlachen, vraag ik me af?'

'Ik denk dat je fatsoenlijk blijft. Als je hoort wat hij te vertellen heeft.'

Het was vervelend dat ze aandrong. De monnik was een charlatan. Maar hij wilde niet nog een keer hierover een conflict met haar uitlokken. Of lokte zij uit?

'Lin, ik ben voor jou hiernaartoe gekomen. Niet voor hem.'

'Ik heb een afspraak voor je gemaakt. Overmorgen. In de stad. Met hem en nog iemand.'

'M'n grootmoeder?'

'Nee.'

'Wat wil je toch van me?'

'Wat ik wilde... toen ik je de eerste keer schreef wilde ik je over iets inlichten. Ik wist ook niet dat dit zou gebeuren. Dat was niet de bedoeling. Maar het is gebeurd. Maar dat eerste blijft: de reden waarom ik je geschreven heb. Dat is er nog steeds. En het is iets goeds.'

Misschien bedoelde ze dat ze aanwijzingen had dat Joop in een ander leven een heilige was geweest.

'Kun je iets preciezer zijn?'

'Nee. Ik wil dat je het van anderen hoort. Niet van mij. En: ga mee. Het ergste wat je kan overkomen is dat je je een halfuurtje verveelt. Oké?'

Ze pakte zijn hand. Gesteven tafellinnen, zwaar verzilverd bestek, goudgerande borden. Zestien jaar geleden had hij 's avonds ook roomservice gebeld en in Ellens kamer het voedsel onaangeraakt gelaten. Bij zijn vertrek had hij de serveerwagen naast een andere deur gereden teneinde de sporen van zijn aanwezigheid uit te wissen.

'Ik moet erover nadenken,' zei Joop, 'maar verwacht niets van me.'

'Vandaag ben ik vrij,' zei ze, 'we kunnen door de stad lopen, de tram nemen, beneden naar Fisherman's Wharf gaan, de gewone toeristentoer, wat vind je?'

'Goed. Maar – het is mogelijk dat ik een telefoontje krijg en dan moet ik er een paar uur vandoor.'

Ook op zondag was het vochtig. Acht millimeter regen. Niet koud, maar er stond een stevige wind. Ze bezochten het Museum of Modern Art, lunchten in een van de visrestaurants op de Wharf. Geen telefoontje van Omar. Er was verwarrend veel waarover Joop in rust wilde nadenken, maar hij werd afgeleid door haar prachtige lijf, en soms door haar bizarre redeneringen die hem met zowel afkeer als fascinatie vervulden. Ze was een gelovige die citaten van boeddhisten uit het hoofd kende.

'*In één bloem is de hele kosmos te vinden. We kunnen niet zeggen dat de bloem minder dan dit of meer dan dat is. Als we onze ideeën over meer of minder, zijn en niet-zijn, laten vervagen, bereiken we wat in het boeddhisme het nirwana genoemd wordt: het tenietdoen van alle ideeën en begrippen.* Dit heeft Thich Nhat Hanh gezegd, een zenmonnik. Hij laat zien dat een westers godsbegrip verenigd kan worden met een boeddhistisch wereldbeeld.'

'Ik raak de draad kwijt,' onderbrak Joop. 'Boeddhisten geloven toch niet in een god?'

'De Boeddha levert geen recept. Hij biedt ideeën aan. Maar wanneer je iets verabsoluteert, denk je niet meer in zijn geest.'

Joop verabsoluteerde zijn herinneringen. De nagedachtenis van zijn kind. De Boeddha vond dat je die ook moest opgeven. Maar als hij dat zou doen zou ze nog een keer sterven.

Omar liet niet van zich horen.

# | 23 |

Op maandag vijf maart bedroeg de hoogste temperatuur in San Francisco veertien graden Celsius; de gemiddelde temperatuur bleef vier graden lager. Het regende en waaide, rukwinden met snelheden tot drieënzestig kilometer per uur werden gemeten, er viel zes millimeter neerslag ofschoon het de gehele dag vochtig bleef.

Om tien uur 's ochtends liet Linda de taxi stoppen voor een hoog kantoorgebouw vlak bij Union Square, het plein dat het hart van de stad was. Toen Joop voor Robbie Fray aan het script over Joseph Strauss werkte, had hij een paar keer in het St. Francis Hotel gelogeerd, twee straten van het kantoorgebouw verwijderd.

Een middelgrote blokkendoos, strak, Mies van der Rohe-achtig. Een onopvallende kantoorkolos. Een draaideur gaf toegang tot een hal met een grijze marmeren vloer en een zwarte balie. Achter de balie, aan de muur, hing een zwart gemarmerd bord dat per verdieping in gouden letters de lijst met huurders toonde.

'Achtste en negende,' zei Linda.

Joop las de naam: Schweizerische Handelsbank.

Hij vroeg: 'Wat is dat?'

'Een bank.'

'Dat zie ik. Wat moeten we bij een bank?'

'We hebben hier een afspraak met iemand. Mag ik even je telefoon?'

Ze toetste een nummer in en wachtte.

'Hallo? Meneer Hürlimann? Linda de Vries. We zijn beneden. Moeten we naar de achtste of negende?' Ze luisterde en knikte. 'Hoe heet die zaak?' Opnieuw knikte ze: 'Goed. Gaan we daarheen. Kunnen we alvast iets voor u bestellen? ...Zal ik doen. Tot zo.' Ze gaf Joop de telefoon terug. 'Hij komt naar beneden. De conferentiezaal is bezet. We gaan naar een *diner* aan de overkant.'

Ze keerden terug naar de draaideur. Dit beviel hem niet. Dit ging over meer dan reïncarnatie.

'Hürlimann... een Zwitser?'

'Ja.'

'Dat is de man die ik moest ontmoeten?'

'Ja.'

'Ook een boeddhist?'

'Ik denk een rechtgeaarde Zwitserse calvinist.'

'Wat wil hij van mij?'

'Heb geduld.'

'Wat wil jij van mij?'

'Nog een keer: geduld.'

In de druilerige regen wachtten ze tot het verkeer tot stilstand kwam, holden de natte straat over. De *diner* was schuin tegenover het gebouw op de begane grond van een ander kantorencomplex gevestigd. Linda koos een *booth* voor het raam.

'Komt de monnik ook?'

'Ja. Usso is al bij hem.'

'Voor wat? Moet er een script geschreven worden?'

'Dat is aan jou. Maar het lijkt me wel geschikt voor een film, ja.'

'Vind je het vreemd dat ik dat allemaal... ongemakkelijk vind?'

'Nee. Zo meteen wordt 't allemaal duidelijk. Relax! Het is iets goeds. Iets wonderlijks.'

'Ik heb weinig vertrouwen in wonderen.'

'Joop, het is tijd dat je daar anders over gaat denken.'

Aan de overkant zag hij de monnik uit het kantoorgebouw komen, een lang nylon jack over zijn oranje gewaad. Naast hem liep een man in een beige trenchcoat, een attachékoffer in de hand, die onhandig een paraplu probeerde te openen. De monnik gebaarde hem dat hij geen bescherming tegen de regen nodig had en snel staken ze de straat over.

Joops telefoon piepte het Wilhelmus en hij boog zich opzij om een hand in zijn broekzak te wurmen.

Omars stem in zijn oor: 'Die jongens – ik was net bij ze – ze zijn er vanochtend meteen mee begonnen.'

De hackers. Mirjams hart. Ze hadden afgesproken om het woord 'hacker' niet te noemen.

'Fijn. Bellen ze wanneer ze het hebben?'

'Meteen,' zei Omar.

'Fijn.'

'En Joop – ze doen 't gratis. Ze wet'n waar 't over gaat. Die jongens hebb'n 'n hartje van goud.'

Kennelijk had Omar bij hun eerste gesprekken zijn best gedaan om zijn accent te verbergen, want nu klonk in elk woord door waar hij had leren praten.

'Het hoeft niet voor niks. Ik betaal er graag voor.'

'Will'n ze niet. Alles in orde met je?'

'Ja, natuurlijk. Weet je al wanneer je teruggaat?'

'Weet ik straks. Ik bel je.' Hij keek op het beeldscherm van zijn telefoon, las Omars nummer en verbrak de verbinding.

In het leven bestond er een hiërarchie. Tegen Linda zei hij: 'Misschien moet ik straks even weg.'

'Eerst moet je even luisteren, goed?'

'Ik luister,' zei hij.

Linda ging staan toen ze de *diner* binnenkwamen. De man hief glimlachend een hand, waarbij hij de paraplu gevaarlijk dicht langs het gezicht van de monnik zwaaide. Gevolgd door de monnik kwam hij naar hun tafel.

'Mevrouw De Vries, leuk u weer te zien.'

Hij sprak Engels met een zwaar Duits accent. Hij was vijfendertig, lang en slank, met een aantrekkelijk, regelmatig, jongensachtig gezicht, iemand die de indruk wekte dat hij nooit door een tegenslag was gekweld. Nee, het was erger: hij kon het woord 'tegenslag' niet eens spellen. Lichtblond haar, heldere blauwe ogen en een gebruinde huid, alsof hij net weken onder de zon van Gstaad op skivakantie was geweest.

'Meneer Hürlimann, dit is Joop Koopman.'

'Meneer Koopman, fijn u te ontmoeten. U heeft de heer Apury al ontmoet.'

Joop schudde zijn hand. 'Zeker.'

De monnik vouwde zijn handen, boog en Joop bootste de groet na.

'Ga zitten,' zei Linda, 'we hebben net koffie besteld. Ook voor u, meneer Hürlimann. En thee voor de meester.'

De monnik knikte. Naast Hürlimann schoof hij de bank in.

'Fijn dat u kon komen,' zei Hürlimann. Zittend bevrijdde hij zich van zijn jas en hij trok uit het borstzakje van zijn donkerblauwe blazer een kaartje. Een brede, donkerrode, zijden stropdas, een modern wit overhemd met dubbele manchetten waarin zilveren manchetknopen gestoken waren.

'Alstublieft.'

Joop nam het visitekaartje in ontvangst. Onder de naam van de bank las hij: *dr. Christian Hürlimann, vice president.* Met een adres in Basel, Zwitserland.

Joop zei: 'Het spijt me, ik heb geen kaartjes.'

'Mooi dat u tijd kon vrijmaken. U bent vanochtend aangekomen?'

'Eergisteren.'

'Mooi. Heeft mevrouw De Vries al iets verteld?'

'Nee. Niets. Ik ben geheel blanco. Maar bankiers ontmoet ik altijd graag.'

'Dat maak ik niet altijd mee,' antwoordde Hürlimann. 'Zal ik iets over mezelf vertellen?'

'Graag.'

'Ik werk voor de Schweizerische Handelsbank. Al vijf jaar, vijfenhalf om precies te zijn. Ik ben secretaris van de raad van bestuur van de bank. En de directie heeft me gevraagd deze zaak te behandelen.'

'Welke zaak?' vroeg Joop. Hij verdomde het om nog een reïncarnatieverhaal aan te horen. Was de Zwitser Linda's grootvader, Mozes, de broer van Herman?

'De zaak-De Vries. De zaak van uw grootvader.'

'Mijn grootvader?' herhaalde Joop met weerzin.

'Ik zal 't hier even overnemen, geloof ik,' zei Linda sussend.

'Graag,' zei Joop. Zij wist hoe hij over deze affaire dacht. Als dit op deze manier doorging zou hij zo meteen onbeschoft zijn en weglopen.

Een serveerster bracht hun bestelling. Ze wachtten tot de vrouw de kopjes op tafel had gezet en ontweken in stilte elkaars blikken.

Joop boog zich naar Linda en zei zacht in het Nederlands: 'Linda, je gaat me toch geen kunstje flikken?'

Kalmerend legde ze een hand op zijn arm: 'Nee. Wat denk je wel?' Daarna ging ze in het Engels verder en richtte zich tot Hürlimann: 'Ik heb Joop nog niet ingelicht. Ik wilde daarmee wachten tot u erbij was.'

De bankier knikte begrijpend.

Ze wendde zich weer tot Joop. 'Wat ik ga vertellen staat haaks op alles waarin jij gelooft. Of beter: waarin jij niet gelooft. Het heeft te maken met wat de meester mij verteld heeft. Ik ken je scepsis. Maar meneer Hürlimann is het bewijs. Hij hééft het bewijs. Joop – probeer je nu even open te stellen. Wat ik ga vertellen zal je leven veranderen. En dat is geen grootspraak. Beloof je me dat?'

Ongemakkelijk schoof hij heen en weer op de bank. Vijf minuten, dacht hij, ik geef de Zwitser vijf minuten.

'Ik doe m'n best,' zei hij.

Linda keek naar de monnik. 'Usso?'

Niet de bankier maar de monnik zou hem wegwijs maken in de glorieuze dimensie van de reïncarnatie. Deze onbekende kaalgeschoren Aziatische man was zijn grootvader.

De man zat met rechte rug op de bank, volledig ontspannen en sereen. Hij zei: 'Meneer Koopman, ik ken de grenzen van de westerse cultuur. Ik weet hoe er in het algemeen in uw cultuur over reïncarnatie wordt gedacht. Ik ben in een andere omgeving opgegroeid. Voor ons is reïncarnatie een feit. Voor ons bestaat het leven uit een lange keten. Van pogingen om de eeuwigheid te bereiken. We moeten ons gedurende elk mensenleven vervolmaken. Dat is het doel van het leven. En als we het volmaakte leven bereikt hebben, wacht er een aanwezigheid. Tijdloos. Zonder materie. Een aanwezigheid die wij ons met moeite kunnen voorstellen maar die voor ons werkelijkheid is. Het nirwana. Maar die staat hebben wij nog niet bereikt, geen van ons want anders waren we hier niet.'

De monnik hield de kop thee in beide handen en nam voorzichtig een slok. Met overwogen, doelgerichte bewegingen. Hij slurpte luid. Dat was vermoedelijk geoorloofd in Tibet, dacht Joop. Vermoedelijk had zijn grootvader ook geslurpt.

De monnik zette de kop neer en zei: 'De Boeddha leert ons

dat er vijf *skandha's* zijn die ons leven bepalen: lichaam, emoties, observaties, bewustzijn en gemoedstoestanden. Deze *skandha's*, aspecten, zijn altijd in beweging. Voor ons is reïncarnatie een echte wedergeboorte. Wanneer je geboren wordt, ontsta je uit het niets. Wanneer je sterft, verdwijn je in het niets. Maar niets ontstaat niet uit niets. Voordat een bloem een bloem wordt, bestaat zij al – in het zonlicht, in de aarde, in het zaadje. Voortdurend wisselen de aspecten, komen soms samen in een bloem, dan weer in een andere vorm. Het nirwana is het einde van alle woorden, van alle ideeën. Daar houden de elementen op te bestaan. Een zenleraar en zijn leerling hadden een keer een gesprek. De leerling vroeg: "Waar is de wereld van geen-geboorte en geen-dood?" En de leraar zei: "Die is midden in de wereld van geboorte en dood." Waarom vertel ik dit? Om de verwevenheid van alles met alles aan u duidelijk te maken. En om mijn herinneringen te verklaren.'

Hij zweeg en staarde naar zijn thee. Geen beweging was zichtbaar, alsof ook zijn hart had opgehouden te kloppen. Joop keek een moment naar de bankier en probeerde vast te stellen wat hij hiervan dacht. De Zwitser leunde op tafel en luisterde kennelijk geïnteresseerd naar de monnik, die opeens weer begon te praten.

'Sinds mijn verschijnen op aarde herinner ik mij dingen. Ook als kind. Ik herinner mij straten die ik niet in Tibet kon waarnemen. Ik herinner mij dat ik een dochter had. Ik herinner mij mijn beroep. Ik herinner mij reizen naar Istanbul. Ik herinner mij een leven. Met de pijn van het einde. Ik herinner mij angsten en vreugde. Ik herinner mij ziekte en gezondheid. Ik herinner mij een volledig aards leven. En ik herinner mij namen. Van mijn ouders, mijn vrouw, mijn kind, mijn broer. Voor u is dat alles onbegrijpelijk. Voor mij een feit.'

Het was idiotie wat de man vertelde. Deze volwassen man

beweerde dat hij herinneringen had van voor het begin van zijn leven.

In alle rust staarde de monnik in zijn thee. Misschien lazen monniken daarin de toekomst.

'Ik kwam ter wereld als Herman de Vries. Ik ben geboren op drie april van het jaar achttienhonderdnegentig van uw jaartelling. Ik ben op vijftien juni van het jaar negentienvijftien in het huwelijk getreden met Esther Eijsman. Tien maanden later kregen we een kind, ons enige, Johanna Mirjam, die we Anneke noemden. Ik heb deze aarde verlaten op eenendertig april negentiendrieënveertig. Dat is wat ik mij herinner.'

Met brandende ogen staarde Joop naar de man. Met een keel die gortdroog was. De namen klopten. De data. Die hij van Linda had gekregen of die door Apury ergens waren opgezocht. Dat was niet eenvoudig, maar iemand die hardnekkig was kon de gegevens bijeenbrengen. Hij had er misschien jaren aan gewerkt. Een meesteroplichter.

'Ik voel uw scepsis,' zei de monnik. 'Ik zou die ook hebben. Als ik opgegroeid was in uw cultuur zou ik niets aannemen van iemand als ik, die opeens in uw leven verschijnt en uw houvasten lijkt te beschadigen. Zijn er objectieve bewijzen, zult u vragen. Behalve mijn herinneringen – nee. En toen ontmoette ik in Dharamsala uw achternichtje Linda. En zij nam contact op met de bank in Zwitserland. En toen ontving zij van meneer Hürlimann een brief.'

Joop keek naar de Zwitserse bankier. Deze draaide zich naar Joop, en Joop herkende in diens glazige ogen dezelfde duizelingwekkende argwaan als die hij voelde. Hij was bang dat hij moest overgeven.

'Ik eh... ik meen te weten wat er door u heen gaat,' zei Hürlimann. 'Gelooft u me, ik wist niet wat ik hiervan moest denken. Ik heb onderzocht wat ik diende te onderzoeken, en ik moest op een dag toegeven dat de woorden van meester

Apury in ieder geval op één punt klopten. Een belangrijk punt. Ik accepteer de woorden van meester Apury voor zover ik ze kon natrekken. En ik moet u om discretie vragen. U moet daarvoor tekenen, mijn bank wil niet dat dit bekend raakt, u zult zo meteen begrijpen waarom – maar ik heb dankzij meester Apury in ieder geval één anonieme rekening kunnen thuisbrengen die we anders zonder rechthebbende hadden moeten afsluiten.'

Joop kon geen gedachten meer ordenen, laat staan formuleringen. Hij keek een moment naar buiten, naar de grijze lucht boven de hoge gebouwen, het rode logo van de Zwitserse bank op de gevel, de in elkaar verstrengelde letters SHB, en besloot dat hij niets te verliezen had. Als je een aap maar lang genoeg aan een laptop liet werken – duizenden of miljoenen jaren lang – zou hij op een dag spontaan Shakespeares *Merchant of Venice* tikken, had Joop ooit gelezen. Zo moest hij dit ook zien. Hij moest geen poging doen om dit te begrijpen. De Zwitser was blijkbaar door de knieën gegaan. Hij was bankier, het ging dus om geld. Maar als het legaal was en hij eraan kon verdienen, zou hij het spelletje meespelen.

'Kunt u wat concreter worden?' vroeg hij Hürlimann.

'Wilt u 't vertellen, of moet ik 't doen?' vroeg deze aan Usso Apury.

De monnik boog bescheiden. 'Als 't uw goedkeuring heeft zou ik 't graag vertellen.'

Hürlimann maakte een toegevend gebaar met zijn handen. 'Wat u wilt.'

De monnik dankte hem met een hoofdknik. 'Herman de Vries maakte regelmatig reizen naar Istanbul. Hij handelde in thee. In Istanbul deed hij zaken met een sefardische familie, een van oorsprong Griekse familie. Dankzij hun contacten kon hij een aardig kapitaal opbouwen dat hij op een bank in Istanbul aanhield. In december 1939 nam hij dat kapitaal in baar geld op en nam het in een koffer mee. In januari 1940 kreeg hij een visum voor Zwiterland en deponeerde het geld op een rekening bij de Basler Getreidebank. Herman de Vries herinnert zich het codenummer. En het wachtwoord.'

Opnieuw boog de monnik, ter afsluiting van het verhaal.

Het ging dus om het vermogen van zijn grootvader. Zijn moeder had verteld dat het in de oorlog was verdwenen. Maar het was ondenkbaar dat de monnik ontdekt had wat sindsdien voor zijn moeder (en vader, die ook geprobeerd had het te achterhalen) verborgen was gebleven.

Hürlimann nam het van hem over. 'Linda de Vries kwam uiteindelijk bij mij terecht toen zij ontdekte dat de Basler Getreidebank niet meer bestond. In 1959 heeft de SHB de Basler overgenomen. Onze afdeling klantenservice had aanvankelijk nogal moeite – met haar verzoek om inlichtingen. De Zwitserse banken hebben reïncarnatiezaken bij het opstellen van de bankregels over het hoofd gezien, dat ligt enigszins voor de hand. Het duurde enige tijd voordat haar brieven naar boven geleid werden.'

'Zegt u maar gerust een halfjaar,' onderbrak Linda hem.

'Dat is zo, maar het is dan ook uitzonderlijk wat hier ter tafel ligt. Zeer uitzonderlijk. Misschien wel uniek.'

'Ik wist meteen dat het verhaal van de meester klopte,' zei Linda. 'Elk detail. En als dat zo was, dan zou ook het verhaal over de reis naar Basel moeten kloppen.'

Joop moest er zijn hoofd bij houden. Hij schraapte zijn keel. 'En dat nummer... en wachtwoord... die klopten?'

'Uw grootvader had een coderekening geopend, een rekening zonder naam. Daarbij hoort een wachtwoord – ja, beide klopten.'

'Wat voor geld is het?'

'Blijkbaar geld dat uw grootvader met zijn bedrijf heeft verdiend. Zoals u weet zijn wij in Zwitserland bezig met een uitgebreid onderzoek naar de zogenaamde "joodse tegoeden". Deze coderekening stond ook op de lijst, maar zij viel niet te herleiden tot namen van personen. Dat is normaal het voordeel van dergelijke rekeningen, maar als er wat gebeurt met de rekeninghouder, dan is het zo goed als onmogelijk om de rechthebbende van de rekening te achterhalen.'

Joop keek naar de onbewogen, in zijn thee starende monnik. Joop kon niet in zijn schedel kijken. De wereld was tot de nok toe gevuld met irrationaliteit. En dit vormde een voorlopig hoogtepunt.

Joop aarzelde, want de vraag schitterde door ultieme waanzin. 'En ik ben... ik ben dus de erfgenaam van meneer Apury?'

Hürlimann knikte. 'Ja, maar het is ook enigszins complex. Meneer Usso Apury is uw grootvader, althans, dat zegt hij, dus in feite is hij hier om het geld van de rekening op te nemen. Maar...' Hürlimann gebaarde druk. '...dergelijke regels moeten nog uitgevonden worden, wij hebben geen enkel idee hoe wij dat legaal zouden kunnen verantwoorden. Dus is het geld van u. Als wettelijk rechthebbende.'

'Als wettelijk rechthebbende,' herhaalde Joop, niet bij machte om de situatie een plaats te geven binnen een redelijk geordende werkelijkheid. Maar stond zijn wereld niet al vanaf tweeëntwintig december op zijn kop? Was niet alles waarin hij met redelijkheid vertrouwen had gehad uit zijn handen geglipt?

'En wat wilt u?' vroeg Joop, zich tot de monnik richtend.

De monnik zei: 'Ik ben uw grootvader, maar tegelijk ook weer niet. Ik ben op een bepaalde manier een voortzetting van hem, maar ook weer een eigen begin. Ik heb geen recht op dat kapitaal.'

Wanhopig keek Joop naar Linda. En vroeg in het Nederlands: 'Wat moet ik hiermee, Lin?'

Ze glimlachte teder. 'Wat je wilt. Aanvaard 't. Denk er niet over na. Het is een wonder. En ik zou het heerlijk vinden als je me voortaan met wat minder scepsis aanhoort, maar het is jouw geld. Jouw recht.'

'Begrijp jij 't?' smeekte hij.

'Nee. En dat hoeft ook niet. Ik gelóóf 't. Laat dat begrijpen maar even zitten.'

Met suizende oren knikte Joop. 'En wat nu?'

Hürlimann zei: 'Ik heb papieren bij me. Als u die tekent, is 't geld van u.'

Joop knikte. En wendde zich weer in het Nederlands tot Linda: 'Is dit een grap, Linda? Iets met een verborgen camera?'

'De wereld zit vol verborgen camera's,' zei Linda. 'Maar dit is allemaal echt.'

Hürlimann zei: 'Ik moet u vragen om een *non-disclosure*-overeenkomst te tekenen. De hoofddirectie werkt aan deze transactie mee op basis van discretie. Zij wil absoluut niet dat deze transactie in de pers bekend raakt. De gevolgen zouden immens zijn. Straks krijgen we duizenden reïncarnatiegevallen te behandelen. Ik moet u helaas vragen die overeenkomst te tekenen.'

'Goed,' zei Joop opnieuw. Wat had hij te verliezen? Het verdwenen geld van zijn grootvader.

''t Tekenen kost tien minuten,' zei Hürlimann. 'Of ik geef de papieren mee, wat u wilt.'

'Om hoeveel geld gaat 't?' bracht Joop uit, wanhopig zoekend naar de regels van dit nieuwe leven.

'In 1940, toen uw grootvader in Basel was, deponeerde hij een bedrag van omgerekend honderdvijftigduizend dollar.'

'Zoveel?' sprak Joop, met overslaande stem.

'Zoveel,' herhaalde Hürlimann. 'En in de loop van zestig jaar is dat uitgegroeid tot een vermogen van iets meer dan twee miljoen dollar.'

Joop keek Linda aan. 'Mag ik er even langs, Lin?'

Ze had een uitbarsting van vreugde verwacht, want ze keek hem met verrukte ogen aan, maar hij was niet bij machte om nu te reageren en stond op. Over de bank schoof hij de *booth* uit. Maakte grote stappen langs andere tafels en *booths* naar de wc aan de achterkant van de *diner*. Duwde met een schouder tegen de klapdeur en trok de deur van een van de wc-hokjes open. Boog zich over de pot en braakte. Diep vanuit zijn ingewanden stootte hij zijn ontbijt uit, voelde het zure slijm in zijn slokdarm en keel, zag hoe slecht hij vanochtend gekauwd had, brokken brood en gerookte zalm spatten onverteerd op de bodem van de pot, en iets in zijn lichaam genoot van deze ontlading, die ook zijn hoofd leek leeg te ruimen, een zuivering, een verlossing.

Hij waste zijn handen, veegde met een papieren doekje zijn mond schoon, en keerde met een stil hoofd terug naar de *booth*. Maar het was de stilte in het oog van een windhoos. Zijn handen en benen trilden.

Linda ging staan toen hij naar haar toe liep.

'Je ziet wit, Joop.'

'Ik voelde me even niet goed. Gaat wel weer.'

'Ik zal om water vragen.'

'Graag, ja.'

Ze stevende op een serveerster af. Toen Joop ging zitten, merkte hij dat de monnik zijn plaats had verlaten.

De bankier zei: 'Meneer Apury laat zich verontschuldigen. Is weggegaan.'

Linda liet zich weer naast Joop op de bank zakken.

Met een hoofdknik naar de plek waar de monnik had gezeten vroeg Joop haar: 'Hij is vertrokken?'

'Hij had... hij zag dat je er moeite mee had. Hij had er spijt van dat hij dit allemaal veroorzaakt had.'

'Spijt? Spijt hoeft ie niet te hebben. Wat moet ik hem geven, Lin?'

'Joop, daar ga ik niet over.'

'Tien procent? Een soort *finder's fee*? Wat 't natuurlijk niet is. 't Is zijn eigen geld – zo ongeveer. Of moet ik hem alles geven?'

'Denk daar even over na, je hoeft nu niks te beslissen.'

Hürlimann legde papieren op tafel. Op de bovenste pagina pronkte het rode logo boven een getypte tekst. Hij wees ernaar, sloeg drie pagina's om. Onder een stippellijn, waaraan zijn handgeschreven handtekening moest worden toegevoegd, was Joops naam al ingevoerd.

'Dit is het document dat aangeeft dat wij uw identiteit accepteren – heeft u toevallig uw ID bij de hand?'

'M'n rijbewijs.'

Hürlimann schoof het setje documenten opzij. Wees op een tweede set: 'Hiermee opent u een nieuwe rekening bij onze bank.' Schoof ook deze set opzij. 'Dit is uw goedkeuring voor de overmaking van het saldo van de rekening van uw grootvader naar uw nieuwe rekening. Dit is de *non-disclosure*. En het laatste document – dit geeft aan dat wij uw rechten op de rekening van uw grootvader erkennen.'

Joop vroeg: 'Wat was het wachtwoord?'

'Mirjam,' zei Hürlimann. 'Ik heb begrepen dat dat de naam van uw moeder was.'

'De tweede naam,' mompelde Joop, 'natuurlijk – Mirjam.'

Niets van de wereld waarin hij ooit geleefd had was bereikbaar en begrijpelijk voor hem. Hij was verdwaald geraakt in Linda's wereld. Iriscopie. Aromatherapie. Hij had er altijd met felle afkeer over gesproken. Alles was anders.

'Mag ik uw rijbewijs zien?'

Stil gaf Joop het hem. Hürlimann noteerde het nummer.

Joop boog zich naar Linda. 'En jij, Lin? Ik wil jou ook wat geven.'

Ze schudde haar hoofd. 'Ik wil niks. Als je iets wilt doen, geef iets voor het klooster.'

'Meen je dat echt?'

'Liefje,' zei ze teder, met ogen die liefde en zorg uitstraalden, en streelde met de rug van haar hand zijn wang.

Opnieuw ging zijn telefoon.

'Ja?'

Een onbekende stem: 'Mister Koepm'n?'

'Ja. Met wie spreek ik?'

'Ik ben Samir. Omar vroeg me om voor u een naam op te zoeken. We hebben 't.' Hij sprak met een accent.

'Jullie hebben 't? Echt?'

Een nerveuze blik op Linda, die hem vragend aankeek.

'Echt. We hebben alle gegevens, mister Koepm'n. Komt u langs of zal ik 't nu vertellen?'

'Vertel – één seconde,' zei Joop. Hij ging rechtop zitten. Hij moest nu daadkrachtig zijn. Sterk. En maakte een ongeduldig gebaar naar Hürlimann: 'Een stuk papier graag. En een pen.'

De man opende zijn attachékoffer en legde pen en papier voor Joop neer. Een blanco vel bankpost.

'Ja, zeg 't maar.'

'Die nacht, er was maar één zo'n operatie. Was simpel dus. Trouwens, hun muren stelden niks voor.'

Joop kon het accent plaatsen: het Midden-Oosten. Arabisch of Perzisch. Een stel jonge Arabische hackers. Immigranten. Of misschien wel Palestijnse jongeren. Hij had gehoord dat die actief het net bewerkten.

'De operatie was in Atlanta. 's Ochtends om halfacht. Een meisje heeft 't hart gekregen. Negentien jaar. Alia Abbasi.'

'Herhaal dat,' zei Joop.

'Alia... Abbasi.'

Joop noteerde de naam. 'Wat is dat voor naam?'

'Alia is Arabisch, dat weet ik. Abbasi – geen idee. Klinkt ook Arabisch.'

'Heb je een adres?'

'Ze woont in Parijs. Frankrijk.'

'Parijs, Frankrijk?'

'Ja.'

Ze hadden haar vervoerd. 's Nachts nog de oceaan over. Naar de operatiekamer in Atlanta want die lag binnen de cirkel waarheen het hart getransporteerd kon worden. Een meisje uit Frankrijk. Een Arabisch meisje uit Parijs. Hij kende iemand die laatst in Parijs was geweest, maar hij herinnerde zich niet meer wie.

'Heb je 't precieze adres?'

'Heb ik, ja. Drie, drie... rue, met een e... Rabelais.' Hij sprak het vervormd uit. 'Moet ik dat spellen?'

'Nee. Heb ik. Ik herhaal, 33 rue Rabelais.'

'Klopt. *Zip code*?'

'Vertel.'

'75008 Parijs, France.'

'Ik heb 't – Samir, ik wil je graag betalen.'

'Hoeft niet. We doen dit voor niks. Voor de goeie zaak. Mister Koepm'n, we verdienen genoeg.'

'Samir – en waar komt jouw naam vandaan?'

'Arabisch. We zijn Palestijns. Zes jaar geleden zijn we uit Libanon gekomen. Geluk gehad.'

'Dank je wel. Samir – dank je wel.'

'Graag gedaan.'

De jongen verbrak de verbinding. Joop had de naam. Alia. Het meisje met het hart van Mirjam. En hij wist waar zij woonde. Alia. Hij zou Air France bellen en de eerste vlucht naar Parijs boeken, ook al had hij geen idee wat hij daar ging doen, maar hij moest erheen. Daartoe was hij opeens ook financieel in staat. Hij was een vermogend man, net als Herman de Vries ooit was.

Verontschuldigend keek Joop naar Linda en de Zwitser.

'Was belangrijk. Sorry. Wat moet ik nu doen. Tekenen?'

'Als u wilt,' zei Hürlimann.

Hij bladerde door de sets, wees Joop aan waar hij moest tekenen, en blind zette Joop zes keer zijn zwalkende handtekening. Na de laatste zei Hürlimann: 'Mooi. Mag ik u gelukwensen?'

Uitgelaten kneep Linda met beide handen in zijn arm. 'Joop! Joop! Ik zei toch dat 't iets goeds zou zijn? Ik zei toch dat er iets moois te gebeuren stond?'

Hij knikte. Hürlimann opende zijn attachékoffer en legde er de documenten in.

Joop keek op en zag Philip staan, bij de toegang van de *diner*, hem aankijkend. De gekte van dit moment mondde uit in een hallucinatie. Direct sloeg Joop zijn blik neer en hoorde de Zwitser, die uitlegde wat nu de procedure was: het geld zou worden overgemaakt naar Joops rekening in Basel, het zou verstandig zijn om even de tijd te nemen en dan te besluiten over de vraag of het geld naar Amerika moest worden gestuurd.

Joop keek opnieuw naar de deur. Philip stond er nog steeds. Hij droeg een spijkerbroek, een versleten, bruin bomberjack waarop regendruppels te zien waren. Glimmend gepoetste veterschoenen. Philip kon hier niet zijn. Philip wist niet waar hij was. Joop was ten prooi aan waanbeelden.

Philip maakte een hoofdbeweging in de richting van de wc en liep door naar de achterzijde van de zaak.

Joop zei: 'Mag ik er even langs, Lin?'

Ze stond op en maakte ruimte voor hem. Philip opende de deur van de wc-ruimte.

Linda vroeg: 'Je gaat toch niet weg?'

'Even de wc,' antwoordde hij.

Verbijsterd haastte hij zich langs de tafels. Ze waren hem gevolgd. Dat was de enige verklaring. Ze hadden hem vanaf het begin in de gaten gehouden.

Philip stond zijn handen te wassen en keek op toen Joop binnenkwam.

Philip zei: 'Ga ook even je handen wassen.'

Joop deed wat hem werd opgedragen en stelde zich voor de andere wasbak op, draaide de kraan open en vroeg: 'Hoe wist je waar ik was?'

'Je weet toch dat we hem volgen? We zagen je bij het subject in de auto stappen. Paniek. We hebben extra mensen moeten inzetten om je bij je bespottelijke avontuur in de gaten te houden. Toen dachten we: je weet nooit hoe een haas een koe vangt...'

'...Omgekeerd: hoe een koe een haas vangt.'

'Joop, je speelt met vuur. Je hebt geen idee wat er aan de hand is.'

Philip drukte op de knop van het heteluchtapparaat en hield er zijn natte handen onder. Het ding maakte een brullend geluid. Philip moest zijn stem verheffen. 'Zo meteen, als ik wegga, wacht je tien seconden en je gaat dan pas de wc uit. Over vijftien minuten zie ik je in kamer zevenhonderddertig in het St. Francis. Je klopt drie keer. Maar je loopt er niet rechtstreeks heen. Je gaat hier de deur uit en je loopt naar rechts. Je loopt eerst één keer helemaal om het blok heen tot je weer voor de *diner* bent uitgekomen. Dan pas kom je naar me toe.'

Bedreigd, argwanend, vroeg Joop: 'Wat weet je allemaal van me?'

'Te weinig. Tot zo.'

# | 24 |

Joop nam afscheid van de bankier, kuste Linda en zei dat hij over een uur naar het hotel zou komen – samen lunchen misschien, hij wendde zich tot de Zwitser, u bent ook welkom, maar de man bedankte – en hij maakte de natte ronde om het blok heen.

Wat kon een mens binnen een uur aan ongerijmdheden verdragen? Het vermogen van zijn grootvader was teruggekeerd en hij had Mirjams hart getraceerd. Linda had gelijk. Een wonder. Maar wonderen maakten hem bang.

Toen hij de laatste hoek rondde, zag hij nog juist dat Linda en de Zwitser in een taxi stapten. Daarna liep hij naar het St. Francis op de hoek van Union Square en Powell Street, een indrukwekkend gebouw uit 1904, een groots hotel met meer dan duizend kamers. Zonder zich bij de receptie te melden nam Joop de lift naar de zevende verdieping. Klopte drie keer en Philip deed open. Hij had zijn jack uitgetrokken, droeg nu een geruit overhemd over een T-shirt, waarvan de witte boord onder de open kraag zichtbaar was.

De kamer was net zo luxueus als die in het Fairmont. Op

tafel lag een pakje Marlboro, in de asbak een vermorzelde peuk naast een afgebroken filter.

'Je hebt me wat uit te leggen,' zei Joop.

Philip ging zitten. 'Jij ook.'

'Nee. Geen geintjes. Jij hebt me genaaid.'

'En jij hebt ongelooflijke risico's genomen. Ben je wel goed bij je hoofd?'

Joop liet zich op de andere stoel zakken. 'Jij bent de laatste die me zoiets kan zeggen. Risico's? Jij praat over risico's? Waarvoor jij me zelf uitgenodigd hebt? Je bent een schoft!'

'Praat wat zachter, alsjeblieft. Ze kunnen je op de gang horen.'

'Dus jullie hebben me gevolgd?'

'Ja. Was interessant dat jij met hem op stap ging, ja.'

'Ik was niet met hem op stap. Hij bood me een rit aan. Dat is alles.'

'Nooit is iets alles. Ik heb open kaart met je gespeeld. Vanaf het begin. Ik heb je gewaarschuwd. Zolang je volgens de regels zou spelen was er niets aan de hand. Tenzij je op je eigen houtje de held gaat uithangen. Dan wordt 't link.'

'Je vergist je. Jouw subject is geen gemiddelde burger, maar hij is geen schoft.' Omar had iemand opgeblazen. Desondanks wilde Joop hem verdedigen. Dankzij hem beschikte hij nu over de naam van het meisje dat met Mirjams hart ademde.

Joop strak aankijkend zei Philip: 'Alia Abbasi.'

'Alia Abbasi?' herhaalde Joop.

Kende Philip haar? Terwijl hij Joop voortdurend in het oog hield, boog Philip zich naar het pakje sigaretten, schoof er een uit en brak de filter af.

'Jullie luisteren me af,' concludeerde Joop.

'Toen we merkten dat je onze telefoon niet gebruikte hebben we jouw telefoon bewerkt.'

'Hoe, wanneer?'

'Doet er niet toe. We hebben net je gesprekken gehoord. Je bent te ver gegaan. Joop, je maakt krachten los waarvan je geen idee hebt.'

Hij bleef Joop aankijken. 'Door wie werd je gebeld?' vroeg hij nadat hij de sigaret had aangestoken.

Het had geen zin voor Joop zich te verzetten, want zonder Philips medewerking kon hij haar nooit benaderen. De man kon alles blokkeren of vrijmaken. Hij had macht.

'Een paar internetfreaks. Hackers. Hebben de computer gekraakt. Die organisatie wilde me de naam niet geven.'

Philip keek weg, nam de kamer in zich op alsof hij gevraagd was om de maten te nemen.

Hij zei: 'Ik had 't je moeten vertellen, over haar. Maar ik verkeerde in de onderstelling...'

'...veronderstelling,' onderbrak Joop hem.

'In de veronderstelling dat je geen naam wilde horen. Ik ken haar, Joop.'

'Philip, wat weet jij? Wat is er die dag in godsnaam gebeurd!'

Philip ging rechtop zitten en keek hem weer aan, maar nu met een gekwelde blik. 'Die dag – die middag, toen het duidelijk werd dat het uitzichtloos was, ben ik gaan bellen. Ik kende iemand die hierop wachtte. De dochter van... van een persoon met wie ik werk. Ik heb hem over je dochter verteld. Het is toen geregeld. Had ik het je meteen moeten zeggen? Ja. Nu wel. Nu ik weet dat je dat blijkbaar wilde. Dat wist ik niet. Ik wilde die persoon helpen. Zijn kind helpen. Het spijt me.' Hij boog zich naar voren. 'Joop, het spijt me echt. Als ik geweten had dat je van gedachten gewisseld had...'

'...veranderd was.'

'Dan had ik het gedaan. Mijn excuses.'

'Je had 't me moeten zeggen. Meteen al, op die dag.'

'Ik weet 't. Maar er waren andere overwegingen.'

'Er zijn geen andere overwegingen dan menselijke!' brulde Joop.

Hij liet zich achterover in de stoel zakken. Uitgeput. Steenrijk en straatarm tegelijk.

Philip steunde met een hand op het tafeltje en zei: 'Toen we je net hoorden, toen we haar naam opvingen... alle lampen sprongen op rood. Haar hart was een... we hebben haar vader beloofd om hem te helpen bij het vinden van een donor. En we zouden de transplantatie betalen. Haar vader is belangrijk voor ons. En daarom ook zij.'

'Waar woont ze?'

'In Maine. Aan de oostkust.'

Deed het er nu iets toe dat Philip haar naam had achtergehouden? Hij had het eerder moeten vertellen, maar Joop had hem nooit gezegd dat hij het hart wilde terugvinden.

'Philip, ik wil haar zien.'

'Waarom?'

'Ik wil haar zien.'

'Waarom?' herhaalde Philip.

'Omdat ik dat wil! Het is mijn privilege om daarover m'n mond te houden!'

Philip knikte, slikte. 'Ik zal zien wat ik kan doen.'

'En wat je net zei over Maine: je liegt. Je wilt me niet helpen. Het enige wat voor jou telt zijn jouw ideeën vol achtervolgingswaan.'

'Joop, ze is in Maine.'

'Je leugens werken niet meer. Ze is in Parijs.'

'Nee.'

'De computer zegt Parijs.'

'De computer kan alles zeggen – ik zeg je dat dat niet klopt, Joop.'

'33 rue Rabelais.'

'Ik weet 't, ja.'

'Je weet 't dus wel?'

'Ik weet dat dat adres geregistreerd staat. Maar daar woont ze niet. Niet op dat adres.'

'Wat is daar dan wel?'

'Een *safe house*. Een huis dat we gebruiken. Op nummer drie is onze ambassade.'

Philip loog. En Joop had er het bewijs voor. Hij herinnerde zich dat Danny op vliegveld Charles de Gaulle taxfree een slof Marlboro had gekocht. In het motel, bij hun eerste gesprek, had Philip ernaar gevraagd en Danny had de slof in de plastic zak van de luchthavenwinkel naar zijn motelkamer gebracht. Het was de eerste keer dat hij Danny ontmoette. Danny had een trainingspak gedragen. Donkergroen, Adidas. Het was uitgesloten dat Philip toevallig via Parijs was gevlogen omdat andere vluchten waren volgeboekt, in diens wereld was niets toeval.

'Waarom was je in Parijs?'

'Wanneer?' vroeg Philip.

'Toen ik je zag – de eerste keer. Danny bracht je een slof sigaretten. In een plastic tas van 't vliegveld van Parijs.'

Philip grinnikte. 'Misschien had ik toch gelijk over je. Je bent een geboren agent. Maar je conclusie deugt niet. Ik vlieg bijna altijd via Parijs. We hebben daar een groot kantoor. Ik was niet voor haar in Parijs. Ze is daar niet, Joop, geloof me, ze is ergens anders.'

'Waar is ze dan wel?'

Philip fluisterde, alsof de kamer vol mensen zat. 'Dit is een staatsgeheim. Ik vertel het je. Maar met een ernstige waarschuwing. Als dit bij derden bekend raakt, word je gestraft. De sanctie daarop is zwaar. Begrijp je?'

'Wat wil je me nu aansmeren?'

'Abbasi is een *cover name*. Ze heet Nuri, Alia Nuri. Haar vader is Huseen Nuri.'

Hij bleef Joop strak aankijken.

'*So what?* Wie is Huseen Nuri?'

'Een Iraniër. Werkte bij de contactgroep van de geheime dienst daar. Onderhield het contact met de Hizbollah, onze islamitische noorderburen in Libanon. We zijn bang dat de Hizbollah op den duur de grootste bedreiging voor ons wordt. De Iraniërs hebben al duizenden *short range missiles* Libanon binnengebracht, waarmee ze het hele noorden van ons land kunnen bestrijken. Ze zijn bezig Syrië te infiltreren, ook al denkt iedereen dat ze door de Syriërs aan de teugels worden gehouden, en we doen er alles aan om data over hen te verzamelen. Toen slaagden we erin Nuri te laten overlopen. Met zijn gezin. We hebben hem een nieuwe identiteit gegeven. En de belofte dat we zijn dochter zullen helpen. Begrijp je 't nu?'

'Nee, ik begrijp niks. Wat heb je met Mirjams dood te maken?'

'Ben je gek geworden? Alleen de vraag – Joop, word niet paranoïde!'

'Waarom was je die dag in het ziekenhuis?'

'Jezus! Omdat ik bij je was! Om je bij te staan! Niet om je dochter te vermoorden omdat we haar hart wilden hebben! We zijn tot veel in staat, maar niet tot zulke monsterlijkheden!'

Joop geloofde hem. Hij wilde hem geloven. Hij had geen andere keuze dan hem te geloven.

Philip zei: 'Ik ben gaan bellen toen het volkomen zeker was dat ze niet meer te redden was. En omdat ze bloedgroep AB had. Ik ben er toen in geslaagd om Nuri's dochter boven aan de lijst te plaatsen. Ze is meteen naar Atlanta overgebracht.'

'Waar woont ze?' vroeg Joop.

'Maine. Portland, Maine. Joop, wat wil je van haar?'

Joop wist niet wat hij wilde. Hij wilde haar zien. Een meisje. Een levend meisje.

'Is ze negentien? Dat klopt?'

'Ja.'

'Hoe is ze? Ken je haar?'

'Ik ken haar, ja. Ze is... heeft een leven voor zich. Maak dat niet stuk, Joop.'

Joop schudde zijn hoofd. Hij wilde niets stukmaken. Het enige wat hij wilde was... hij wilde haar zien ademen. Hij wilde haar hart horen kloppen, ook al was dat onmogelijk, hij zou haar daarvoor de pols moeten nemen, een hand op het litteken van haar borstkas leggen. Nee, dat kon niet. Hij wilde alleen maar naar haar kijken. Dat was eigenlijk alles.

'Vertel me over het subject,' zei Philip.

'Ik weet niks. Hij vertelde over zijn jeugd.'

'Vertel me alsjeblieft meer. Heb je nog een uurtje voor me? Ik zou graag willen dat je je alles zo veel mogelijk herinnert. De precieze formuleringen. En dat busje... waarom een busje? Toen jullie onderweg iets bij de Mexicaan gingen eten, hebben we snel even achterin gekeken. Maar we hadden geen tijd – en we vonden het te link – om de deur open te maken. Dozen. Vijf dozen. Wat zat erin, weet je dat?'

'Nee. Geen idee. Hij had boeken gekocht. Dat is alles wat ik weet.'

'Welke boeken?'

'Over de brug. De Golden Gate. Drie boeken.'

'Drie boeken? Over de Golden Gate?'

'Ja. Waarom kijk je zo?'

Philip schoof naar voren, boog zich zo dicht mogelijk naar hem toe, geconcentreerd, volledig in beslag genomen door gedachten die Joop niet kon raden.

'Heeft ie daarover wat gezegd?'

'Nee. Waarom zou hij?' vroeg Joop onrustig.

'Ken je de titels nog?'

'Eentje in ieder geval. Dat boek kende ik. Denk je dat... Philip, het was onschuldig! Een man die een paar boeken over de Gate heeft gekocht. Heb ik jaren geleden ook gedaan!'

'Joop, hij kan nauwelijks lezen.'

'Hij is een aardige man. Ruw, maar niet kwaadwillend.'

Lief zelfs, zoals Omar stil en bewogen naar Joops verhaal had geluisterd. Joop was hem blijven bekijken in de reflectie van het zachtgroene dashboardlicht. De lichtvlekken die hun wagen op de kaarsrechte, onverlichte snelweg wierp. De rode achterlichten van de auto's voor hem. De felle koplampen op de andere rijbaan. Joop had hem alles over Mirjam verteld.

Omar had gevraagd: 'Dus die hackers moeten hun computer binnenstappen?'

'Ja. Vijfduizend dollar heb ik daar graag voor over.' Die had hij toen niet. Nu wel.

'Die jongens schijnen alles te kunnen,' had Omar onthuld. 'Breken overal in. Bij het Pentagon, noem maar op. Maar het is wel strafbaar, Joop. Een nette meneer als jij moet dat wel weten.'

'Ik begrijp dat, ja.'

'En wat doe je dan, als je 't weet?'

'Niks. Ik wil alleen maar een naam horen.'

'Je gaat toch geen gekke dingen doen?' had Omar gevraagd.

'Wat zou ik moeten doen? Het hart terughalen? Nee. Ik wil alleen maar… misschien even praten met degene die… die het hart van mijn dochter voelt kloppen.'

'Vreemd, ja. Daar heb ik nooit bij stilgestaan,' had Omar gezegd.

Philip stond op, gevolgd door Joop, die hem bij een arm vastpakte.

'Wat ga je met hem doen?' vroeg Joop.

'Dat weet ik niet. Maar zodra je iets weet ben je verantwoordelijk. Ik weet, en moet dus nu iets doen.'

'Wat ga je doen? Philip, hij heeft me geholpen! Barmhartig!'

'Die internetjongens van hem, dat zijn de hackers?'

'Ja.'

'Joop, je bent niet slim, hè?'

'Wat?' reageerde Joop verward, zich afvragend wat hem nu weer ontging.

'Die hackers, die hebben als adres van Abbasi een pand in de rue Rabelais gevonden. De straat van onze ambassade. Het legt een link tussen jou, dat meisje, en ons. Begrijp je?'

'Dus... wat nu?'

Eindelijk liet hij Philip los, doordrongen van het risico dat hij genomen had.

'Philip, wat ga je met Omar doen?'

'Ik ben bang dat je niet veel meer van meneer Van Lieshout zult horen.'

Joop wilde niet weten wat die woorden betekenden. Hij vroeg: 'Mag ik haar zien? Philip, kun jij dat regelen?'

# DEEL DRIE

# | 1 |

Ruim twee etmalen later liet Joop zich met een taxi thuis afzetten. De middagvlucht van Portland, Maine, via New York naar LA had meer dan zeven uur geduurd en door het tijdsverschil kon hij al om zeven uur zijn weekendtas in de onverlichte gang zetten. Alleen in de keuken brandde licht.

Glimlachend verscheen Erroll in de deuropening van de keuken.

'Mister Koepm'n! Welkom thuis! Heeft u een goede reis gehad?'

'Ja. Was... was goed, ja.'

'Is het goed gegaan in San Francisco?'

Errol wist niet dat hij in Portland was geweest, en Joop antwoordde: 'Alles is goed gegaan.'

'Kan ik iets voor u inschenken? Een kop thee?'

Joop was moe en had geen behoefte aan een gesprek, maar hij was blij dat er iemand thuis was.

'Kop thee, ja.'

'Ga zitten. Ik heb de kranten bewaard.'

'Fijn.'

Joop volgde hem de keuken in. Een vlekkeloos aanrecht, op tafel een precies gestapelde hoeveelheid kranten.

'Heeft u zich een beetje kunnen vermaken, sir?'

'Nee,' antwoordde Joop kortaf.

'Nee? Dat is jammer. Ik heb hard gewerkt. Veel onderzoek gedaan. Ik denk dat ik eruit ben.'

'Waaruit?'

Met zijn rug naar hem toe vulde Erroll een ketel met water. 'Uit... word niet kwaad, ik denk echt dat ik meer ontdekt heb... over Mirjam.'

Joop voelde een onbedwingbare weerzin ontstaan, een verstikkende woede over Errolls bezetenheid.

'Ik wil niks horen!' barstte hij uit. 'Ik wil er nooit meer over praten! Hoor je dat? Het is genoeg geweest. Geen begrip! Geen gedoe! Geen ontdekkingen! Hou erover op!'

Erroll draaide zich om, de ketel in de hand, en staarde hem verschrikt aan.

'Mister Koepm'n, sorry, ik wil... ik wil alleen maar helpen. Dingen die ik nu weet, die ik eerst niet wist. Ik wil u geen verdriet doen. Ik heb alleen maar... ik heb me in dingen verdiept. Dat is alles. Het spijt me.'

Hij boog zijn hoofd en direct had Joop spijt van zijn uitval.

'God, ik had zo niet moeten reageren. Ik ben moe... ik ben op... ik heb niks gezegd. En draai die kraan dicht. Als je echt wil – is het iets dat ik echt moet horen?'

Erroll draaide zich naar het aanrecht. 'Niet als u niet wilt.'

'Ik weet niet of ik 't wil.'

'Dat accepteer ik. Misschien later een keer. Wanneer u eraan toe bent. Over een jaar of zo.'

'Wat heb je dan ontdekt?' vroeg Joop mild.

'Ik heb dingen onderzocht.'

'Onderzocht?'

'Ja.'

'Welke dingen?'

'Dingen over de wereld. Over hoe de wereld in elkaar zit.'

'Bij de joden heb je die dingen geleerd?'

'Nee,' antwoordde Erroll over zijn schouder, 'dit is anders. Ik heb gelezen. Ik ben met iedereen gaan praten, de... betrokkenen. Omstandigheden. Ik ben naar de bibliotheek geweest. Ik heb 't onderzocht.'

'Omstandigheden?' herhaalde Joop.

'De samenloop der omstandigheden, sir.'

'En je kunt erover vertellen?'

'Dat kan ik. Maar ik heb 't allemaal opgeschreven. U kunt 't lezen als u wilt.'

# | 2 |

Het was tien uur 's avonds toen Joop en Erroll het huis verlieten. Zwijgend wandelden ze Superba uit en namen de kortste weg naar het strand. Het was droog, de temperatuur mild.

Een handvol onbevreesde joggers en fietsers volgde het donkere betonnen pad. De duizenden lichten van de stad beloofden warmte, intense discussies, volle restaurants, huiskamers vol geborgenheid, gelach in bioscopen, maar op het stille strand was alleen de diepzwarte oceaan te horen, die haast slapend achter het zand lag. Joop had het roze rugzakje van de kapstok genomen om er zijn portemonnee, telefoon en notitieboekje in te vervoeren. Het had geen moeite gekost. Het rugzakje bood hem veiligheid, als de rugplaat van een harnas.

Na een kwartier verbrak Erroll de stilte. 'Alles goed met uw vriendin, Linda?'

'Nee, God.'

'Dat is een teleurstelling, sir. Ik... ik vond haar een aardige vrouw.'

'Ik ook, maar... ik heb me vergist.'

'Vergist? Dat is vreselijk.'

Op het zand bereidden daklozen zich voor op de nacht. Van de klimrekken op de kinderspeelplaats werd met lappen een tent geïmproviseerd.

Joop luisterde naar het lome ritme van de golven, waarin haar restanten waren opgelost.

'Linda had iets ontdekt,' zei hij, 'nee, iemand in Zwitserland had iets ontdekt. Een bankier. Geld van mijn grootvader. Maar deze Zwitser – ik denk dat hij aanvankelijk eigenlijk niks kwaadaardigs van plan was – hij zocht een familielid van mijn grootvader en omdat ik niet meer in Nederland ingeschreven sta vond hij alleen... hij vond Linda. Ze hebben toen een plan gemaakt. Een knap plan. Ik denk háár plan. Zal ik over schrijven. Ze hebben me opgelicht. Bestolen. Ze hebben het geld van m'n grootvader naar de Antillen laten overmaken, en vandaar naar weer andere banken. Hoewel, stelen is technisch gezien niet juist.'

'Maar ze was... ze leek een eerlijk mens. En weet die priester ervan?'

'God, die man was vermoedelijk niet echt. Tibetaanse monniken heten niet Usso Apury. Ik denk dat 't een fantasienaam was.'

'Dat lijkt me strafbaar allemaal.'

'Misschien wel, ja. Ik denk dat ze me al die jaren gehaat heeft.'

'Waarom zou ze u haten?'

'Ze is door mijn ouders uit Nederland weggestuurd. En ze wist dat ik haar niet verdedigd heb. Uit zelfbescherming. 't Was ook beter voor haar. Dacht ik toen. Maar misschien had ze gelijk.'

'Ze was erg op u gesteld.'

'Ja? Ik weet 't niet meer. Ik ben in de war, geloof ik.'

'Was 't veel geld?'

'Veel geld.'

'En u ontdekte dat allemaal in San Francisco?'

'Ik hoorde 't vanochtend vroeg. Ze was gisteren opeens verdwenen. Weg uit het hotel waar ze zat. Zonder bericht achter te laten. Ik begon toen iets... iets te voelen. Een vriend van me uit Israël heeft 't allemaal gereconstrueerd. Kostte hem niet meer dan een half uur. Een paar telefoontjes en hij had 't door. De Zwitser was geen bankier meer. Had een maand geleden plotseling ontslag genomen. Ik denk dat ze een verhouding hadden. Ze hebben me papieren laten tekenen die ik niet had moeten tekenen. Echte documenten waarin ik afstand deed van het geld. Ik zal erover schrijven, dat beloof ik je. Het was ergens goed voor.'

'De monnik zei wijze dingen.'

'Ja? Misschien was hij wel echt. Maar ik heb in het vliegtuig een beetje met de letters van zijn naam gespeeld. Usso Apury, weet je dat ik denk dat 't een anagram is?'

'Een anagram? Waarvan dan, sir?'

'*Up your ass.*'

Erroll grinnikte. 'Sorry.'

'Je hebt eigenlijk gelijk,' zei Joop, en hij grijnsde met hem mee. 'En ik ben weer gaan schrijven, God.'

'Ik ben erg blij dat te horen, sir. Ik leef met u mee. Mensen bestaan bij de gratie van de verhalen. Mag ik uw hand vasthouden?'

'Ja, God.'

Joop voelde hoe Errolls sterke vingers zich over zijn zoekende hand ontfermden.

'Waar kom je eigenlijk vandaan, God?'

'Dat weet u toch? South Central LA.'

'Waarom ben jij wie je bent?'

'Dat weet elke socioloog en psycholoog toch? Ongehuwde moeder, drie kinderen van drie verschillende vaders. Op elke straathoek drugs en snel en makkelijk geld. Elliott, m'n oudste broer, op z'n tiende deed hij zijn eerste inbraak, op z'n twaalfde z'n eerste gewapende roofoverval. Maar ik hoorde er niet thuis. Ik weet niet waarom, een geboorteafwijking. Ik las graag. Ik ging naar de bieb en verslond Henry James, Faulkner, Poe. Op de radio luisterde ik naar Mozart, Bach, Schubert. Tot m'n vijftiende kon ik me aan alles onttrekken. Toen werden we thuis overvallen. Een *drive by shooting*. We zaten op de veranda buiten. Elliott was het doelwit. Hij kreeg zeven kogels in zijn lijf en bloedde dood. Ik had drie *hits*. Ik raakte bewusteloos toen de *paramedics* verschenen. Raak schieten is bij mijn omvang niet zo moeilijk. Ik heb twee maanden in het ziekenhuis gelegen en dat werd betaald door een joodse liefdadigheidsinstelling, m'n moeder kon geen ziektekostenverzekering betalen. Ik moest revalideren en toen begon ik in te zien dat ik van m'n lichaam m'n toekomst moest maken. Ik had 't bijna aan stukken laten schieten. Op m'n zeventiende was ik jeugdkaratekampioen van Californië. Ik las Bellow en Roth en Singer. Ik verdiende m'n geld met reclamewerk en showoptredens en toen ging het vanzelf verder. Tot en met God's Gym.'

'En nu?'

'Nu ga ik weer werken aan m'n lijf. Zorgen dat ik kan terugkomen. Ik heb nog tot m'n dertigste met karate. Dat hou je niet lang vol als je de dertig gepasseerd bent.'

'Je had de *gym* niet moeten verkopen. Het was je leven.'

'Tot tweeëntwintig december. Toen veranderde alles. Voor u. Voor mij.'

'Ik geloof niks van je verhaal, God.'

'Nee?'

'Nee.'

'Wat wilt u dan horen, sir?'

'De waarheid.'

'Er is geen waarheid in lijden, van de oorzaak van lijden, van het einde van lijden, noch van het pad. Er is geen wijsheid, en er is geen doel.'

Zo liepen ze verder.

## 3

Als de voorruit dreigde dicht te sneeuwen zette Danny de ruitenwissers aan en zorgde hij ervoor dat Joop onbelemmerd uitzicht behield op de ingang van het scholencomplex. Achter alle ramen brandde licht.

Ze waren via New York gevlogen en in dichte sneeuw hadden ze laat op de avond Portland bereikt. Joop was niet op sneeuw en vrieskou gekleed, Danny evenmin. Tot hij in het Holiday Inn in slaap viel, had hij in de tijdschriften en kleurenfolders over Maine gebladerd die in zijn kamer lagen. Een staat van kreeften, elanden, duizenden meren en miljarden muggen. Het sneeuwde nog steeds toen hij ontwaakte. Over schoongeveegde wegen reden ze in een huurauto naar haar school. Danny bleef het koud hebben, ook al zette hij de verwarming op haar hoogste stand. De wissers schoven piepend over het glas en duwden de sneeuw naar de hoeken van de ruit. Een paar keer wreef Joop met een arm de beslagen zijruit schoon. Ze meden het centrum – een heus *downtown* met een paar wolkenkrabbers – en reden onder een lucht die zwanger was van sneeuw naar een van de op de heuvels gelegen buitenwijken. De rest van de stad lag onder een dikke witte deken. Allebei rookten ze.

Twintig minuten voor het begin van de lessen parkeerde Danny de auto tegenover de school, een bakstenen gebouw van drie verdiepingen naast besneeuwde basketbal- en sportvelden. Deze werden van de straat gescheiden door een hek van gevlochten gaaswerk, waaraan de sneeuw bleef kleven. Een noordelijke buitenwijk. Brede straten met vrijstaande bungalows. Sneeuwpoppen. Rokende schoorstenen. Bergketens van weggeschoven sneeuw omzoomden de trottoirs.

De school lag aan een kleine winkelstraat met een paar fastfoodrestaurants, een supermarkt, een wasserette, een boekwinkeltje. In een ononderbroken stroom stopten SUV's en stationwagons voor de ingang van de school. Kinderen, pubers, adolescenten, stapten met dikke tassen of rugzakken uit de auto's en haastten zich glijdend of schuivend het gebouw in. Een witte Mercury-stationwagon naderde.

'Daar is ze,' zei Danny.

Joop stapte uit, opeens met slappe benen.

'Geen gekke dingen, meneer Koopman,' zei Danny.

Joop zei niets terug. Snel begon hij over te steken. Hij lette op de Mercury, die voor de school stopte. Na enkele stappen raakten zijn dunne zomerschoenen, die in Californië genoeg bescherming boden, doordrenkt van de bruine prut op het wegdek, en toen hij het trottoir voor de school bereikte was het vocht al naar binnen gedrongen en voelde hij hoe zijn sokken begonnen te soppen. Hij beefde van de kou. De achterdeur zwaaide open. Twee meisjes stapten uit. De eerste was een jaar of veertien, een rode muts op het hoofd, een dikke das, wanten en rode gummilaarzen rond haar voeten. Ze liep meteen door naar de ingang. Daarna stapte een ouder meisje uit.

Joop liep naar haar toe. Ze boog zich nog even naar

binnen en zei iets tegen de bestuurder, een vrouw van rond de veertig, een mooie, donkere vrouw die over haar schouder naar het meisje keek en even met haar sprak. Ze zat laag, was dus klein. Het meisje knikte en sloeg de deur dicht. Ze bleef staan toen de Mercury optrok, en zwaaide.

Joop bereikte haar voordat ze kon weglopen. Misschien zou ze hem herkennen, misschien zei iets in haar hart dat ze hem kende. Dit had hem dus al die tijd gedreven: de kans op herkenning door haar hart.

'Sorry,' zei hij. Zijn onderkaak trilde en hij hoopte dat ze zich niet bedreigd voelde. 'Ik heb een gekke vraag. Ik heb een afspraak met de directeur. Maar ik ben zijn naam kwijt. Iets als Gelson.'

Hij had zijn vuisten gebald, hield ze voor zijn mond en blies er warmte in. In haar ogen zocht hij een flonkering, een moment van weerzien. De transplantatie van een hart duurde drie uur, een ingreep die bijna routine was geworden en te vergelijken viel met het plaatsen van een nieuwe motor in een auto: moeren aandraaien, slangen en draden verbinden, met de startmotor de vonk van het leven geven.

'Garrison,' zei ze wantrouwig. Een hand gleed in haar jack. Elk gezinslid droeg een *beeper* waarmee een van de twee Amerikaanse veiligheidsagenten, die in een woning in de nabijheid van haar huis hun intrek hadden genomen, kon worden gewaarschuwd.

Ze was kleiner dan Mirjam. Grote, pikzwarte ogen. Een dunne, scherpe neus, smalle lippen, een klein kwetsbaar gezicht. Ze droeg een dik nylon jack, een das die enkele malen om haar hals gewikkeld was, handschoenen, maar ze liet haar hoofd onbedekt. Zwart haar dat op de das en de schouders van het jack viel. Sneeuwvlokken vielen op haar hoofd en op haar gezicht. Ze had onschuldige ogen. Verwachtingsvolle ogen. Vertrouwenwekkende ogen. Ogen die de pijn in haar borst vergeten waren. Ogen die hem niet kenden.

Met de rug van haar handschoen veegde ze over haar wang. De adem walmde uit haar mond.

Hij probeerde die op te snuiven.

'Ik bezoek wat scholen in de buurt omdat we hier komen wonen. Vind je 't een goede school?'

Ze stampte een paar keer op de grond, haar voeten warm houdend. Haar hart pompte warm bloed naar haar enkels. Ze wilde naar binnen en gaf antwoord om van hem verlost te zijn.

'Ja,' zei ze.

'Garrison,' herhaalde Joop. 'Bedankt.'

Ze knikte met een afstandelijk glimlachje en schoof voorzichtig naar de deur, precies haar voeten plaatsend, zich in balans houdend met haar zware boekentas. Ze liep op halfhoge suède laarzen, afgezet met een bontkraagje, met dikke zolen. Door de dikke jas kon hij niet beoordelen hoe ze gebouwd was, maar ze leek tenger, broos bijna. Uiterst voorzichtig, alsof ze bang was om haar kwetsbare lichaam te bezeren, schuifelde ze van hem weg. Vermoedelijk zou ze straks over hem rapporteren.

De condens walmde nu over haar schouder, zijn kant uit, en hij wist waarom ze daar kon lopen, waarom ze kon praten en de lessen kon volgen en in de pauze en in het weekend met vriendinnen in een Burgerking kon ginnegappen en 's nachts over de liefde kon dromen.

Joop keerde terug, wankelde de straat over. Hij wist dat ze hem konden misleiden. Hij had haar niet naar haar naam gevraagd en misschien was ze met een sterk hart geboren, maar hij had vrede met haar. Wie zij ook was. Voor hem was zij Alia. Toen hij aanstalten maakte om in de warme auto te gaan zitten, zei Danny: 'Ga terug. U heeft een afspraak met de directeur.'

'Moet dat echt?'

'Doe 't. We mogen geen argwaan wekken.'

Joop stak opnieuw over. Zijn tenen waren koud en nat. Hij meldde zich in de hal bij een docent. Werd doorverwezen naar een kantoor. Beloog vervolgens een aardige dikke man met een kinderlijk gezicht. Hij kwam hier wonen, zocht een school voor zijn kinderen. Kreeg een folder mee met informatie over de school.

Om één uur stonden ze er opnieuw. Zonder haar jongere zusje kwam Alia naar buiten en stapte naast haar moeder in de witte Mercury, die met half wegslippende banden op het gladde wegdek optrok en langzaam langs hen door de dikke sneeuwvlokken reed. Joop draaide zich om en keek de auto en de stroom uitlaatgassen en de rode achterlichten na. Door de achterruit van de Mercury kon hij de steeds vager wordende lijn van haar hoofd blijven zien, half boven de rugleuning van de stoel uit, tot de sneeuw op de achterruit van de auto waarin hij zat hem het zicht benam.

Zwijgend reden ze terug naar het hotel. Hij zou Philip vragen of hij haar een agenda mocht schenken, onder het mom van een cadeau van het Instituut. Ze had er natuurlijk één, maar het viel te betwijfelen of ze een agenda bezat van Kate Spade. Alia zou de dagen gaan invullen die Mirjam nooit meer kon beleven.

In zijn kamer trok hij zijn schoenen uit, wreef zijn voeten warm en belde het Fairmont. Hunkerend naar haar stem, naar zingeving en tederheid, vroeg hij om Linda.

Ze had het hotel verlaten.

Zonder een bericht achter te laten had ze uitgecheckt.

# | 4 |

’s Avonds, in het hotel in Portland, vond Joop in de la van het bureautje naast de tv enkele blanco vellen papier, op het nachtkastje een hotelpen. Hij ging zitten en schreef.

‘Mirjam bewonderde de Hongaarse wiskundige Paul Erdös, die zijn hele bestaan had ingericht naar de enige ware vorm van kennis in de kosmos. Hij wijdde zijn leven aan wiskunde en had geen huis, geen kinderen, geen vrouw, geen bezittingen. Alleen een oude koffer en een sleetse oranje plastic tas van een Hongaars warenhuis. Erdös was haar held. Wanneer zij gekweld werd door de angst dat zij nooit bij machte zou zijn om Erdös’ extreme discipline en leefwijze te evenaren – omdat zij wilde uitgaan, flirten, beminnen – dan zei ik dat zij op een dag zou weten hoe zij haar leven kon leiden. Want in de tijd verdwijnt wat niet van waarde is.

Zij was dertien toen zij mij in navolging van haar moeder *De Koopman van Venetië* noemde. Ik heet voluit Joop Herman Koopman, ik ben zevenenveertig jaar oud, woon in Venice, Californië, en ik ben scenarioschrijver van beroep. We hadden ruzie over het verhogen van haar zakgeld – ze vond me zuinig – en opeens wist ze hoe ze me zou noemen. Ik schoot in de lach en over haar boze gezicht trok verbazing, toen tevredenheid, en vervolgens lachte ze mee.

Op tweeëntwintig december 2000 werd zij zeventien jaar.

De gemiddelde temperatuur op deze dag bedroeg 11,1 graden Celsius. De hoogste was 16,7, de laagste 7,8. Gemiddelde windsnelheid 8,5 kilometer per uur. De hoogste windsnelheid 16,5. Er waren mistbanken. Het zicht varieerde van 2,8 tot 6,4 kilometer. Geen neerslag.'

# EPILOOG

# *Vervolg op de samenloop der omstandigheden*

Notities van God voor dhr. Koopman

ELAINE JACOBS

Zoals de meesten van de ruim vierhonderd theoretische natuurkundigen die wereldwijd de grenzen in de fundamentele kennis van de materie verkennen, worstelde Elaine Jacobs met de zwaartekracht.

Tussen de twee centrale paradigma's van de natuurkunde – de quantumtheorie en de relativiteitstheorie – gaapte ooit een diepe conceptuele kloof zonder hoop op verzoening. Tot de snarentheorie ontstond. De quantummechanica, de theorie die een beschrijving gaf van alles wat er over materie, dat wil zeggen elementaire deeltjes en hun wisselwerkingen bekend was, leek uiteindelijk door de snarentheorie verzoend te raken met de algemene relativiteitstheorie, de theorie van ruimte en tijd die onder meer de evolutie van de kosmos beschreef. Deze verzoening kwam niet zonder prijs. Want de snarentheorie beweerde het volgende: behalve de vertrouwde vier dimensies van de ruimte-tijd (hoogte, breedte, diepte, tijd) bestaan er nog zes andere ruimtelijke dimensies. Maar deze extra dimensies konden niet experimenteel worden vastgesteld. De meeste fysici gingen ervan uit dat dat ook nooit zou kunnen, omdat de afmetingen van die dimensies veel te klein waren om ooit, met welke machine dan ook, waargenomen te worden. Om te weten te komen wat er op kleine afstandschalen precies gaande was, hadden natuurkundigen steeds grotere deeltjesversnellers gebouwd, een soort supermicroscopen waarmee onderzoekers in staat waren om een miljardste van een miljardste van een centimeter te onderscheiden en de quarks als kleinste bouwstenen van de materie te ontdekken. Maar dat was bij lange na niet voldoende om die snaartjes zelf, of die interne dimensies, in beeld te krijgen - die waren nog eens een miljoenste van een miljardste kleiner. Om zo onvoorstelbaar diep in de materie door te dringen zouden versnellers gebouwd moeten worden met de doorsnede van het zonnestelsel, een ontgoochelend vooruitzicht waardoor je als natuurkundige begon te vrezen dat de snarentheorie voor eeuwig gedoemd was als metafysische prietpraat beschouwd te worden. De snarentheorie was weliswaar een schitterend bouwwerk van de menselijke geest, maar het was geen degelijke, op empirie gegronde natuurkundige theorie, niet in de twintigste eeuw, maar ook niet in de dertigste. Bovendien waren er talloze verschijnselen waarvoor de snaren geen verklaring konden geven, terwijl ze dat wel zouden moeten doen. Toegegeven, zowel de relativiteitstheorie als het standaardmodel van de elementaire deeltjes leken door de snarentheorie te worden gedekt, maar het gigantische verschil in sterkte tussen de zwaartekracht en de andere fundamentele krachten (de electromagnetische, de sterke en zwakke) bleef een raadsel.

Elaine woonde met haar man Fred Jacobs en hun zwarte Labrador Albert – naar Einstein – in een ruim appartement aan de PCH. Door het enorme raam van haar werkkamer zag ze de golven van de Pacific op het strand onder het gebouw slaan. De vier fundamentele krachten waren ontstaan in de Big Bang zelf, toen het hele door de mens geobserveerde universum een onvoorstelbaar klein bakje met onvoorstelbaar hete quark- en gluonsoep was. En alles wat nu in de kosmos aanwezig was, de zee, Albert, haar werktafel en haar eigen lichaam, was volgens een meesterplan opgebouwd uit de bouwstenen die vlak na de grote knal door afkoeling waren ontstaan. Orde uit chaos - dat viel wetenschappelijk te begrijpen, maar waarom was de zwaartekracht zoveel zwakker dan de andere drie? Waarom hadden in die prachtige theorieën de parameters de precieze waarden die ze hadden: toeval?

Newtons zwaartekrachtwet verklaarde perfect de aantrekking en de beweging van grote objecten, zoals de zon, de maan, de aarde, een appel die van de boom valt, maar hoe werkte de zwaartekracht op extreem kleine afstanden? Berekeningen wezen uit dat de zwaartekracht pas even sterk werd als de andere krachten op tien tot de min vijfdendertigste meter, een ontestbare lengte. Elaine was op zoek naar een theoretisch model dat deze onhandelbare hiërarchie tussen de sterkten van de verschillende krachten zou kunnen verklaren, en ze hoopte hiermee de weg naar de *Theory of Everything* te kunnen ontsluiten. God kon ze er niet mee vinden, wel de zekerheid dat de kosmos naar de voorschriften van een unieke, kenbare theorie is opgebouwd, en ze besefte dat veel mensen die theorie God zouden noemen. Zij niet. Voor haar was God hoogstens een wiskundige vergelijking.

Al in de jaren twintig hadden de Poolse wiskundige Kaluza en de Zweedse natuurkundige Klein een theorie over de unificatie van zwaartekracht en elektromagnetisme ontwikkeld die van een extra dimensie gebruik maakte. Hun theorie werd door de moderne snarentheorie uitgebreid tot maar liefst negen ruimtelijke dimensies. De extra zes dimensies zitten als het ware opgerold in zeer compacte cirkels en bollen ter grootte van tien tot de min vijfendertigste meter en onttrekken zich daardoor tot het einde der tijden – dat voor een kosmoloog of natuurkundige een te berekenen fenomeen is – aan de menselijke waarneming. Tien tot de min vijfendertigste is in de conventionele snarentheorie ook de typische lengte – toevallig? – van een snaar, het allerfundamenteelste natuurkundige object, een uniek piepklein zeer energetisch elastiekje dat als een snaartje trilt.

Op tweeëntwintig december 2000 sloot Elaine Jacobs om precies vijfentwintig minuten over twaalf de deur van haar appartement. Albert blafte, maar ze kon hem niet meenemen op haar speurtocht naar kerstcadeaus. Toen ze naar de lift liep, werd Alberts smekende geblaf zwakker. Hij bleef nu alleen achter in het appartement, wanhopig wachtend op haar terugkeer, zonder de verwachting dat zij zou terugkeren ook al kwam zij altijd terug. Terwijl de liftdeur sloot hoorde ze hem nog zacht naar haar roepen, gevangen in zijn wereld. En bij het zakken van de lift, een beweging die zonder de zwaartekracht uitgesloten was, vroeg zij zich af of het misschien mogelijk was dat drie van de vier fundamentele wisselwerkingen zich zouden beperken tot de bekende drie dimensies en dat alleen de zwaartekracht in de extra zes ruimtelijke dimensies werkzaam zou zijn, zoals Alberts geblaf wel tot in de lift hoorbaar was maar de fotonen die zijn beeld op haar netvlies konden doen ontstaan door de wanden van het gebouw werden tegengehouden.

Geluid en licht, beide golfverschijnselen, maar met totaal verschillende eigenschappen leek het; geluid ging de hoek om, kroop onder deuren door, ging moeiteloos door muren. En licht: rechtdoor tegen de muur waar het geabsorbeerd werd zonder een spoor achter te laten, zo leek het. Geluid kon gewoon meer kanten op dan licht. In wezen hetzelfde, maar tegelijkertijd totaal verschillend onder alledaagse huis, tuin- en keukenomstandigheden. Net zoiets als die fundamentele krachten, die immens relatieve zwakte van de zwaartekracht? Elektromagnetisme leeft in drie dimensies maar de zwaartekracht in alle tien, zou dat het zijn? vroeg zij zich af.

Een eenvoudige gedachte die haar van het ene op het andere moment bijna misselijk van fascinatie maakte. En ze bedacht dat ze eigenlijk niet zeker wist of op afstanden van een duizendste millimeter de zwaartekracht zich op dezelfde manier manifesteerde als op grotere afstanden aangezien dat nooit daadwerkelijk was gemeten – waarom niet, waarom namen we dat voetstoots aan? Een duizendste millimeter was meetbaar, dat kon je onderzoeken.

Terwijl ze in de Explorer op de mogelijkheid wachtte om weg te rijden, werd het vermoeden van een bijzondere, extradimensionele werking van de zwaartekracht steeds sterker. Ze slikte, kon bijna niet stil op haar stoel blijven zitten en voelde een tinteling door haar ledematen trekken die ze onmiddellijk herkende als een teken dat haar werk een bevrijdende wending zou nemen. De nervositeit van een hond die een spoor ruikt maar nog aangelijnd zit. Albert zat nooit aangelijnd. Maar hij had op het juiste moment geblaft.

Het vreemdste van alles vond ze de toevallige bijkomstigheid dat dat idee bij haar was opgekomen in de lift. Was het niet bij Einstein zelf dat de kerngedachte van zijn algemene relativiteitstheorie in een lift was opgekomen? Elaine had het meerdere malen met studenten nagespeeld op de faculteit. De idee was simpel: als je in de lift met constante snelheid ging voelde je niets bijzonders, alle proefjes die je in de lift zou doen zouden precies hetzelfde zijn als wanneer je stilstond. Maar op het moment dat de lift versnelde lag het anders, dat voelde je meteen, je werd zwaar bij het naar boven gaan en licht bij het naar beneden versnellen. Als je de kabel van de lift zou doorknippen zou je gewichtloos zijn en dingen die je losliet zouden niet uit je handen vallen. Vrije val is een toestand waarin er geen zwaartekracht werkzaam is. Het mooiste was dat het besef van dit zo eenvoudige verband tussen relatieve beweging en de sterkte van de zwaartekracht de kiem was van de omwenteling in ons denken over ruimte, tijd en zwaartekracht die Einstein uiteindelijk teweegbracht.

Elaine kon niet uitsluiten dat ze op het spoor was gekomen van de mysterieuze eigenschappen van de zwaartekracht, en snel maakte ze een paar aantekeningen op het notitieblokje dat met een zuignap aan het dashboard hing. Om één minuut over half een reed ze weg, met trillende handen, een suizend hoofd vol adembenemende gedachten.

(Op The Archives, de internetsite die inmiddels het belangrijkste publicatiefront van theoretische natuurkunde geworden is, ontvouwde dr. Jacobs eind februari haar nieuwe theorie.)

## FRANK MILLER

Frank Miller wachtte op de medicijnen voor Margaret. Hij had het recept afgegeven en schuifelde langs de rekken met prullaria die in de apotheek te koop werden aangeboden. Het was kennelijk de bedoeling dat wachtenden impulsaankopen deden, maar de spullen waren aan hem niet besteed. Hij bezat alle materie die hij zich ooit had gewenst. Ze hadden een goed leven gehad, maar hij merkte dat de warme gloed van het verleden geen troost bood voor wat Margaret en hem binnenkort te wachten stond. Gelukkig hadden ze al vele jaren geleden God gevonden. Brian, die negentien minuten ouder was dan zijn broer Bill, had op zijn zestiende bacteriële hersenvliesontsteking gekregen en was bijna gestorven. Maar hun gebeden waren verhoord. Margaret en Frank hadden elkaar aan het bed in het ziekenhuis en op de bank in de presbyteriaanse kerk afgelost, en na extreem hoge koorts herstelde Brian. De kans op herstel was minimaal geweest, hadden de artsen later verklaard, en Frank en Margaret waren ervan overtuigd dat God had ingegrepen. De rest van hun leven bleven ze Hem dankbaar. Leidden een precies, zorgzaam bestaan zonder grote woorden of gebaren, voedden de tweeling tot serieuze, integere mensen op, steunden elkaar en de mensen om hen heen.

Het ontging hun waarom God besloten had om Margaret te treffen. Misschien wilde Hij hun vertellen dat ze zich moesten voorbereiden op het einde van hun leven op aarde. Dat deden ze dan ook. Maar ze wilden nog geen afscheid van hun twee zonen nemen en accepteerden de medicijnen en Margarets zwakten op de koop toe erbij. Wilde God testen of zij meer van hun kinderen dan van Hem hielden? Frank wist niet of hij daarop een antwoord kon geven. Het eeuwige hiernamaals was hem vermoedelijk niet dierbaarder dan een dag met zijn kinderen. Hij onderdrukte dergelijke gedachten in het besef dat niets voor Hem verborgen bleef.

'Mr. Miller?' klonk er achter zijn rug.

Frank draaide zich om en keek in het gezicht van een gezette, donkere man met grijzende slapen. De man droeg een duur zijden hemd en had een zonnebril in de hand. Grote, levendige ogen. En Frank wist nog zijn naam.

'Mr. Banelli,' zei hij.

Banelli glimlachte breed en schudde langdurig zijn hand.

'Mr. Miller, dat is jaren geleden! Wanneer bent u met pensioen gegaan?'

'Elf jaar geleden.'

'Elke keer als ik de bank binnenstap denk ik aan u. Ik zal nooit vergeten wat u voor me gedaan hebt.'

Frank had hem een lening gegeven voor zijn reisbureau,

ook al voldeed Banelli niet geheel aan de regels en had hij in feite nauwelijks onderpand – hij was een enthousiaste jongeman geweest met een uitgebreid businessplan en Frank wist dat hij ziel en zaligheid in zijn onderneming zou leggen. Hij had de kredietcommissie ervan overtuigd dat Banelli zijn verplichtingen zou nakomen.

'Mr. Miller, we hebben net ons honderdzestigste filiaal geopend. Toen ik de eerste keer bij u kwam had ik heel wat banken afgelopen, maar u was de enige die in me geloofde. En het stomme is... ik denk al heel lang... ik wil iets terug doen. Dat kon niet toen u nog bij de bank was, daar zijn regels voor, maar nu, mister Miller, ik wil u een reis aanbieden. Twee personen. *By the way*, hoe gaat 't u?'

''t Gaat,' zei Frank. Hij wilde niet vertellen dat zijn vrouw een zware hersenbloeding had gehad. Haar gezicht stond scheef, maar ze kon weer redelijk goed denken, en soms kon ze zelfs staan en een paar stappen zetten.

'Mag ik u een reis aanbieden? Ik ben serieus, mister Miller. U kunt naar elke plek op de planeet. Europa, Afrika, het maakt niet uit. Ik wil u bedanken. Beter laat dan nooit. Dit is het moment. Goed dat ik u tegenkom hier. Waar mag ik u heen brengen, meneer Miller?'

Frank wist het, maar hij betwijfelde of hij erover kon praten. De laatste tijd waren de herinneringen sterker geworden, wat vooral kwam omdat hij *The Thin Red Line* had gezien, de film van Terrence Malick over de gevechten op Guadalcanal, waar Frank in 1942 had gevochten. Hij had er moed betoond en een onderscheiding gekregen. Hij zou er een keer willen kijken, maar het was de vraag of Margaret mocht reizen of vervoerd kon worden.

Buiten klonk een claxon en een moment wist hij dat die voor hem bedoeld was, want hij had zijn auto voor een uitrit geparkeerd.

'U overvalt me ermee,' zei Frank.

'Ik had al veel eerder contact met u moeten opnemen. Ik ben slecht in dit soort dingen, vergeet verjaardagen en attenties voor mijn vrouw. Maar nu laat ik u niet gaan. U moet me uw adres geven, ik geef u mijn kaartje.'

Banelli trok zijn portemonnee uit zijn achterzak en schoof er zijn visitekaartje uit. 'AFI – Affordable Flights International,' las Frank. Buiten bleef de claxon om aandacht schreeuwen.

'Ik wil echt dat u dit aanneemt, mister Miller. U doet er mij een enorm plezier mee. Als ik u hier niet was tegengekomen had ik deze kans niet gekregen. Wilt u erover nadenken?'

In de loop der jaren had Frank genoeg geld opzij gelegd om de reis zelf te kunnen bekostigen, maar hij had het nooit echt overwogen. En vreemd genoeg werd op zijn leeftijd bijna elke geldbesteding – zelfs voor persoonlijke aankopen als kleding en voedsel – een daad van verkwisting. Ze hadden nooit met geld gesmeten, maar met het voortschrijden van de jaren waren ze zuinig geworden om hun kinderen, beiden arts met een riant inkomen, zo veel mogelijk na te laten. Wonderlijk, hoe je je bij het ouder worden langzaam uit de wereld terugtrok.

'Ja, het is een ongelooflijk mooi aanbod,' antwoordde Frank, onthutst over de gedachte dat hij naar Guadalcanal wilde. Het was hem tot een minuut geleden eigenlijk helemaal niet duidelijk dat deze wens al een paar jaar in zijn achterhoofd lag te sluimeren. Vanaf zeven oktober 1942 had hij als lid van de *1st Battalion 7th Marines* onder de legendarische kolonel 'Chesty' Puller op Edson's Ridge gevochten en deelgenomen aan de slag in de nacht van de vierentwintigste. Terwijl de regen met bakken naar beneden kwam, had het bataljon, dat ter bescherming van het vitale Henderson Airfield een linie van anderhalve kilometer in het oerwoud had opgetrokken, drie uur lang tegen een Japanse overmacht standgehouden. Frank behoorde bij de ploeg die een van de zestig mortierbatterijen bediende. 'Chesty' dook voortdurend op andere plekken achter zijn manschappen op en moedigde hen aan, onbevreesd leek het wel, niet bang voor de duizenden Japanners of de dood. Terwijl hij mortieren vuurde had Frank gebeden. Hij veroorzaakte de dood omdat hij aan het leven hechtte.

'Ik moet er met mijn vrouw over praten, kan ik u morgen bellen?'

De claxon klonk nu ritmisch. Misschien stond Franks auto in de weg. Maar hij wilde te weten komen of Banelli uit beleefdheid een loze belofte deed of oprecht een cadeau wilde geven.

(Er vond tot op heden geen contact meer plaats tussen Frank Miller en Leo Banelli.)

## JEREMY SWINDON

Het was liefde op het eerste gezicht. Jeremy Swindon had er nooit in geloofd, een illusie van jonge meisjes, oude vrouwen en scenarioschrijvers die de verhalen aanleverden voor de sprookjes van de studio's. Het duurde maanden voordat hij het durfde toegeven. Hij was ervan overtuigd geweest dat hij niet tot liefde in staat was. Tot hij Jonathan Golding ontmoette. Jeremy had al drie films geproduceerd toen hij bij een agentschap Jonathans kamer betrad, in een *prewar building* op Wilshire Boulevard waarvan de art-decostijlkenmerken de kaalslag van de jaren zestig hadden overleefd. Het was drie uur 's middags en de felle Californische septemberzon werd door groene jaloezieën uit de kamer geweerd. Jeremy werd door een secretaresse naar Jonathans kamer gebracht en bij zijn binnenkomst stond Jonathan van zijn bureau op, een lange slanke zwartharige man, net als hij, en van dezelfde leeftijd. Zijn zwarte colbert hing om de rugleuning van zijn leren bureaustoel, hij droeg een wit overhemd, een zachtgele stropdas, donkergrijze bretels, en ze keken elkaar verrast aan, door iets getroffen wat Jeremy niet kon omschrijven. Hij was gekomen om met Jonathan de casting van een nieuwe film te bespreken, maar het gesprek beperkte zich niet tot de namen van acteurs en actrices en hun marktwaarde, honoraria en condities. Na tien minuten al vertelden ze elkaar over hun afkomst, hun ambities, hun twijfels, vreemden die voor elkaar van niets een geheim wilden maken. Na drie kwartier liet Jonathan de latere afspraken op die dag afzeggen en ze bleven tot diep in de avond met elkaar in gesprek.

De oorzaak van zijn mislukte liefdes had Jeremy nooit toegeschreven aan een mogelijke homoseksuele geaardheid. Aanvankelijk hield hij zichzelf voor dat zijn vriendschap met Jonathan, die zich op een conventionele mannenmanier ontwikkelde (samen naar basketbalwedstrijden, naar speciale screenings van films, joggen in Santa Monica, zweten in de *gym*), in niets afweek van zijn andere relaties met mannen, maar zijn verlangen naar Jonathans oogopslag, naar een beroering door zijn hand, naar een teken van genegenheid, drong zijn dagdromen binnen en veroorzaakte een vorm van wanhoop die hij niet eerder had gekend. Ook Jonathan had aanvankelijk een treurigstemmende reeks affaires met vrouwen gehad, maar hij had moeten vaststellen dat hij iets ontkende wat vanaf zijn puberteit op aanvaarding had gewacht.

Na maanden van bijna dagelijks contact besloot Jeremy dat de vreemde nieuwe neigingen, die hem in vertwijfeling gevangenhielden en geen seconde concentratie op zijn werk toelieten, te veel inbreuk op zijn leven maakten. Hij simuleerde werkzaamheden en reizen naar andere delen van het land, en probeerde zich te bevrijden van de weeë pijn in zijn buik.

Na drie weken werd er op een avond bij hem aangebeld. Het vage videobeeld van de veiligheidscamera bij de voordeur liet zien dat Jonathan op de stoep stond. Champagne, rode rozen, de wanhopige, ontroerende attributen die met een cliché het onzegbare moesten zeggen. Jonathan stond er als een man die een vrouw het hof wilde maken. Jeremy opende de deur. Met een strak gezicht, trillend van de zenuwen, toonde Jonathan wat hij had meegenomen. Secondenlang keken ze elkaar aan. Zwijgend nam Jeremy de fles en bloemen aan. Hij zette de fles op de tafel in de woonkamer en voelde hoe dicht Jonathan achter hem stond. En zijn armen om hem heen sloeg en zijn hoofd op zijn schouder legde. En het was bespottelijk dat ze allebei als twee bakvissen begonnen te snikken, tot er iets hilarisch bezit van hen nam en ze door hun tranen heen minutenlang de slappe lach kregen. Toen hij daarvan hijgend en met natte wangen bijkwam, kon het Jeremy niet meer verdommen hoe hij zijn gevoelens voor Jonathan moest benoemen en hoe de wereld op hem zou reageren. Hij sloeg zijn armen om Jonathan heen en kuste hem zoals hij vroeger vrouwen had gekust. Hij was thuisgekomen.

Het was tweeëntwintig december 1979, dertien minuten over negen 's avonds. Een jaar later kochten ze samen een huis in Malibu, ze begonnen als duo films te produceren en waren zo succesvol als hun gevoel voor kwaliteit toestond.

De ziekte die zich bij Jonathan aankondigde, had hij opgelopen tijdens een van de bandeloze feesten die ze in de jaren tachtig hadden gegeven. Ze waren trouw aan elkaar maar één of twee keer per jaar niet monogaam. Dat Jeremy, als zijn levensgezel, niet door de ziekte was aangetast, kwam vaker voor, een medisch raadsel, verklaarden de artsen, maar het viel vermoedelijk te verklaren uit genetische resistentie en toeval. De symptomen van de ziekte bleven zo lang uit dat ze de illusie teweegbrachten dat de ziekte aan Jonathan voorbij zou trekken, maar op een dag dienden de tekenen zich aan, vele jaren na de eerste diagnose. Jeremy week niet van zijn zijde en verzorgde hem, koesterde hem wanneer de angst te groot werd om te worden weggehoond, zocht naar de nieuwste medicijnen en de modernste therapieën, en begeleidde hem naar zijn laatste uur.

Zes volle morfineampullen had hij niet hoeven aanspreken. Ze lagen met injectiespuiten in een leren etui tussen condooms, manchetknopen, horloges en ringen in een la in hun weidse inloopkast, waar tachtig kostuums wachtten, tweehonderd overhemden, zestig paar schoenen. Na Jonathans dood had hij niets weggedaan.

Bij het naderen van Jeremy's vijfenzestigste verjaardag op achtentwintig december 2000 drong het tot hem door dat hij zijn vorige verjaardag in eenzaamheid en rouw had doorgebracht en dat hij niet de kracht had om alleen oud te worden. Naast Jonathan had hij zijn kwaliteiten en zwaktes ontdekt, maar ook vastgesteld dat hij zonder hem armen had zonder handen. Toen hij Kelly Hendel belde, stond zijn besluit vast. De viering van zijn laatste verjaardag zou op tweeëntwintig december plaatsvinden, precies eenentwintig jaar na hun eerste kus, en 's avonds om negen uur zou hij de morfineampullen in zijn bloed injecteren zoals hij bij Jonathan had gedaan.

Kelly betwijfelde of ze veel respons op de uitnodiging voor een *pre-christmas party* zouden krijgen want op de tweeëntwintigste zouden overal borrels georganiseerd worden, maar Jeremy hield vast aan een *lunch event*. Verder stond hij erop dat om zeven uur alles zou zijn opgeruimd. Hij schreef zijn testament en liet dat in een gesloten envelop, waarop hij dramatisch 'Te openen na mijn dood' schreef, bij zijn advocaat bezorgen.

Hoewel hij een leven lang agnost was geweest, werd de verwachting dat hij zich met Jonathan zou verenigen bij het naderen van de datum steeds sterker. Het mooiste deel van zijn leven zou de vorm van een cirkel krijgen en hij was ervan overtuigd dat hij daarmee eer bewees aan Jonathan.

In volledige rust zag hij hoe die ochtend een team Latino's onder Kelly's leiding het feest voorbereidde. Zoals altijd ontging haar geen detail, corrigeerde ze het personeel, riep ze late leveranciers tot de orde, wees een ober op een vlek op zijn hemd, controleerde of de tafels perfect waterpas op het gras stonden. Van alle kleurrijke salades, quiches en taarten proefde hij één hapje en herinnerde zich – droef en hunkerend tegelijk – de maaltijden die hij met Jonathan had genoten, in Kyoto, Florence, Parijs, Buenos Aires. En straks weer. Voor altijd straks.

(Jeremy Swindon werd op de ochtend van achtentwintig december dood aangetroffen door Kelly Hendel, die met hem de party wilde evalueren, maar geen reactie op haar telefoontjes kreeg.)

## JUAN ARMILLO

Als Juan vroege dienst had, moest hij zich al om vier uur in de ochtend melden, maar de late dienst, die om tien uur begon, kon hij combineren met een avond werken als valet bij een van de vele *upscale* eetgelegenheden die hun gasten het gemak van een vriendelijke Latino boden.

Het theater van het restaurant begon al buiten op straat. Nadat zijn auto tot stilstand was gekomen en zijn portier door een snelle hand werd geopend, legde de gast achteloos het sleuteltje in de geopende hand van de gezichtloze *valet*, om vervolgens machtig naar binnen te schrijden. Op avonden rond de feestdagen, in het weekend en in de zomer wanneer Duitse en Japanse toeristen in hun huurauto's voorreden, kon Juan honderd dollar verdienen. Een stille, kille donderdagavond vlak voor kerst bracht weinig op. Toch telde hij, nadat hij om halftwaalf zijn eenkamerflatje op Melrose was binnengestapt, twintigduizend dollar in coupures van honderd dollar.

De opbrengst van één avond auto's parkeren en voorrijden bij Le Ciel op Robertson.

Het was diefstal. Net als de andere *valets* keek hij wel eens wat er in het dashboardkastje lag. Soms vond je er een wapen, een dildo, condooms, drugs, die sterke verhalen opleverden bij het wachten buiten. Om halftien reed een oud model Mercedes voor. Juan opende het portier, liet de bestuurder uitstappen – een man van een jaar of zestig, misschien vijfenzestig, die oogde als arts of accountant en in gezelschap was van een even oude vrouw – en reed de auto naar de parkeerplaats. Een hoekje van een beige envelop stak uit het dashboardkastje. Een dikke envelop met heel veel biljetten van honderd dollar. Hij durfde ze niet te tellen, keek opeens bang en ziek van begeerte om zich heen en besloot de envelop mee te nemen en in zijn eigen oude Corolla te verstoppen.

Ontdekking was onvermijdelijk. Wie laat zo veel geld in een auto achter? Was het drugsgeld? Zwart geld? Of werd hij nu door een verborgen camera voor een tv-programma over stelende *valets* gefilmd? Als de mensen straks in hun auto zouden stappen, zagen ze direct wat er was gebeurd. En misschien was de man geen arts, maar beroepscrimineel en had Juan net zijn eigen doodsvonnis getekend.

Enkele minuten later haalde hij een Cadillac op voor vertrekkende gasten. Met een schroevendraaier forceerde hij het slot van een van de achterdeuren van de Mercedes. Toen hij weer voor het restaurant wachtte, was de spanning nauwelijks te verdragen en liep hij onafgebroken rokend heen en weer. Fredo, de collega die deze avond de leiding had, vroeg hem waarom hij zo rusteloos was, en Juan antwoordde dat hij last had van zijn maag. Veel Latino's hadden last van hun maag. Ze aten te veel en te vet. Fredo zei dat hij naar huis kon gaan als hij wilde, vanavond konden ze het makkelijk met z'n tweeën aan. Zwalkend, alsof hij dronken was, reed Juan zijn Corolla naar het armoedige deel van Melrose, waar hij woonde. Hij had geen slok genomen, maar was duizelig van angst en opwinding. Als hij werd aangehouden zouden ze het geld vinden.

Rond middernacht nam hij zich voor om een tas te pakken en te vluchten, maar hij wist niet waarheen. Hij had veel geld gestolen, maar het was een fractie van wat hij nodig had voor een zorgeloze toekomst. Een halfuur later begon het tot hem door te dringen dat hij van dit geld hoogstens een jaar kon leven en dat het blinde waanzin was wat hij had gedaan. Een uur later kwam hij tot de conclusie dat hij moest afwachten tot morgen. Er waren geen bewijzen dat hij de dief was en het bewerken van het slot van de achterdeur was een slimme zet geweest, waarmee hij elke beschuldiging kon pareren. Om een uur of vier 's nachts bedacht hij dat hij naar de politie moest gaan om het geld als gevonden aan te geven – toevallig ontdekt op de parkeerplaats – want dit bedrag was zo veel onzekerheid niet waard.

Om zes uur 's ochtends was hij zo uitgeput dat hij in slaap viel. Om halftien werd hij wakker gebeld. Zijn chef Michel van bakkerij Progress. Geen politie. Geen Fredo. Geen mafiabaas die zijn geld opeiste. Michel was een jonge Fransman, een goeie vent die ontspannen met de Latino's omging en geduld en begrip toonde. Juan was nooit te laat geweest en hij wist dat Michel het hem zou vergeven. Kom snel, zei Michel mild, als je er bent zijn we al een halfuur achter op schema.

Juan haastte zich naar de bakkerij. De envelop had hij in een plastic zak in de stortbak van de wc verstopt, zoals hij het wel eens in een film had gezien. Het was een raadsel waarom mensen twintigduizend dollar in hun auto lieten liggen, en het was een raadsel waarom hij nog steeds in leven was. Misschien hadden de mensen het geld zelf ergens ontvreemd en waren ze blij dat ze ervan af waren. Zoals ook hij blij zou zijn wanneer hij het kwijt was. Misschien moest hij het weggooien of verbranden. Hij had het gevoel dat de plastic zak in de stortbak geen bankbiljetten maar een bom bevatte, en het was hem volkomen duidelijk dat hij niet als dief ter wereld was gekomen. Toen hij de truck wegreed en bij de uitrit op een fout geparkeerde wagen stuitte, sloeg hij uitzinnig van woede en spijt op de claxon.

(Wat hier boven staat heb ik natuurlijk verzonnen, maar ik ben naar hem toe gegaan omdat ik wilde weten hoe het met hem ging, en toen ik bij het gebouw aankwam waar hij woont stapte hij net in een gebruikte maar in uitstekende staat verkerende Chevrolet Camaro, een snelle rode cabrio met een brede witte racestreep die zes weken na het ongeval door hem is aangeschaft. Zo'n auto kan hij zich met zijn salaris van bakkerij Progress echt niet veroorloven. De jonge vrouw die met hem meereed was een leuke Latina met dik zwart haar dat bijna blauw glansde in de zon. Het was een mooie warme dag. Ze droeg een lichtblauwe zijden jurk met korte pofmouwen, een petticoat die de zomen van de jurk bij het lopen rond haar benen liet dansen, een bloem in het haar, uitgedost zoals de vrouwen uit het zuiden zich verkleden voor een feest. Hij opende het portier voor haar en wachtte tot ze zat. Ze greep snel zijn schouder toen hij het gaspedaal indrukte en de auto met gillende banden liet wegrijden, haar haren waaiden op.

Misschien gaan ze wel trouwen. Misschien krijgen ze kinderen. En misschien worden ze samen heel oud. Misschien zit hierin een mooi verhaal voor u over hoop en geluk, mister Koopman.)

***

# DANK

Dank is verschuldigd aan prof. Sander Bais en prof. Leon Eijsman voor hun natuurkundige en medische adviezen. Verder heb ik vrij geciteerd uit *De man die van getallen hield* van Paul Hoffman, *Onmogelijke herinneringen* van Yonassan Gershom, *The Jew in the Lotus* van Rodger Kamenetz, *The Search for God at Harvard* van Ari L. Goldman, *The hidden face of God* van Richard E. Friedman en *Boeddha leeft, Christus leeft* van Thich Nhat Hanh, en uit talloze websites. En opnieuw mocht ik profiteren van de onverzettelijkheid van Alice Toledo, mijn editor.